D0756070

L'héritier de Shelbourne

ANNE HERRIES

L'héritier de Shelbourne

LES HISTORIQUES

éditions HARLEQUIN

Collection : LES HISTORIQUES

Titre original : THE UNKNOWN HEIR

Traduction française de FLORENCE BELLOT

Photo de couverture
Sceau : © ROYALTY FREE / FOTOLIA

83-85, boulevard Vincent-Auriol, 75646 PARIS CEDEX 13.
Service Lectrices — Tél. : 01 45 82 47 47
www.harlequin.fr

ISBN 978-2-2802-4485-5 — ISSN 1159-5981

Chapitre 1

Hester Sheldon déposa un vase de superbes chrysanthèmes sur le guéridon, devant la fenêtre du salon. Pensive, elle contempla la pelouse détrempée et les arbres ruisselants qui bordaient l'élégante vieille demeure. Edifiée pendant le règne de la reine Anne, Shelbourne avait hérité de toute la grâce et la beauté de cette époque, même si elle était plutôt défraîchie à présent et avait récemment été endommagée par un incendie.

Hester aimait sa maison, mais, depuis quelque temps, l'avenir semblait s'assombrir pour sa famille. La mort de son beau-père les avait cruellement frappés quelques mois auparavant et la présente maladie du duc de Shelbourne n'était, pour elle, que la suite inéluctable de cette tragédie. Oui, cette maison qu'elle adorait était maintenant bien vide !

— Mademoiselle Hester ?

L'intendante venait d'entrer, prête à accepter tout surcroît de travail. Le fardeau des affaires quotidiennes reposait désormais sur ses seules épaules. Lady Sheldon, la mère d'Hester, était très diminuée depuis la mort de son mari, et le duc, alité, ne pouvait guère que la conseiller depuis sa chambre.

— Oui, madame Mills ? Y a-t-il un problème ?

— Sa Grâce a demandé que vous montiez la voir dès que vous aurez une minute, mademoiselle.

— Oui, bien sûr. J'y vais tout de suite. Au fait, madame

Mills, mes compliments à la cuisinière ! Le rôti de bœuf était excellent hier soir. Grand-père l'a particulièrement apprécié.

— Elle sera heureuse de l'apprendre, je n'en doute pas, mademoiselle.

Mme Mills s'écarta pour laisser le passage à Hester. D'un air désapprobateur, elle regarda la jeune femme gravir rapidement l'escalier. Quelle injustice ! pensa-t-elle. Ils s'attendaient tous à ce que Mlle Sheldon s'occupe de tout ! Certes, à vingt-six ans, celle-ci n'était plus une enfant mais ce n'était pas une raison pour lui faire porter un tel fardeau. Sans compter qu'elle ne se marierait sans doute jamais. Une vraie désolation !

Hester souriait en se hâtant vers le dernier étage de l'aile ouest, où étaient situés les appartements privés du duc. Il les quittait rarement ces jours-ci. Sa maladie lui avait ôté toute force dans les jambes et il fallait le porter dans les escaliers, ce qui le mettait de fort mauvaise humeur. Elle frappa à sa porte et fut accueillie par le valet du duc.

— Comment va-t-il ce matin, Simmons ?

— Oh ! comme d'habitude, mademoiselle, répondit le valet avec un sourire. Il se sentira beaucoup mieux après vous avoir vue.

Hester traversa le salon du duc vers sa chambre. Il n'avait pas encore été autorisé à quitter le lit plus d'une heure par jour. Pourvu qu'il n'ait pas fait une rechute ! Par bonheur il avait l'air d'aller un peu mieux, se dit-elle en le voyant, et elle se détendit, jusqu'à lui sourire.

— Que puis-je pour vous, grand-père ?

Elle n'était pas du même sang, cependant on l'avait toujours incitée à le considérer comme son grand-père.

Hester était issue du premier mariage de sa mère. Son père était décédé juste après sa naissance. Quand sa mère s'était remariée, Hester avait été adoptée par lord Sheldon, qui lui avait donné son nom. Elle l'avait beaucoup aimé, comme le seul père qu'elle ait jamais eu, et le duc était devenu tout naturellement son grand-père, un grand-père qu'elle chérissait.

— Rien pour le moment, dit-il. Je voulais juste t'informer que j'avais fait quérir mon héritier en Amérique. S'il accepte de venir, cela pourrait changer les choses pour lady Sheldon et pour toi, Hester.

— Oui, je comprends. Il nous faudra peut-être nous installer dans les dépendances.

— Pas tant que je vivrai ! s'indigna le duc. Comme tu le sais, j'ai fait prendre des renseignements sur lui : ils sont encourageants. Il semble posséder une certaine fortune… Dieu sait que nous pourrions faire bon usage de cet argent ici, ma fille !

— Ah, je le sais bien, grand-père ! Mais il ne voudra peut-être pas le consacrer à restaurer cette demeure, ou le domaine.

— J'ai convaincu Birch de se rendre là-bas, poursuivit le duc, sourcils froncés, afin de rappeler à cet Américain ses devoirs envers sa famille. Il n'est peut-être pas très présentable, c'est une éventualité. Mais serais-je trop exigeant si je te demandais de t'occuper de le hisser à la hauteur des exigences de notre société, Hester ?

— Je crains de ne pas vous comprendre, grand-père.

— Il va falloir qu'il apprenne les bonnes manières, à l'anglaise. Je n'ai pas la moindre idée des écoles qu'ils ont là-bas, mais j'imagine qu'il doit être un peu rustre. Son père était un joueur professionnel. Il gagnait sa vie à bord des bateaux casinos qui sillonnent leurs fleuves. Mais il s'était plutôt bien débrouillé, apparemment, et il était à l'aise financièrement.

— Je serai ravie d'offrir mon aide s'il le souhaite, bien sûr, accepta Hester, plutôt dubitative. N'oublions pas qu'il est le fils d'Amélia : elle lui aura certainement appris les bonnes manières.

— Peut-être…

Il s'était renfrogné au nom de sa fille préférée. Elle s'était enfuie pour épouser l'homme qu'elle avait choisi, contre la volonté de son père, et il avait mis très longtemps à le lui pardonner.

— Eh bien, vois ce que tu peux faire pour lui s'il vient, Hester… Evidemment, rien n'est sûr…

— S'il ne souhaite pas vivre ici, il pourrait renoncer à son droit au titre, grand-père.

— Alors il ne nous resterait plus que M. Grant, soupira le duc. Ah ! Pourquoi n'es-tu pas un garçon, fils de mon fils, Hester ? Si je disposais de l'argent nécessaire pour modifier les clauses de la succession, je te léguerais tout. Toi, tu aimes ce domaine ! Alors qu'aucun de mes fils ne s'en est jamais soucié. Quant au petit-fils de mon demi-frère…, je me retournerais dans ma tombe, s'il devenait le maître ici. C'est un sombre imbécile !

— Ne vous énervez pas ainsi ! répliqua Hester, amusée. Vous savez bien que je n'ai pas le droit d'hériter. De plus, cet Américain pourrait combler vos vœux, surtout s'il est fortuné.

— Eh bien, Birch va le sonder. Il ne peut partir en Amérique que la semaine d'après Noël. Espérons que son voyage sera couronné de succès ! J'ai écrit au fils d'Amélia aussitôt après la mort de ton père, mais il n'a pas répondu à mes lettres.

Hester resta songeuse. Le duc espérait que ce petit-fils

inconnu viendrait prendre sa place dans la lignée et accepterait le titre ! Mais quel en était l'intérêt pour cet homme, surtout s'il était déjà riche ?

— J'espère de tout mon cœur qu'il viendra, dit-elle pour le réconforter. Dans le cas contraire, nous nous débrouillerons, comme nous l'avons toujours fait…

— Nous nous débrouillerons, martela le duc. Si je récupérais de bonnes jambes, je m'occuperais de cette affaire. Mais, dans mon état, je suis inutile. Si un jour tu décides de te marier, ce domaine ira à vau-l'eau.

— Je n'en ai pas la moindre intention, répliqua Hester d'une voix apaisante. Je ne vous quitterai pas, cher grand-père. Si votre héritier vient…

Elle laissa sa phrase en suspens. Qui pouvait dire ce qu'il adviendrait ? D'autant qu'il y avait peu de chance pour que cet homme apparemment heureux accepte de quitter son foyer pour un tas de ruines à l'autre bout du monde…

— Toi ? L'héritier d'un duc anglais ? s'esclaffa bruyamment Red Clinton. Ne me fais pas rire, Jared ! Tu me mènes en bateau, n'est-ce pas ?

Jared considéra son cousin, un large sourire sur sa bouche sensuelle.

— Ça a l'air incroyable, je le sais, mais c'est la vérité. Ma mère s'est enfuie avec mon père quand sa famille s'est opposée à son mariage. Papa n'avait pas grand-chose pour lui, à l'époque…

Il balaya du regard la pièce cossue située au-dessus du cercle de jeu qu'il possédait à La Nouvelle-Orléans. C'était là le legs de son père, tout ce qui restait de l'argent de Jack Clinton. Après avoir fait fortune sur les bateaux du Mississippi, celui-ci avait fait bâtir une demeure digne de la fille d'un duc anglais. Une demeure qui avait été vendue à la mort de sa mère. L'argent du jeu s'était évaporé, aussi vite qu'il avait afflué. Le cœur de Jack Clinton s'était éteint en même temps que celui de son épouse. Il avait sombré, négligé son fils Jared, s'était mis à boire et avait joué inconsidérément jusqu'à ce qu'il ne lui reste plus qu'un seul cercle de jeu. Après son décès d'une crise cardiaque, Jared avait pris possession de son héritage. Il se l'était alors juré, jamais il ne finirait comme son père ! Depuis ce jour, il n'avait cessé de s'enrichir. Il était aujourd'hui bien plus aisé que son père ne l'avait jamais été, respecté et admiré par la crème de la bonne société de La Nouvelle-Orléans. Il avait même été approché par les notables de la ville, qui souhaitaient le pousser vers une carrière politique !

— Je croyais qu'après sa fuite avec ton père, la famille avait refusé d'avoir la moindre relation avec ta mère, insista Red. Pourquoi ont-ils soudain décrété qu'ils avaient besoin de toi après toutes ces années ? Il n'y a personne d'autre ?

— Il semblerait que non. Il y avait trois fils et quatre petits-fils, si ma mémoire est bonne. Il a dû y avoir une sacrée hécatombe pour que le titre me revienne.

— Sacré nom de nom ! jura Red, une bonne demi-douzaine de fois, l'air soucieux. Que vas-tu faire ? Ici, tu vis comme un roi. Pourquoi aller croupir dans une vieille baraque croulante qui te tombera sur la tête ? A moins que cette famille ne nage dans l'abondance ? interrogea le jeune homme avec curiosité.

— J'en doute, répondit Jared avec un sourire qui le fit tout d'un coup ressembler comme un frère à son séduisant cousin.

Ils étaient tous deux de haute stature, larges d'épaules, sveltes, avec l'allure sportive des jeunes gens brillants sortis de l'académie militaire de West Point. Et tous deux riches et séduisants, même si Red était le plus attirant avec ses cheveux cuivrés qui flamboyaient au moindre rayon de soleil. Ceux de Jared étaient plus sombres, ses traits moins raffinés. Seuls leurs sourires trahissaient leur lien de parenté.

— La lettre de l'avoué ne parlait que de l'honneur du nom de la famille. Il semblerait qu'il soit de mon devoir de me rendre là-bas et de faire valoir mes droits.

— Le devoir a bon dos. Si tu veux mon avis, ils ont eu vent que tu étais riche comme Crésus, et ils veulent croquer ton magot, ironisa Red avec une moue de mépris. Partir là-bas serait une folie, Jared.

Jared hocha la tête. Son cousin ne faisait que confirmer ses doutes depuis l'arrivée de la précédente lettre, une semaine plus tôt.

— Le pire, c'est qu'ils ont l'air de s'imaginer que j'ai besoin de leçons de savoir-vivre ! ajouta-t-il. Ils vont envoyer leur avoué pour s'entretenir avec moi et me ramener en Angleterre. On m'a recommandé de n'acheter aucun vêtement avant mon arrivée là-bas. Il semblerait qu'une cousine doive m'enseigner quoi porter et comment me tenir en société.

— Ça alors, j'en tombe à la renverse ! s'exclama Red, hilare. Ils te prennent pour un gros rustre, c'est ça ?

— L'avoué ne l'a pas formulé tout à fait ainsi, mais c'est l'idée, confirma Jared, amusé par la franchise de ton inhabituelle de son cousin. Il arrive aujourd'hui. Je me demandais où le recevoir.

— Qu'est-ce que tu veux dire ? s'étonna Red.

Il examina la vaste pièce, décorée d'exquis meubles français Empire et regorgeant de trésors pour lesquels bon nombre des voisins de Jared auraient tué père et mère.

— Tu as un tas d'endroits superbes où le recevoir.

Pourquoi pas ici ? Un seul regard, et ce fameux « agent » saura à quoi s'en tenir sur ton éducation et ton rang au sein de la société américaine.

— C'est exact, concéda Jared, un éclair machiavélique dans les yeux. Mais je suis furieux quand je repense à la façon dont ce vieillard a traité ma mère. Il était rigide à tous points de vue. A cette époque, il pouvait se permettre d'ignorer sa fille, avec tous ses fils et ses petits-fils. Il a dû être contrarié de se rendre compte qu'il ne lui restait que moi.

— J'imagine, acquiesça Red.

Connaissant bien son cousin depuis leurs études à l'académie militaire, il avait discerné qu'un plan démoniaque se mettait en place dans son esprit. Il ne connaissait que trop l'étincelle qui venait de s'allumer dans le regard bleu-vert de Jared.

— Tu veux bien m'exposer ton plan ? Je ne peux pas rester trop longtemps, parce qu'une jolie fille s'attend à ma visite cet après-midi.

— Tu connais l'entrepôt au bord du fleuve ?

— Celui que tu as acheté la semaine dernière ? s'enquit Red, plissant les yeux. Tu voulais le démolir et en reconstruire un neuf, si mes souvenirs sont bons.

— Heureusement, je ne l'ai pas encore fait. Crois-tu que ta dulcinée t'en voudra si tu es un peu en retard à ton rendez-vous, Red ? Il n'y a que toi pour me rendre ce service.

— Pas de problème, accepta son cousin. Sue Ellen est ravissante quand elle est furieuse. Et elle va être furieuse. Elle pourrait même me tirer dessus, d'ailleurs, mais je prends le risque. Alors, quel est ton plan ?

— Je rencontrerai M. Birch à l'entrepôt du fleuve, dévoila Jared. Je vais dénicher de vieux vêtements de travail de papa et lui donner une bonne frayeur. Puisqu'il s'attend à ce que je sois repoussant et ignorant, ne le décevons pas !

— Très drôle, approuva Red, enthousiaste. Et moi, j'interviens à quel moment ?

— Ils ont peut-être fait quelques recherches, avança Jared. Mais vois-tu, ils ont commis une grosse erreur. En réalité, je suis un bon à rien de joueur, comme mon père, et le mois dernier tu as gagné tout ce que je possédais. Crois-tu que tu peux faire cela pour moi ?

— Bien sûr ! s'exclama Red avant d'éclater de rire. C'est vrai que cela infligera une bonne leçon à ton aristocratique famille ! Mais après ? Tu ne vas quand même pas aller là-bas ?

— Oh ! ça dépend, songea Jared. Je suis curieux de savoir ce qui est arrivé à tous ces fils et petits-fils, mais j'ai encore besoin de réfléchir.

— Prends ton temps, lui conseilla Red. S'ils payent un tel voyage à quelqu'un, c'est qu'ils veulent quelque chose, et qu'ils en ont désespérément besoin.

— Ça, j'en suis certain, fit Jared en serrant les poings pour contenir la rage qu'il sentait resurgir.

— Je vous remercie de venir me voir avant votre entrevue avec grand-père, monsieur Birch, dit Hester en accueillant l'avoué dans le salon de Shelbourne.

Le printemps était arrivé. Cela faisait quelques mois déjà que son grand-père l'avait informée de ses intentions vis-à-vis de son héritier, et le récent courrier de M. Birch les avait bouleversés.

— Votre lettre l'a contrarié, continua-t-elle. Cet héritier est-il vraiment aussi épouvantable que vous le suggérez ? Selon toutes les informations dont disposait grand-père, il était aisé, doté d'une bonne éducation. N'a-t-il pas fréquenté une excellente académie militaire ?

— Il semble qu'il en a été renvoyé avant la fin de ses études, parce qu'il buvait et jouait, expliqua M. Birch.

Il soupira. Il travaillait pour le duc de Shelbourne depuis toujours, avec une loyauté sans faille.

— C'est Roderick Clinton, son cousin, qui possède toute la fortune. Lui, c'est un vrai gentleman, même si parfois son vocabulaire laisse quelque peu à désirer. Vous n'auriez eu aucun mal à corriger cela, miss Sheldon, mais je crains que M. Jared Clinton ne soit au-delà de vos compétences. Il vit dans une espèce de cabane épouvantable, et ses vêtements…

Il frissonna au souvenir de la puanteur atroce qui l'avait frappé lors de leur première rencontre. Seul son sens du devoir l'avait empêché de tourner les talons aussitôt.

— J'ai réussi à le rendre à peu près décent pour le voyage à Londres, continua-t-il, mais il refuse d'acheter quoi que ce soit, alors même que je l'ai assuré que le duc lui avait ouvert un compte à la Coutts Bank. Apparemment, il avait de l'argent il y a encore peu de temps, et il l'a perdu aux tables de jeu après avoir trop bu. Il m'a confié qu'il devait d'abord apprendre à contrôler ses mauvaises habitudes avant d'accepter quoi que ce soit venant du duc.

— Au moins il a l'air conscient de ses devoirs envers grand-père ! s'exclama Hester.

Elle soupira encore plus profondément que l'avoué, comme s'il était possible d'être plus affectée que lui. Elle avait tiré ses cheveux bruns en arrière, en un chignon strict qui ne mettait pas ses traits en valeur. Elle était cependant élégamment vêtue, en dépit de sa tendance à choisir les couleurs de ses robes dans des teintes passe-partout. Elle avait traversé tant de tragédies ces dernières années, dont la mort de son beau-père et celle de son demi-frère John, qu'elle avait fini par se résigner à rester à Shelbourne pour soutenir sa mère et son grand-père, qui ni l'un ni l'autre ne manifestaient le moindre désir de paraître en société.

— C'est déjà quelque chose, affirma-t-elle. La plupart de mes oncles et cousins par alliance ayant tous été des joueurs invétérés, il aurait été stupide de nous attendre à ce que notre héritier américain fasse exception à la règle ! J'ai trouvé cela trop beau pour être vrai, quand nous avons reçu les renseignements indiquant qu'il était travailleur, honorable et intelligent.

— Ah, si seulement vous aviez été un homme ! s'écria M. Birch. Vous êtes tout ce dont cette famille a besoin, miss Sheldon. J'ai toujours estimé que c'était la lignée féminine qui avait hérité du bon sens, ici !

— Vous oubliez que je n'ai aucun lien de sang avec le duc, rétorqua Hester. Je l'adore comme s'il était mon grand-père, et il me le rend bien, mais je ne suis pas une vraie Sheldon.

— C'est exact, cela m'est sorti de la tête un instant. Je n'en suis pas moins convaincu qu'il est impossible d'avoir une petite-fille plus aimante que vous, miss Sheldon.

— J'aimerais trouver un moyen de protéger grand-père, murmura Hester, ignorant la flatterie de l'avoué. La lignée masculine de cette famille est maudite, monsieur Birch. J'ai cru pendant des années que cette vieille histoire était un mythe, des racontars, sachant que mes oncles étaient des joueurs et buveurs inconséquents, mais depuis la mort de papa et celle de mon frère..., fit-elle avant de s'arrêter, la voix brisée par le chagrin qui l'avait envahie.

— Ce ne sont que des fables, lui assura l'avoué. Il est vrai cependant que la famille a subi les coups du sort ces dernières années. Les frères de votre beau-père ont tous hérité de la maladie de leur mère, cette inflammation pulmonaire qui bien souvent s'avère fatale, miss Sheldon. C'est triste, certes, mais tout cela n'a rien de surnaturel.

— Oui, vous avez peut-être raison, acquiesça Hester avec un soupir. Grand-père nourrissait tant d'espoirs envers notre nouvel héritier ! Je crains qu'il n'essuie une nouvelle déception.

— Oh ! mais cet homme a l'air en bonne santé. C'est un joueur, certes, et il m'a confié qu'il buvait plus que de raison, mais il m'a paru dans de bonnes dispositions envers ses futures obligations. Il n'a pas bu plus d'un verre de vin par dîner pendant le voyage, et il s'est abstenu de jouer. Sa manière de s'exprimer est un peu… — M. Birch hésita, ne sachant trop quel mot utiliser pour ne pas choquer Hester — américaine, je ne vois pas comment le dire autrement… mais j'ose croire que vous pourrez y remédier et lui indiquer les meilleurs tailleurs, miss Sheldon. Vous avez toujours fait preuve d'un goût parfait et il aurait tout à gagner à vous écouter.

— S'il daigne le faire, dit Hester, dubitative. Je n'ai jamais vu le moindre gentleman coopérer dans ce domaine. Papa n'écoutait jamais maman pour quoi que ce soit, je peux l'assurer. S'il l'avait fait, il n'aurait jamais perdu autant d'argent au jeu. Et vous savez aussi bien que moi qu'il n'aurait pas commencé à boire autant et attrapé cette mauvaise fièvre qui l'a mené dans la tombe. Il faut dire que la mort de mon frère lui a brisé le cœur. Il n'a plus jamais été le même par la suite, puisqu'il savait qu'il n'aurait plus jamais d'autre fils. La santé de maman le lui interdisait, voyez-vous.

— C'est réellement affligeant, acquiesça M. Birch. Vous ne pouvez qu'essayer de faire de votre mieux, miss Sheldon. Le peu qui reste du patrimoine dépendra des efforts de l'héritier pour le restaurer. Si nous arrivons à le rendre présentable, nous pourrons lui faire épouser une héritière.

— Mais ensuite ? demanda Hester. Maman était aussi une héritière, pourtant papa a perdu tout son argent au jeu, ainsi que celui qu'il possédait. Elle n'a plus que sa dot, qui suffit à peine à nous permettre de nous vêtir décemment aujourd'hui. Mais vous avez raison, un riche mariage est la seule solution. Grand-père tient dur comme fer à organiser un bal pour présenter cet Américain à la bonne société.

— Pas tout de suite, miss Sheldon, l'exhorta l'avoué en frissonnant. S'il était vu par ces gens tel qu'il est maintenant..., tout espoir de lui trouver une héritière s'envolerait.

— Est-il vraiment si épouvantable que cela ? s'enquit Hester, sourcils froncés. Je n'étais pas née quand ma tante s'est enfuie avec son joueur américain, mais tout le monde s'accordait à dire qu'elle était belle et intelligente.

Comment son fils pourrait-il être un rustaud ignorant, tel que l'avait décrit l'avoué ? songea Hester. Ce n'était pas logique. Il devait y avoir un mystère derrière tout cela, c'était certain.

— Il vaudrait mieux que je le voie avant grand-père, monsieur Birch, reprit-elle. Je vais vous accompagner à Londres, où je séjournerai chez ma marraine. Je parviendrai peut-être à le civiliser avant qu'il ne vienne ici.

— C'est une bonne idée, à mon avis, approuva M. Birch. J'hésitais à vous le suggérer, mais, puisque vous m'avez devancé, je ne peux qu'applaudir votre sens du devoir.

— Le devoir ? s'exclama Hester. A la vérité, je me soucie peu du sort de cet héritier, monsieur. J'ai pour seul désir de rendre les derniers jours de grand-père aussi agréables que faire se peut. Il se sent responsable de ce qui est arrivé dans la famille, je le sais, et j'aimerais trouver un moyen de l'apaiser.

— Votre grandeur d'âme est ce que tout un chacun devrait rêver de voir chez sa fille, assura l'avoué. Votre mère et votre grand-père s'appuient tant sur vous, miss Sheldon. C'est un peu injuste pour vous. Vous avez vu si peu de gens ces derniers temps…

L'avoué ne finit pas sa phrase, mais Hester comprit qu'il faisait référence au fait qu'elle n'était toujours pas mariée.

— On m'a donné énormément d'amour, répliqua-t-elle avec un sourire serein. J'ai eu ma saison avant la mort de papa, vous savez. Il ne s'est rien passé, et je crains qu'il ne soit désormais trop tard pour penser au mariage. Je suis heureuse de ma vie telle qu'elle est, monsieur.

M. Birch soupira intérieurement. Une femme aussi intelligente que miss Sheldon ! Quelle désolation de la voir confinée dans le mausolée qu'était cette demeure ! Cependant, il la connaissait trop bien pour imaginer qu'elle ait jamais la moindre intention de priver sa mère ou le duc de son soutien. Elle était vouée à rester vieille fille, pauvre enfant !

— Ainsi le fils prodigue ne répond pas à vos espérances ! déplora lady Sarah Ireland, jetant un coup d'œil scrutateur sur sa filleule.

C'était si regrettable qu'Hester ne se soit pas mariée quand elle était plus jeune, songea-t-elle. Une jeune fille charmante et sensée comme elle méritait d'avoir son propre foyer. Elle obéissait au duc au doigt et à l'œil, et celui-ci était devenu égoïste sur ses vieux jours. En fait, elle n'avait jamais aimé Shelbourne, mais elle appréciait Hester, qui lui était parente du côté de son père. Elle avait plus d'une fois tenté de convaincre sa filleule de venir vivre chez elle à Londres.

— Eh bien, tu pourras lui apprendre à se tenir en société, j'en suis sûre. Quant à son argent, c'est déplorable. S'il avait été encore fortuné, personne ne relèverait ses écarts de langage.

Hester acquiesça d'un signe de tête vers sa marraine, qu'elle aimait beaucoup.

— Cette remarque était un peu cynique, chère marraine, mais dictée par de bonnes intentions, je le sais. Cette société pardonne la plupart des choses, pour peu que la fortune les compense en conséquence.

Elle exhala un soupir et se regarda dans le grand miroir ovale qui ornait l'élégant salon de lady Ireland.

— Comme vous le savez, reprit-elle, grand-père possède toujours la demeure et les terres, peut-être parce que ses fils sont morts avant d'avoir pu le forcer à vendre, mais il a très peu d'argent. Si cet héritier n'avait pas tout perdu au jeu, il aurait pu contribuer à faire restaurer la demeure. Il faudra beaucoup investir dans l'aile ouest si on veut lui rendre sa splendeur passée.

— Elle a été très endommagée par un incendie l'année dernière, c'est bien cela ? s'enquit lady Ireland. Heureusement pour le duc, tu y étais descendue chercher un livre.

— Oui, c'était une chance, dit Hester en fronçant les sourcils au souvenir de l'événement. J'ai senti la fumée et alerté les domestiques. Le feu a été contenu au rez-de-chaussée, mais s'il avait pris de l'ampleur…

Elle frissonna. C'était certain, ils seraient tous morts dans leurs lits, le duc en premier, car ses appartements étaient situés juste au-dessus du foyer de l'incendie.

— Avez-vous jamais découvert comment cela s'est produit ? demanda lady Ireland. Un serviteur négligent, ou…

— J'aimerais pouvoir vous répondre, la coupa Hester, préoccupée. Je ne peux pas me résoudre à penser que c'était intentionnel. Qui aurait pu faire une chose pareille ? Si grand-père était mort…

— Mais l'héritier vivait en Amérique à ce moment-là, n'est-ce pas ? De plus, il me semble qu'il ignorait sa condition d'héritier, car ton père n'était mort que depuis quelques semaines, et le duc a attendu plusieurs mois avant de le faire quérir, si je ne me trompe ?

— Oui, confirma Hester. Grand-père a fait quelques recherches concernant les clauses de la succession. Je pense que, s'il avait pu les faire modifier légalement, il n'aurait pas hésité, mais les formalités pour cela requéraient une somme d'argent trop élevée. Il y a en fait un autre héritier dans la famille, après l'Américain, voyez-vous. Il s'agit de M. Stephen Grant. Cela signifiait qu'il aurait dû déposer deux demandes de modification. Grand-père a alors abandonné l'idée. Cela aurait mis le domaine sur la paille s'il avait dû payer ces deux formalités.

— Vraiment ? s'exclama lady Ireland, surprise. J'ignorais que le duc avait d'autres parents. Dans mon esprit, il n'y avait que toi, ta mère et l'héritier américain.

— Grand-père avait un demi-frère, Philip, le fils de la deuxième femme de son père, expliqua Hester. Ils se sont brouillés il y a de nombreuses années et il l'a perdu de vue. Il était vaguement au courant que Philip et sa femme avaient eu une fille, mais les familles ne se fréquentaient pas. Il ne savait rien de Stephen Grant, le petit-fils de Philip, jusqu'à très récemment, quand ce dernier a envoyé une lettre très polie dans laquelle il demandait s'il pouvait se présenter.

Lady Ireland ne dissimula pas son étonnement.

— Et il s'est présenté ? L'as-tu rencontré, Hester ? Quel genre d'homme est-ce donc ?

— Oh ! c'est un parfait gentleman. Je crois que grand-père l'a trouvé fréquentable, si ce n'est un peu irritant.

— Irritant ? s'étonna lady Ireland.

— M. Stephen Grant appartient au clergé, révéla Hester. Il a effectivement tout du gentleman, et est en droit de se faire appeler par l'un des titres de notre famille, comme le lui a rappelé grand-père. Mais il considère cela inapproprié pour un homme de sa sorte et préfère être simplement M. Grant.

— Y a-t-il de l'argent dans cette branche de la famille ?

— Très peu. Je crois qu'il a un petit capital placé par son père avant sa mort, mais son grand-père avait été désavoué par la famille, et ce qu'il avait est parti au jeu. M. Grant méprise les joueurs.

— Il semble plus raisonnable que l'héritier américain, remarqua lady Ireland. Et qu'en a dit le duc ?

— Il a déclaré que M. Grant était un pharisien et un écervelé, dit Hester, un sourire espiègle sur les lèvres.

En cet instant, elle semblait plus jeune que son âge, constata lady Ireland, et très jolie.

— Mais c'était à l'époque où il était encore très satisfait des informations qu'il avait recueillies sur l'héritier américain, précisa Hester.

— Ah… c'est si déplorable que ce M. Clinton ait fait mentir ces informations ! La famille a besoin de sang neuf, d'un homme qui mettrait un terme à cette décadence. Néanmoins, il faut se contenter de ce que l'on a, Hester. Quand dois-tu le rencontrer ?

— Très bientôt. M. Birch le conduit ici cet après-midi, pour le thé.

— Oh ! Alors nous verrons par nous-mêmes à quel genre d'homme nous avons affaire, se résigna lady Ireland. J'espère au moins qu'il est présentable, Hester, mais je crains que tu aies fort à faire avant de pouvoir l'exhiber quelque part.

*
* *

Jared Clinton s'examina dans l'élégant miroir de sa luxueuse chambre d'hôtel. Ce qu'il y vit lui déplut : la redingote lui allait mal, très différente de ce qu'il avait l'habitude de porter. Sa chemise était correcte, mais de mauvaise qualité et très inconfortable. Pour un peu il aurait laissé tomber cette mascarade et déballé les vêtements qu'il avait apportés à l'insu de M. Birch. Cependant, l'attitude pleine de désapprobation de l'avoué à leur première rencontre l'avait suffisamment mis en rage pour qu'il décide de continuer. De plus, il n'avait pas la moindre intention de dilapider une fortune afin de remettre en état une bâtisse croulante, encore moins pour une famille qui avait renié sa mère autrefois !

Pour qui se prenaient donc ces gens ? On l'avait sermonné sur ses devoirs envers le duc et le nom de la famille. Apparemment, un vieux dragon était embusqué, prêt à lui bondir dessus pour lui apprendre le savoir-vivre, dont l'avoué ne s'était pas privé de lui dire qu'il manquait cruellement. Selon ses termes, il lui fallait acquérir un peu de vernis social avant d'être présenté en tant qu'héritier du duc.

Jared avait imaginé ce stratagème pour s'amuser, et divertir son cousin, sans la moindre intention de se plier au désir de l'avoué en l'accompagnant en Angleterre. Mais le souvenir de sa mère, la belle lady anglaise de son enfance qui lui chantait des berceuses et lui parlait de la merveilleuse maison où elle avait grandi, avait refait surface et éveillé sa curiosité. Il avait donc embarqué pour l'Angleterre dans l'espoir d'en apprendre plus sur ses racines.

Il se remémora sa dernière conversation avec son cousin avant son départ.

— Tu ne vas quand même pas y aller pour de bon ? s'était exclamé Red, incrédule. Tu sais bien qu'ils n'en veulent qu'à ton argent ! Certes, tu peux leurrer un vieil avoué décrépit pendant un moment, mais tu ne pourras pas tenir longtemps. Et puis, quelle raison te pousse à y aller ? Il n'y a rien pour toi là-bas, Jared.

— Rien, si ce n'est la satisfaction de voir ce vieux grigou malfaisant me supplier de l'aider, avait répliqué Jared, les yeux scintillants. Il a renié ma mère parce qu'elle s'est enfuie pour épouser mon père. Le duc me doit des excuses pour ce qu'il a fait, sinon plus.

— Tu ne vas pas t'installer là-bas, au moins ? avait insisté son cousin. Ici, tu as tout ce que tu veux, et nous avons besoin de toi. Moi, en tout cas, j'ai besoin de toi, Jared.

— Très amusant ! s'était-il esclaffé. Toi, tu as besoin de moi ? Je me permets de te faire remarquer l'avantage que tu aurais à ce que je vende mes biens ici. Tu pourrais acheter la propriété, et augmenter tes parts dans l'affaire.

— Bon sang ! Je n'en veux pas, et tu le sais très bien ! s'était écrié Red, qui commençait à s'échauffer. J'ai déjà plus de terres et de propriétés qu'il ne m'en faut. Les gens ici s'attendent à ce que tu te présentes au Congrès — sénateur cette année, et dans deux ans, qui sait… Tu pourrais être le prochain président.

Jared avait éclaté de rire.

— Ce n'est pas ma tasse de thé, cousin. C'est vrai que j'ai de quoi dire sur la façon dont les choses sont gérées ici, mais je suis pleinement satisfait de concentrer mes efforts à un niveau local. Alors que toi…, tu pourrais aller loin.

— Bon, je suppose que, si tu es décidé à y aller, je ne pourrai rien faire pour t'en empêcher, avait concédé Red en hochant la tête. Mais sois prudent. Je ne serai pas derrière ton dos pour veiller sur toi, cette fois.

— Si j'en éprouve le besoin, je t'écrirai, avait rétorqué Jared sèchement. Je n'ai pas prévu de rester longtemps. Je veux juste me rendre compte de la situation par moi-même.

— Je ne voudrais pas avoir à écrire ton éloge funèbre, avait ajouté son cousin, soudain sérieux. Tu m'as dit qu'il y avait une sorte de mystère sur la façon dont tous les hommes de ta famille sont morts, si je me souviens bien ?

— Oui. J'ai questionné l'avoué, mais il n'a évoqué que des morts naturelles, et deux accidents. Ça ne m'empêchera pas de rester vigilant, promis.

— Je t'en prie, fais attention, avait insisté Red, et, si tu as besoin de moi, je viendrai.

— La cavalerie qui vient à point nommé ? s'était esclaffé Jared. On a vécu de bons moments ensemble, cousin. Garde un œil sur mes propriétés pour moi, et, s'il m'arrive quoi que ce soit, tu seras mon exécuteur testamentaire.

— Quelle piètre consolation ! s'était offusqué Red. Qu'est-ce que je ferai, si tu ne reviens pas ? Je ne peux pas diriger seul ton empire. Et puis, cela viendrait contrecarrer mes plaisirs personnels.

L'humeur de Jared s'allégea au souvenir du dénouement de cette conversation. Son cousin était aussi son meilleur ami, et il ne cessait de regretter son absence, même s'il prétendait appréhender simplement cette rencontre avec la famille de sa mère. C'était étrange... Jared avait l'impression d'être attiré au cœur de quelque chose qu'il regretterait. Il aurait peut-être dû rester chez lui, et ignorer la requête de son grand-père ? Mais il ne s'était jamais dérobé à ses devoirs, et ce n'était pas aujourd'hui qu'il allait commencer.

La tension qui l'habitait s'était quelque peu atténuée quand il descendit à la réception de l'hôtel. Il arriva juste à temps : l'avoué passait la porte d'entrée. Il remarqua la réprobation dans son regard et sourit intérieurement. Ce sentiment de malaise inhabituel l'avait quitté désormais, chassé par son solide optimisme. Il allait se divertir cet après-midi. Le jour n'était pas encore arrivé où il ne réussirait pas à charmer une femme, qu'elle ait seize ou quatre-vingt-seize ans ! Pourquoi cette miss Hester Sheldon ferait-elle exception à la règle ?

Hester se leva en entendant des pas dans le hall qui conduisait dans le salon de sa marraine. Elle s'approcha de la fenêtre et contempla le jardin où toutes les fleurs de printemps avaient éclos. Pourquoi se sentait-elle si nerveuse ? Elle avait exposé toutes les données du problème à lady Ireland. Au fond d'elle-même, elle savait qu'il fallait absolument que l'héritier fasse honneur à la famille. S'il ne réussissait pas à s'attirer les bonnes grâces d'une fraîche héritière présentée cette saison, il faudrait probablement vendre une partie des terres. Ou, pire, l'aile ouest devrait être condamnée et abandonnée jusqu'à ce qu'on trouve les fonds pour la restaurer. Sa marraine l'ignorait, mais Hester en était venue à adorer Shelbourne, même si la demeure ne lui appartiendrait jamais.

— M. Birch et le vicomte Sheldon, madame.

Soudain nerveuse, Hester ne se retourna pas immédiatement. Pourquoi réagissait-elle ainsi ? Par crainte d'être déçue ?

— Eh bien, eh bien, si c'est pas là une belle maison ? entendit-elle s'exclamer dans son dos une voix lourdement chargée de l'accent du sud des Etats-Unis. J'suis sacrément content d'vous rencontrer, miss Sheldon, sauf que j'sais pas trop comment je dois vous appeler, m'dame. Vous êtes une cousine ?

— Je crains que vous ne me preniez pour ma filleule,

répliqua lady Ireland avec une intonation purement anglaise qui sonna à l'oreille avertie d'Hester comme une réprimande implicite vis-à-vis de l'arrivant. Hester, ma chère, voici votre cousin, me semble-t-il.

Hester fit volte-face, et eut le souffle coupé lorsque ses yeux plongèrent dans le regard bleu-vert de son prétendu cousin. Des cheveux d'un châtain cuivré intense, un teint plus sombre que ce à quoi l'on se serait attendu pour un homme de cette complexion. Grand, large d'épaules, avec un visage trahissant l'expérience de la vie, un menton carré et des rides profondes au coin des yeux. Il devait être dans la fin de la trentaine, plus vieux que ce qu'elle croyait, même s'il est vrai que sa mère n'avait que dix-sept ans quand elle s'était enfuie.

Dans d'autres circonstances, Hester aurait tout de suite expliqué qu'elle n'était pas une vraie cousine, mais, pour une raison qui lui échappait, elle avait la gorge sèche et n'arrivait pas à parler. A quoi s'attendait-elle, en fait ? En tout cas, songea-t-elle, pas à cet homme plein d'assurance qui ne s'accordait pas aux vêtements de mauvaise coupe qu'il portait. Il était déjà fort présentable en lui-même. Vêtu décemment, il aurait été époustouflant. Les dandys les plus élégants, clients des meilleurs tailleurs de Londres, ne lui arrivaient pas à la cheville, même tel qu'il lui apparaissait en cet instant. Elle s'éclaircit la gorge et s'avança pour lui offrir sa main.

— Je ne sais ce que M. Birch vous a dit de nous, milord. Vous aviez le choix entre plusieurs titres pour changer votre nom, mais grand-père a estimé que cela serait trop clinquant de vous faire appeler marquis de Shelby, mais vous le pourriez si tel était votre goût. Il vous a donc attribué le titre qui était celui de papa.

— Si ça ne vous gêne pas, m'dame, je préfère qu'on

m'appelle Jared Clinton. Je ne me suis jamais considéré comme un membre de l'aristocratie anglaise.

— Hum… effectivement, dit Hester qui essayait de se contenir.

Elle sentait son pouls battre à toute vitesse. C'était stupide ! Elle qui se contrôlait toujours si parfaitement en société… Si elle perdait contenance, elle serait ridicule.

— Je me fais un devoir de vous accueillir à Londres, monsieur. Le duc est impatient de vous rencontrer, et de présenter son héritier à ses amis. Si je peux me permettre de vous le rappeler, M. Birch vous a informé qu'un compte avait été ouvert en ville à votre nom. Il se peut que vous désiriez acheter quelques vêtements, de ceux que l'on s'attend à vous voir porter ici. Si vous le souhaitez, je serais ravie de vous conseiller pour cette nouvelle garde-robe.

— Eh bien ça, je peux dire que c'est gentil à vous, m'dame, acquiesça Jared.

Jared observa avec attention la jeune femme qui devait faire de lui un gentleman. Comme elle se tenait à contre-jour, il ne distinguait pas très bien ses traits, mais elle était bien habillée. Il s'était préparé à traiter avec courtoisie la vieille dame qu'il imaginait sortie tout droit de son fauteuil d'invalide pour lui porter secours, mais que pourrait-il donc bien apprendre d'une femme aussi jeune ?

— Je voudrais pas vous causer d'ennuis et vous obliger à arpenter la ville dans tous les sens, continua-t-il, à moins que vous puissiez supporter un rustaud comme moi ? Je ne suis jamais allé à Londres et je suis impatient de tout voir. Mon cousin Red va me bassiner à mon retour, pour sûr. Il voudra tout savoir.

— Ce serait un plaisir de vous accompagner, du moins aux endroits autorisés à une lady. Je ne sais si nous pourrons trouver quelqu'un pour vous parrainer dans un club correct, mais, après que grand-père vous aura vu, je pense sans trop m'avancer qu'il priera l'un de ses amis de faire le nécessaire.

— Bon sang ! Si c'est pas là trop aimable de votre part, ma cousine !

— Oh ! encore une chose, ajouta Hester avec un léger froncement de sourcil, je crains qu'il ne faille adapter votre langage lorsque vous vous rendrez dans l'un de ces clubs. Si vous aspirez à vous voir accepté par la haute société, il faudra modérer vos expressions, si vous le pouvez.

— J'ai peur de pas trop voir de quoi vous voulez parler, miss Sheldon…

— J'imagine qu'elle faisait référence à votre franc-parler, intervint lady Ireland. Venez donc vous asseoir, monsieur, j'ai sonné pour le thé.

— Ah, ce breuvage plein de lait qu'on me sert sans arrêt à l'hôtel ! s'exclama-t-il. Si ça vous dérange pas, m'dame, je préférerais pas. Du café, si vous avez, ou quelque chose de plus fort.

— Du madère, peut-être ? proposa vivement lady Ireland. Vous ne le connaissez peut-être pas, monsieur, mais je vous assure que les gentlemen de goût en boivent volontiers.

Jared pensa à la cave à vins bien achalandée de sa demeure, où vieillissaient les meilleurs crus de France et d'autres pays. Mais il se retint de lancer une réplique cinglante. Il avait suscité ce genre de réflexion, après tout, en se faisant passer pour ce qu'il n'était pas.

— Vous êtes trop bonne, m'dame. J'avais dans l'idée d'goûter votre bonne bière anglaise, mais ce…, comment vous dites ? Le madère ? Ça fera l'affaire.

Il se rendit alors compte que sa cousine le scrutait. Elle n'était plus à contre-jour maintenant, et il put enfin voir distinctement son visage. Elle n'était pas aussi jeune qu'il l'avait d'abord cru, en fait. Dans les vingt-quatre ou vingt-cinq ans, peut-être, mais pas encore mariée, car elle ne portait pas d'alliance. Pourquoi ? se demanda-t-il, car elle n'était pas dénuée de charme. Pas jolie au sens classique du terme, mais agréable à regarder, avec ses cheveux d'une douce nuance châtain et ses yeux noisette.

— Ne viendrez-vous pas vous asseoir, monsieur ? s'enquit lady Ireland alors qu'Hester prenait place sur un petit sofa. Comment trouvez-vous ce que vous avez vu de l'Angleterre jusqu'ici ?

— Il pleut beaucoup, répondit Jared, restant à dessein dans le registre des banalités. Je peux pas trop en dire maintenant, car je suis pas encore allé loin, mais jusqu'ici c'est plutôt joli.

Son discours le gêna lui-même. Qu'aurait dit sa mère si elle l'avait entendu ? Il ressemblait trait pour trait à tous ces gens sans instruction qui venaient régulièrement quémander du travail à la propriété de son cousin.

— Joli ? Voilà une bien curieuse appréciation, fit lady Ireland en le regardant de haut. J'imagine que vous avez voulu dire que vous n'avez pas encore eu le temps de voir grand-chose, mais que ce que vous avez déjà découvert vous a plu.

— Oui, m'dame, on peut dire ça, acquiesça Jared.

Il se leva d'un bond : une jeune bonne faisait son entrée, chargée d'un lourd plateau.

— Puis-je vous aider, mademoiselle ? proposa-t-il sur-le-champ.

— Oh ! monsieur, milord…, bredouilla la jeune fille, confuse, en posant le plateau sur le support prévu à cet effet à côté de sa maîtresse. Vous êtes trop aimable…

Elle leva les yeux vers lui et s'empourpra, avant de

quitter la pièce avec un petit sourire sur les lèvres, de toute évidence très gênée de ces prévenances.

— On ne se lève pas pour une domestique, le reprit lady Ireland. Et on ne propose pas de l'aider à faire son travail. Je vois bien que vous l'ignorez, lord Sheldon, mais ce n'est pas le genre de chose que l'on fait dans la bonne société.

— Là d'où je viens, un gentleman se lève toujours pour une dame, répliqua Jared spontanément. Et ce plateau avait l'air lourd. Chez moi, mon père se serait attendu à ce que son fils se propose d'aider à porter un plateau trop lourd pour une domestique. Il prônait l'égalité. Pour tous.

— Mais vous êtes en Angleterre…

— Cela n'a pas d'importance, coupa Hester, qui avait perçu l'éclair de colère dans les yeux de l'héritier.

Elle était plutôt agréablement surprise qu'il ait fait preuve de bonnes manières, même si cette politesse était déplacée.

— M. Clinton a voulu bien faire, marraine.

— Euh, oui… C'était sans doute son intention, convint lady Ireland

Jared lança un regard surpris à sa cousine. Cette Hester était décidément surprenante…

— Je voulais offrir mon aide, c'est tout, reprit la vieille dame. Je serais fort contrite que vous essuyiez de sévères humiliations, monsieur. Vous constaterez par vous-même que bien des dames de la bonne société vous feront immédiatement une remarque si vous vous exprimez comme vous venez de le faire ici, et elles ricaneront derrière leurs éventails si vous bondissez chaque fois qu'une bonne apporte un plateau.

— Elles feront comme bon leur semble, madame, répliqua Jared, d'un ton glacial. Là d'où je viens, une dame reste une dame, et cette petite jeune fille peinait avec son plateau.

— En fait, je suis de votre avis. Elle n'aurait jamais dû s'en charger. Je vais dire deux mots à mon majordome. Il aurait dû venir lui-même, ou envoyer deux bonnes. Du madère, monsieur ? Je pense que cela vous plaira. Prenez la carafe et servez-vous. Monsieur Birch, prendrez-vous du thé ou vous joindrez-vous à Sa Seigneurie pour un verre de madère ?

— Un verre de vin me tenterait, répondit l'avoué.

Il était resté silencieux jusque-là et observait l'Américain, surpris. Il l'avait déjà remarqué une fois ou deux auparavant, ce parler déplaisant disparaissait quand le vicomte était pris de colère ou passionné. Jouait-il la comédie ? Mais pour quelle raison ? Il devait certainement avoir envie de faire bonne impression sur ses parentes anglaises. A moins que… Il allait approfondir son enquête sur le vicomte. Cet homme se divertissait-il à leurs dépens ? Mon Dieu, ce serait fort embarrassant ! Le duc ne supportait pas les plaisantins !

— Bien sûr, lui répondit lady Ireland en souriant. Asseyez-vous, je vous en prie. Hester, ma chère, du thé, n'est-ce pas ?

— Oui, marraine.

Hester adressa un sourire satisfait à Jared Clinton. L'héritier avait de l'esprit. Certes, il était épouvantablement vêtu et s'exprimait d'une façon bizarre, mais, l'un dans l'autre, il était loin d'être l'épouvantail décrit par l'avoué.

— Je prendrai une tasse de thé, ajouta-t-elle en se retenant de lui avouer qu'elle prenait souvent un verre de madère en compagnie de son grand-père, quand ils étaient en tête à tête.

Elle allait se lever pour prendre la tasse des mains de sa marraine, mais M. Clinton la devança. Il était déjà debout, en train de servir le madère, mais il posa son verre pour lui passer sa tasse de thé. Lorsqu'il se rassit, il écarta les pans de sa redingote comme un parfait gentleman. Hester remarqua également qu'il tenait son verre avec élégance… Ses mains étaient fines… et ses ongles : courts, impeccables.

Quelque chose n'allait pas. M. Birch avait parlé d'un rustre, sans éducation et grossier, mais cela ne cadrait pas avec l'homme présentement assis dans le salon de sa marraine. Il avait choisi un solide fauteuil chippendale, l'un des seuls qui convenaient à sa carrure, et il avait l'air tout à fait à l'aise. De plus, son accent avait totalement disparu quand il avait proposé à la bonne de l'aider. Etrange…

Pour quelle raison cet homme se ferait-il passer pour ce qu'il n'était pas ? Elle était maintenant curieuse de le découvrir. S'il avait été un rustaud désirant se faire passer pour un gentleman, elle en aurait déduit que c'était par désir d'impressionner ses parentes et d'assurer son héritage à la mort du duc. Mais pourquoi prétendre être un balourd ignorant alors qu'il était un gentleman ?

Elle n'en avait pas encore la moindre idée, mais ce qu'il avait révélé malgré lui la rendait soupçonneuse. S'il était honnête, il n'aurait pas essayé de les tromper. Il devait donc mijoter quelque chose. Elle décida de ne pas exiger la vérité tout de suite. Elle se prêterait à cette mascarade pour le moment. Et verrait bien où cela les conduirait.

— Contactez-moi dès demain matin, monsieur, dit-elle, avec un sourire aussi innocent qu'hypocrite. Nous devons commencer à constituer votre garde-robe et nous serons plus qu'enchantées de vous faire visiter un peu la ville. N'est-ce pas, marraine ?

— Je ne veux surtout pas obliger lady Ireland à courir en tous sens, objecta Jared avec un sourire qui fit s'emballer le cœur d'Hester. Serait-il correct que vous m'accompagniez sans la compagnie de votre marraine ?

— Eh bien…

Hester perçut l'étincelle dans ses yeux. Il la testait, pas de doute.

— Si j'étais une jeune fille, je refuserais, car nous nous connaissons à peine. Mais, étant donné que j'ai presque vingt-sept ans, et que nous sommes cousins, je n'y vois aucun mal.

Il lui sourit alors franchement, et le cœur d'Hester continua à faire des siennes. Il avait l'air très content de lui, pas de doute. Dans quoi venait-elle de mettre les pieds ? La raison aurait voulu qu'elle renonce à cette sortie, mais son orgueil l'empêchait de faire machine arrière.

— Nous commencerons par une visite chez Lock, à mon avis, lui dit-elle. Un gentleman ne peut pas vivre sans un bon assortiment de chapeaux.

Elle jeta un coup d'œil à ses bottines. Experte en la matière, elle remarqua sur-le-champ qu'elles étaient d'excellente facture, quoique usagées. Cela ne fit que confirmer ses soupçons. Il jouait un rôle. Mais pourquoi ?

— Je me fie à votre jugement à toute épreuve, acquiesça Jared avec un sourire amusé, et sans la moindre trace d'accent désormais.

Hester plongea ses yeux dans le regard bleu-vert de l'héritier. Elle venait de tomber tout droit dans son piège, et elle en était parfaitement consciente.

Chapitre 2

— Alors, qu'as-tu pensé de lui ? demanda lady Ireland après le départ de leur hôte. Ses vêtements étaient atroces, bien sûr, mais ce n'est pas un problème pour toi, Hester. Il s'exprime d'une manière déplorable, mais je suis certaine que tu sauras y remédier avec le temps…

Elle s'arrêta net quand elle vit la lueur amusée dans les yeux de sa filleule.

— Qu'y a-t-il de si drôle ?

— Vous n'avez donc pas percé son jeu, très chère ? s'exclama Hester. Je suis persuadée que cet accent horrible est fabriqué de toutes pièces. Il se fait passer pour ce qu'il n'est pas, bien que je ne comprenne pas pourquoi il souhaite autant nous décevoir.

— Se faire passer pour un autre…, répéta lady Ireland, soudain courroucée. Effectivement…, je vois tout à fait ce qui t'a mise sur cette piste. Il a l'air d'un rustaud, mais ses réflexes sont ceux d'un gentleman. C'est tellement ridicule ! Pourquoi ferait-il une chose pareille ?

— Je ne le sais pas encore, avoua Hester, mais je suis convaincue qu'il a son propre plan. Nous le découvrirons le moment venu, je n'en doute pas.

— Pourquoi ne lui as-tu pas fait part de tes soupçons, si c'est ce que tu crois ? s'indigna lady Ireland, désormais très contrariée. Je trouve cela très grossier de sa part.

— Oui, si l'on veut, concéda Hester. S'il le prend comme

une plaisanterie, c'est effectivement assez amusant. Mais si c'est dans de sinistres desseins…

— Sinistres ? s'alarma la vieille dame. Comment cela ?

— S'il sait que la santé de grand-père est précaire…, avança Hester. Il ne lui faudra attendre que quelques mois, une année tout au plus, pour toucher son héritage. Peut-être croit-il que la fortune des Sheldon est élevée.

— Oh non ! Tu ne peux pas imaginer qu'il…, bredouilla lady Ireland, choquée. Il ne m'a pas semblé être du genre intéressé ou avide, en dépit de ses mauvaises manières. Je pense plutôt qu'il se joue de nous, Hester, même si le motif de cette idée puérile m'échappe.

— Si cela s'avère être une simple plaisanterie, j'en serai soulagée. Je n'ai jamais été convaincue que la mort de mon frère était un accident, et l'incendie l'année dernière peut avoir été d'origine criminelle. Si j'ai raison, et que quelqu'un a essayé de tuer grand-père…

— Ce qui est sûr, coupa lady Ireland, c'est que l'incendie n'est pas le fait de M. Clinton. Il était en Amérique.

— Nous n'en avons aucune certitude. De plus, il aurait pu payer quelqu'un pour le faire.

— Non, non, objecta sa marraine. Je n'arrive pas à penser autant de mal de lui, Hester. En dépit de son accent et de ses manières, il m'a plu. Et d'habitude, je suis assez bon juge pour sentir les gens, ma chère.

— Il m'a plu aussi, confia Hester, souriante. Mais cela ne durera pas, s'il est venu ici pour contrarier grand-père !

— Ne le juge pas trop vite, Hester ! lui recommanda lady Ireland. Bien, passons à autre chose, si tu le veux bien. Nous allons à une soirée tout à l'heure. Je vais me reposer une petite heure avant de me changer. Qu'as-tu l'intention de faire ?

— Je me changerai aussi dans une heure. D'ici là, je vais écrire une lettre.

— Alors je te laisse, conclut lady Ireland en se levant. Ne t'inquiète pas pour ton grand-père, ma chérie. Tu constateras vite qu'il est encore capable de garder les choses en main.

Hester hocha la tête, pensive. Une fois sa marraine sortie, elle alla s'asseoir devant l'élégante écritoire près de la fenêtre. Elle sortit une feuille du tiroir du haut et prit une plume dans un plateau en émail. Elle en trempa la pointe dans l'encre et se mit à écrire. Puis elle s'arrêta, fronça les sourcils et froissa la feuille. Elle avait pensé écrire à M. Grant, parce qu'il lui avait paru un homme très honnête et sensé quand il était venu leur rendre visite, mais quelque chose la poussa à changer d'avis.

Elle se concentra sur une nouvelle feuille. Lady Ireland était très gentille, certes, mais elle n'était pas un gentleman, et Hester ressentait le besoin d'être soutenue par un parent masculin. Elle ne connaissait qu'un seul homme capable de remplir cet office : M. Richard Knighton, le cousin par alliance de sa mère.

M. Knighton avait quarante-trois ans. Elle le connaissait bien, car c'était son unique cousin du côté de sa mère, et il s'était toujours intéressé à elle. Du moins, il avait été attentionné envers elle ces dernières années. Il n'était pas marié, séduisant, avec de la prestance. Comme elle savait qu'elle le verrait lors de la soirée, elle décida de lui donner la lettre à cette occasion. Sa tâche accomplie, elle alla dans le jardin quelques minutes ; elle avait besoin de réfléchir.

Jared examina l'habit de soirée que le valet de l'hôtel lui avait préparé. Il avait demandé au directeur de lui indiquer un club de gentlemen qui l'accepterait comme membre temporaire, où il pourrait passer quelques heures en compagnie de ses pairs, peut-être jouer un peu aux cartes. Ce n'était pas un joueur acharné, comme son père, mais il appréciait ce loisir de temps à autre. Et il aimait entretenir une vie sociale active, ayant de nombreux amis chez lui et à l'étranger.

Il avait voyagé en Europe jeune homme, pour enrichir son expérience du monde et jeter sa gourme. A trente-sept ans, il faisait bien son âge, peut-être même plus, car son visage était buriné comme celui des gens qui aiment travailler au grand air. En dépit de son énorme fortune, Jared n'était jamais plus heureux que lorsqu'il s'attelait à un travail physique, et il fendait souvent du bois pour le poêle de sa cuisine. Ce qui ne l'empêchait pas de réaliser de tête des calculs complexes, d'être très cultivé en histoire, sans ignorer les classiques. Il s'intéressait aussi beaucoup aux sciences. Son seul défaut était de s'ennuyer très vite, et il s'ennuyait déjà dans sa chambre d'hôtel. Il aurait bien voulu que Red soit avec lui !

Ensemble, ils auraient rapidement trouvé moyen de se divertir. Jusqu'à maintenant, il n'avait pas veillé très tard, car il n'était pas du genre à boire seul, mais sa patience avait des limites. Pas question de continuer à rester cloîtré ainsi ! Heureusement, le directeur de l'hôtel lui avait enfin trouvé un club.

— Il n'est pas de la qualité du White ou du Brook, monsieur, s'était-il excusé poliment.

Le responsable du Cavendish n'était pas stupide. Il était d'avis que les vêtements ne disaient pas toujours la vérité sur les gens. De plus, les quelques guinées d'or qui s'étaient retrouvées dans sa main lui avaient confirmé que ce client était plus riche qu'il n'en avait l'air.

— Mais il est fréquenté par des gentlemen qui veulent quelque chose de plus… excitant, avait-il ajouté. Une recommandation, cependant : ne jouez pas trop gros, il y a là-bas des requins qui guettent les imprudents.

— Je vous remercie de cet avertissement, bien qu'il ne soit pas nécessaire, l'avait assuré Jared. Mon père était joueur sur le Mississippi, monsieur, et il m'a enseigné quelques astuces.

— Je me disais bien que vous deviez être américain, monsieur, avait déclaré le directeur, satisfait de sa perspicacité. Vous avez un léger accent, quoiqu'on le discerne à peine.

— J'imagine que vous avez des clients du monde entier. Peut-être même des gentlemen titrés, de temps à autre ?

— Oh oui ! très souvent. Ils viennent ici quand ils cherchent la discrétion, monsieur.

— Auriez-vous par hasard entendu parler de lady Ireland, ou de miss Hester Sheldon ?

— Je connais le nom de Sheldon, monsieur, mais pas la dame elle-même. Je crois que le vicomte Sheldon était son père. Il nous rendait visite parfois, mais le pauvre homme est mort il y a quelques mois. Le vieux duc est également en mauvaise santé. Il s'appelle Shelbourne, c'est le nom du chef de famille. C'est tragique, vraiment. Cela doit être difficile de survivre à ses enfants et petits-enfants.

— Oui, peut-être, avait marmonné Jared. Merci, vous m'avez bien rendu service.

Jared commença à se vêtir tout en songeant à la soirée qui l'attendait. Le directeur de l'hôtel ne s'était pas étendu sur les morts tragiques des héritiers Sheldon, mais Jared avait l'impression qu'il y avait quelque chose de suspect dans cette série d'incidents. D'après ce qu'il avait déduit des explications de M. Birch, il n'y avait pas beaucoup d'argent dans la famille, du moins selon les standards auxquels il était habitué. Deux cents acres de terre et une vieille bâtisse. Pas assez pour qu'un dingue envisage de tuer les candidats à la succession les uns après les autres, quand même !

Peut-être étaient-ils tous effectivement morts de causes naturelles, ou à la suite d'accidents. C'était possible, bien sûr. Une famille jouant de malchance, cela existait.

Jared décida de prendre les choses comme elles viendraient, tout en gardant les yeux et les oreilles bien ouverts, au cas où. Ce soir, en revanche, il avait envie de s'amuser. Quel plaisir de se retrouver dans ses propres vêtements et d'apprécier la coupe parfaite du sur-mesure !

Il joua avec l'idée de détromper miss Sheldon, et de se montrer décemment vêtu à leur prochain rendez-vous, mais une impulsion malicieuse lui dicta de la laisser patauger encore un peu. Il profiterait peut-être de son offre pour acheter quelques vêtements, après tout. Il appréciait particulièrement le travail des tailleurs anglais et faisait habituellement importer ses costumes d'Angleterre.

Evidemment, ce n'était pas son premier séjour à Londres, ce qu'il s'était bien gardé de révéler à M. Birch. Il y était déjà venu plusieurs fois, sa dernière visite remontant à l'année précédente. Il n'était pas resté longtemps, car il devait se rendre à Paris afin de résoudre un problème dans certaines affaires qu'il avait là-bas.

Peu de personnes le savaient, mais il possédait une chaîne d'hôtels de luxe, à Paris et à Londres, ainsi que plusieurs en Amérique. Il avait choisi de ne pas résider à son hôtel de Londres parce que le personnel le connaissait bien, et cela ne se serait pas accordé avec l'image qu'il voulait donner présentement.

Jared sourit. Son sourire mettait en valeur sa bouche sensuelle. Comparé à son cousin, on pouvait estimer qu'il n'était pas séduisant, mais il avait en lui ce quelque chose qui attirait irrésistiblement les femmes de tous âges. Il les aimait, elles le savaient, et, d'habitude, il n'avait que l'embarras du choix quand il désirait une compagnie féminine. Il avait connu bon nombre de femmes superbes, et certaines avaient été ses maîtresses, mais cette miss Sheldon sortait de l'ordinaire. Son goût en matière d'habillement était très sûr, il devait le reconnaître, même s'il aurait préféré la voir dans des couleurs plus vives. Sa robe, cet après-midi, d'un gris perle très seyant et d'une coupe très sobre était d'une élégance qui révélait le bon faiseur. Elle arborait pour seul bijou un ravissant camée serti d'or, fixé à son corsage. Comme c'était étrange qu'une jeune femme pareille, de toute évidence intelligente et de bonne naissance, ne soit ni mariée ni même fiancée ! Peut-être n'en avait-elle aucune envie, après tout, supposa-t-il avant de la chasser de ses pensées pour monter dans le cab appelé par le directeur de l'hôtel.

Il ne penserait plus à elle, ce soir... Il voulait se retrouver entre hommes, avec un ou deux bons verres de vin et peut-être une agréable partie de cartes...

— Vous êtes exactement la personne que je voulais voir ! s'exclama Hester face à Richard Knighton, qu'elle venait de retrouver à la soirée. J'ai un problème, et j'ai besoin d'une oreille attentive.

— J'en serai ravi, dit Knighton, avec un sourire extrêmement chaleureux. Voudriez-vous vous retirer dans un endroit plus calme, ou préférez-vous que je me rende chez vous ?

— Je séjourne chez ma marraine, expliqua Hester. La maison de Londres est fermée depuis la mort de papa. Elle pourra peut-être être rouverte bientôt, mais cela dépendra de l'héritier.

— Ah, oui, c'est vrai, votre mère l'a mentionné dans sa dernière lettre, fit-il, ses yeux se plissant soudain tandis qu'il la scrutait attentivement. J'espère que vous ne craignez pas de vous voir remplacée par cet homme dans l'affection du duc ? Il ne vous laisserait jamais sans rien, au grand jamais !

— Non, ce n'est pas cela, rétorqua Hester. Maman et moi avons une petite rente, et nous pourrions vivre dans les dépendances, bien que maman ait décrété que, s'il arrive quoi que ce soit au duc, nous nous retirerons à Bath. Elle y a des amis et nous y allons une fois par an, comme vous le savez.

— Votre mère et vous serez les bienvenues dans ma résidence à la campagne, si besoin en était, Hester, soyez-en assurée, poursuivit-il, avec le même regard scrutateur.

— C'est trop gentil de votre part, répondit-elle. Je n'hésiterais pas à me tourner vers vous si j'avais des ennuis, Richard, mais je ne veux rien précipiter. Ma marraine aimerait beaucoup que je vive avec elle, et maman a de nombreux amis très attentionnés. Non, en fait, c'est pour grand-père que je m'inquiète, pas pour moi.

— Sa santé est précaire, j'en suis conscient, dit Richard, surpris, mais il n'y a pas de quoi s'affoler, n'est-ce pas ?

— Non…, enfin, j'espère que non. Mais j'ai peur que l'héritier américain ne soit pas… honnête.

— Dans quel sens ?

— Oh ! je ne peux pas vous le dire maintenant. Marraine me fait signe de venir auprès d'elle, conclut Hester. Viendrez-vous demain pour le thé ?

— Avec grand plaisir, acquiesça Knighton, en lui prenant la main pour la baiser. Nous n'aurions de toute façon pas pu discuter tranquillement car je suis attendu. A demain, ma chère. Je suis impatient de vous revoir, comme toujours.

Hester le regarda s'éloigner. Elle était contente d'avoir choisi le cousin de sa mère pour confident, plutôt que M. Stephen Grant. M. Knighton était dans la force de l'âge, et elle se sentait à l'aise avec lui. Il avait toujours été plein d'affection pour sa mère et elle, et depuis la mort de son beau-père, il leur avait rendu visite plus fréquemment. Oui, décidément, c'était un homme à qui elle pouvait se confier les yeux fermés.

Il était tard lorsque lady Ireland fit demander leur voiture pour rentrer. Elle avait rencontré plusieurs amis proches ce soir-là, et, voyant que sa filleule était elle aussi bien entourée, elle s'était attardée plus que de coutume. Elle jeta un coup d'œil à Hester dans la pénombre de la voiture.

— As-tu passé une bonne soirée, ma chère ?

— Oui, c'était agréable, acquiesça Hester. Je passe toujours de bons moments quand je suis avec vous. J'ai croisé plusieurs amis.

— Je t'ai vue converser avec M. Carlton et sir John Fraser, remarqua lady Ireland. Sir John est un gentleman vraiment charmant, n'est-ce pas ?

— Oui. Tout comme M. Carlton et lord Havers.

— Ah, oui ! Lord Havers. Selon les commérages, il s'apprêterait à faire sa demande à miss Castle.

— Oui, je l'ai entendu dire, mais je ne sais pas si c'est vrai, déclara Hester avec un regard en coin vers sa marraine. Peu importe à vrai dire. Vous savez bien que tout cela m'intéresse fort peu depuis que j'ai décidé que je ne me marierais pas.

— Je n'ai jamais compris ce choix, déplora lady Ireland. Tu n'aimerais donc pas être la maîtresse de ton propre foyer ? Tu dois certainement avoir envie de fonder une famille…

— Peut-être. Je n'en suis pas sûre, avoua Hester en fronçant les sourcils. Si on me l'avait proposé lorsque j'avais dix-huit ans, j'aurais sans doute accepté, mais, maintenant, je me suis habituée à ma vie telle qu'elle est. Maman n'est plus en état de s'occuper d'une aussi grande demeure que Shelbourne. La mort de papa l'a… affaiblie. Grand-père fait son possible pour diriger la propriété, bien sûr, mais il me laisse la charge de la maison. Je serais ingrate de leur faire faux bond maintenant, n'est-ce pas ?

— Eh bien, je ne suis pas d'accord sur ce point, lui reprocha sa marraine. Ton grand-père a suffisamment de domestiques pour veiller à son bien-être, et ta maman pourrait faire sa part si elle voulait s'en donner la peine.

— Vous avez certainement raison, convint Hester en riant doucement. Mais, voyez-vous, j'aime bien m'occuper d'eux, ainsi que de la maison et des domestiques. Cela ne me dérange absolument pas.

Elle regarda par la fenêtre au moment où elles passèrent devant une bâtisse brillamment éclairée. Cela devait sûrement être une de ces maisons de jeu en vogue que les gentlemen aimaient à fréquenter, supposa-t-elle. A cet instant précis, l'un d'eux s'apprêtait à partir, et il resta un bref instant dans la lumière des lanternes et de la torche portée par un jeune employé. Elle distingua son visage avec netteté, et remarqua sa tenue à la dernière mode avant que la voiture ne l'ait dépassé.

— Etait-ce…, commença-t-elle, stupéfaite.

Sa marraine lui jeta un regard inquisiteur.

— Avez-vous vu ce gentleman, à l'instant ? poursuivit Hester.

— Quel gentleman ? Faisait-il partie de ce petit groupe assez bruyant que nous venons de dépasser ? Ils devaient quitter le club d'où sortaient ces flots de lumière.

— J'ai cru reconnaître M. Clinton, fit Hester, troublée. C'était un peu étrange.

— Mais il faut dire que cet homme est étrange, Hester ! Enfin, comme je l'ai déjà dit, une fois que tu l'auras pris en main, cela ira très bien. Cet homme mérite d'être bien habillé, Hester.

— Certes…

Hester décida de ne pas dire à sa marraine que l'homme qu'elle venait d'entrevoir n'avait nullement besoin d'elle. Si c'était bien là l'héritier — elle l'avait vu si peu de temps qu'elle n'en était pas tout à fait certaine —, cela signifiait qu'il jouait bien un rôle, comme elle le soupçonnait. Nourrissait-il de noirs desseins ? Elle frissonna en pensant aux accidents survenus dans la famille Sheldon ces dernières années. Et si ce n'étaient pas des accidents, mais des actes délibérés pour en arriver à la situation présente ? Etait-il possible que cet Américain ait été derrière tout cela ?

Jared quitta le Carrick Club et se dirigea vers une voiture de louage stationnée non loin du club. La nuit était agréable, le ciel étoilé, et il aurait volontiers marché s'il avait été certain du trajet à emprunter pour retourner à son hôtel. Hélas, il connaissait peu cette partie de la ville et il jugea donc préférable de profiter de la voiture mise à sa disposition. Il avait les idées claires, car il n'avait pas bu plus de deux verres de vin et avait passé quelques heures plaisantes à jouer au piquet pour quelques centaines de guinées avec des gentlemen rencontrés au club. Il avait gagné à peine plus que ce qu'il avait perdu.

Qu'aurait pensé miss Sheldon en le voyant jouer ainsi ? Il eut un petit rire. Allait-il continuer sa mascarade le lendemain ?

Perdu dans ses pensées, il dut à son instinct infaillible de se retourner vivement juste au moment où un maraudeur s'apprêtait à se jeter sur lui. L'homme était solidement charpenté et tenait un lourd gourdin dans la main droite. Jared attaqua immédiatement, sans laisser le temps à son agresseur de prendre conscience de la situation. Il lui infligea une clé de bras qui arracha un cri de douleur à l'homme. Une seconde plus tard, le malandrin était à terre, où il resta allongé sans bouger. L'air hagard, il regardait Jared, visiblement interloqué par ce qui venait de lui arriver.

— Pourquoi avez-vous fait ça ? gémit-il, je ne faisais pas d'mal !

— J'imagine que vous n'alliez pas me fendre le crâne, dans le but de vous emparer de ma bourse ?

— Bon, d'accord, j'l'ai bien mérité, couina l'homme en se relevant. J'essayais juste d'gagner honnêtement ma croûte, monseigneur.

— Je ne crois pas que les policiers des rondes de nuit considéreraient l'agression et le vol comme une façon honnête de gagner sa vie, espèce de bon à rien !

Pris d'un soupçon, Jared le scruta avec attention et le tint en joue avec le petit pistolet qu'il venait de sortir de sa poche.

— Ou peut-être n'est-ce pas l'argent qui vous intéresse ? reprit-il.

— Il a dit que j'pouvais garder tout c'que j'trouverais dans vos poches, avoua le maraudeur, soudain très nerveux à la vue du pistolet. Vous allez pas me descendre, quand même ?

— Donnez-moi une bonne raison de ne pas le faire, lança froidement Jared. Si vous essayez de vous échapper, je suis dans le droit de vous tirer dans la jambe. C'est le genre de blessure qui vous mènera dans la tombe une fois que vous serez en prison, sans soins appropriés.

— J'pourrais vous être utile, monseigneur, supplia l'homme, dont le front s'était couvert de sueur. J'pourrais vous dire quelque chose qui sauverait p'têt vot'vie.

— Vraiment ? Et pourquoi devrais-je vous croire ?

— C'était pas vot'bourse que j'voulais, fit l'homme avec un air sournois et rusé. Il veut vot'mort, monseigneur.

— Qui veut ma mort ?

— Je sais pas son nom, m'sieur, mais j'pourrais vous dire où qu'il habite quand il est en ville. Il a cru m'semer, mais Harris Tyler a plus d'un tour dans son sac.

— Vous êtes en train de me dire que quelqu'un vous a payé pour me fendre le crâne ?

— C'est la vérité pure, milord. Il a dit qu'il se fichait de la manière, mais que j'devais vous liquider ce soir.

— Et comment saviez-vous que j'étais la personne à supprimer ? l'interrogea Jared, toujours hésitant sur la véracité de ce récit. Où avez-vous rencontré cet homme ?

— C'était un gentleman, pour sûr, milord, tout comme vous. Il est v'nu m'chercher à la taverne Crown and King, à Cheapside. C'est mon quartier général, vous voyez. Et il m'a dit qu'il y aurait vingt guinées pour moi si j'vous faisais vot' affaire.

— Il vous a donné mon nom ?

— Non, milord, il m'a juste emmené à vot'hôtel. On vous a suivis jusqu'ici. Il m'a dit d'attendre qu'vous sortiez, parce que vous seriez sûrement un peu gris et une proie facile.

— C'est ce qu'il a dit ? Et il vous a donné votre argent ?

— Non, m'sieur. Il a dit qu'il viendrait au Crown and King demain à 8 heures du soir pour m'le donner.

— Ainsi vous savez où il habite ?

— Je sais où qu'il est allé après m'avoir vu, assura l'homme. J'l'ai suivi, vous voyez. J'aime bien savoir des trucs sur un gars qui m'propose de l'argent pour commettre un meurtre. Mais j'peux pas jurer que c'était sa maison. Y'avait pas mal d'allées et venues.

— Peut-être une soirée, avança Jared. Bon, Tyler, si c'est bien votre nom, je crois que vous feriez mieux de me conduire à cette maison. Nous verrons là-bas ce que je ferai. Comme vous l'avez dit, il se peut que vous me soyez utile, mais je vais tout de suite être clair : mieux vaut ne pas m'avoir comme ennemi. Ne croyez surtout pas pouvoir me doubler. Si vous êtes réglo avec moi, je pourrai vous payer pour vos services.

Harris Tyler lança un regard terrifié à Jared.

— Si j'avais su que vous étiez ce genre d'hommes, milord, j'aurais jamais essayé de vous tuer, je le jure !

— J'ignore si vous êtes un homme de parole, Tyler, remarqua Jared avec un sourire, mais, si vous ne voulez pas mourir, vous avez intérêt à me rester fidèle.

— C'est à cause de ma femme et des p'tits que j'fais ça, couina Tyler. Elle a été malade, on n'a pas d'argent pour le docteur.

— C'est ça, et moi je suis né de la dernière pluie ! rétorqua Jared sur un ton de plaisanterie que démentaient ses menaces implicites. Je vous donne une chance, Tyler. Commencez par me dire tout ce que vous savez de cet homme et par me montrer sa maison.

— Eh ben, m'sieur, j'ai remarqué une chose quand il a tourné la tête. Il a une petite cicatrice derrière l'oreille gauche. On la voit pas la plupart du temps, mais il avait les cheveux attachés et, quand il s'est tourné, je l'ai vue un instant.

— Une cicatrice derrière l'oreille gauche ? s'exclama Jared, en étudiant l'homme avec attention.

L'homme avait-il inventé ce détail, ainsi que toute l'histoire ? Pour le moment, Jared n'avait aucun moyen de le savoir. Il n'avait donc d'autre choix que de se contenter de cette explication. Seule une poignée de gens savait qu'il était à Londres. Un voleur qui l'agressait au hasard dans l'espoir de récupérer une belle bourse, c'était une chose, mais un homme mystérieux qui avait payé pour le faire assassiner, c'en était une autre.

Hester se brossait les cheveux, installée à sa table de toilette. Très épais, ils lui arrivaient au bas des reins quand elle les libérait des coiffures strictes qu'elle s'imposait. Ainsi décoiffée et à la lueur tamisée des bougies, elle semblait plus jeune que son âge, malgré l'air nostalgique que reflétait le miroir.

C'était tellement étrange ! Elle avait pensé à écrire à M. Grant, et voilà qu'il venait à Londres ! La lettre où il annonçait sa venue l'attendait dans le hall quand elle était rentrée de la soirée. Dans cette missive très formelle, il l'informait qu'une affaire l'appelait en ville pour quelques jours, et qu'il serait heureux de se mettre à son service, pour quoi que ce soit. Elle n'avait qu'à le faire demander au Carrick, où il était descendu. Il lui ferait de toute façon signe avant de repartir.

Elle lui répondrait dès le lendemain, mais pour le moment elle ne savait trop ce qu'elle pouvait s'autoriser à lui dire. Serait-il judicieux de lui confier ses inquiétudes à propos de l'héritier ?

Elle n'entretenait pas de tels doutes envers M. Knighton, en qui elle avait toute confiance : il respecterait ses confidences. Quant à M. Grant, c'était différent. Il lui était beaucoup moins familier et, même s'il semblait sincère, il n'était peut-être pas la personne la plus indiquée pour parler de M. Clinton. Effectivement, si quoi que ce soit arrivait à l'Américain, il était le prochain dans l'ordre de la succession. M. Knighton, en revanche, n'avait rien à gagner à ce genre d'issue tragique.

Hester ferma les yeux, déterminée à faire le vide dans sa tête. Rester chez elle à se faire du souci ne l'aiderait en rien. Elle passerait la matinée avec l'héritier, c'était décidé. S'il persistait dans sa mascarade, elle lui demanderait sans ambages pourquoi il essayait de la tromper.

Quand Jared arriva le lendemain matin, Hester l'attendait déjà. Il avait abandonné les vêtements mal coupés qu'il arborait lors de leur première rencontre. Son manteau était un peu élimé, mais de toute évidence sortait de chez un bon tailleur. Ses bottines étaient usées, mais de bonne qualité, et son pantalon tombait parfaitement. Large d'épaules, svelte et musclé, le visage séduisant plutôt que beau, il était bien plus à son avantage lorsqu'il était bien habillé. Sa marraine ne s'était pas trompée.

— Eh bien, monsieur, êtes-vous prêt à choisir les tenues qu'il vous faudra pour fréquenter les meilleurs cercles ? lui demanda-t-elle sans préambule, en plongeant son regard dans le sien.

Jared tressaillit. Pendant une fraction de seconde, Hester

l'avait déstabilisé en l'interpellant ainsi. L'avait-elle percé à jour ? Non, c'était impossible…

— Je ne suis pas sûr de pouvoir me permettre les meilleurs tailleurs, tergiversa-t-il, conscient qu'il serait reconnu par certains d'entre eux.

— Il vous faut des chapeaux et des bottines corrects, rétorqua Hester. De plus, grand-père vous a ouvert un compte dans sa banque. Vous pouvez dépenser ce que vous voudrez, dans la limite du raisonnable. Il vous établira une rente plus tard, quand vous serez tous deux convenus de la somme, mais vous devez d'abord disposer d'une garde-robe décente.

— Je le dois ? persifla Jared.

Ce qu'il avait appris de Tyler la veille l'avait mis sur le qui-vive. A en croire cet homme, sa vie était en danger, et cela signifiait qu'il ne pouvait se fier à personne. Même à cette femme, qui était peut-être tout autre que ce qu'elle prétendait.

— Soit. J'ai besoin d'un bon chapeau. Allons donc chez ce boutiquier dont vous avez parlé.

— Lock n'est pas un boutiquier ! répliqua Hester, l'œil flamboyant d'indignation. C'est chez eux que l'on se fournit, un point c'est tout, monsieur Clinton. Quiconque prétend à l'élégance ne se risquera jamais ailleurs.

— Vraiment ? ironisa Jared. J'ai tout un tas de chapeaux parfaits chez moi, qui ne viennent pas de cette maison.

— Ah oui ? s'étonna Hester en repensant au spécimen défraîchi qu'il avait exhibé lors de leur rencontre. Si tel est le cas, on est en droit de se demander pourquoi vous ne les avez pas apportés ?

Jared dut se retenir pour ne pas éclater de rire. Elle l'avait bien eu ! Il avait parlé trop vite.

— Je devrais peut-être préciser que j'en avais beaucoup… autrefois, ajouta-t-il.

— Vous étiez donc en position de mener une vie décente, c'est cela ? voulut savoir Hester. M. Birch ne nous a brossé qu'un vague tableau de la situation, monsieur Clinton, mais on nous a dit que vous aviez tout perdu au jeu ?

— Oui, presque tout ce que je possédais, acquiesça Jared en s'appliquant à rester impassible quand il débitait ses mensonges. Il me reste une petite propriété.

— Eh bien, grand-père non plus n'est pas très riche, avoua Hester. Il a des propriétés, et des terres. Par malheur, ses fils et petits-fils étaient joueurs, tout comme mon père, d'ailleurs.

— Pensez-vous donc qu'il soit raisonnable de dépenser l'argent du duc en vêtements ? demanda Jared, s'efforçant toujours de rester impassible. Pourquoi prétendre être ce que je ne suis pas ? Y a-t-il une raison cachée à tout cela ?

— Je n'ai pas licence de vous révéler les projets de mon grand-père à votre égard, avoua Hester, préoccupée. Cependant, je sais que vous devez être présentable si vous voulez réussir dans les cercles les plus huppés.

— Mais je ne suis pas certain de le désirer. En fait, je n'ai pas prévu de rester assez longtemps pour avoir le loisir de rencontrer vos relations mondaines, miss Sheldon.

— Oh ! mais il le faut ! se récria Hester. Si vous ne le faites pas… Grand-père compte sur vous, monsieur. Vous voulez certainement toucher votre héritage ? Il n'est pas aussi important qu'il le devrait, mais il est néanmoins considérable et il pourrait… Non, ce n'est pas à moi de le dire, s'arrêta-t-elle en secouant la tête.

— Vous êtes pourtant au fait de ses projets, n'est-ce pas ?

Hester sentait ses joues s'empourprer sous le regard insistant de Jared.

— Ce serait très malvenu de ma part de les révéler, se défendit-elle.

Jared s'assit et croisa ses longues jambes, puis la regarda de nouveau droit dans les yeux.

— J'ai tout mon temps, miss Sheldon.

— Non, vraiment, nous devons partir. J'ai pris la liberté de fixer un rendez-vous pour vos essayages. Ce serait très inconvenant de notre part d'être en retard.

— Je crois que je n'irai nulle part tant que vous ne m'aurez pas dit ce que ce vieillard attend de moi.

Hester considéra son visage buté et soupira intérieurement. Si elle avait jusqu'ici nourri quelques doutes sur le fait qu'il était réellement l'héritier, ils s'envolèrent sur-le-champ. Elle avait déjà vu cette expression dans les yeux de son beau-père, et souvent chez le duc lui-même.

— Grand-père espère que vous allez faire un mariage d'intérêt. La famille a besoin d'argent frais pour regagner le rang qui lui est dû dans la société.

— Quel vieux démon ! s'écria Jared, soudain furieux. C'est donc pour cela qu'il m'a convoqué, et qu'il vous a entraînée dans ses manigances ! Il veut que j'épouse une héritière.

— Eh bien, oui, j'imagine que c'est cela. La famille en a besoin, avoua Hester avec réticence. Vous n'avez pas grandi ici, aussi ne comprenez-vous peut-être pas ce que signifie votre héritage, mais il s'agit de respect et de valeurs familiales…

Elle s'arrêta quand elle vit son expression.

— Qu'y a-t-il ? continua-t-elle. Pourquoi êtes-vous aussi furieux ? Cela se produit bien souvent dans les familles de notre genre.

— Des valeurs familiales ? trancha Jared, glacial. Où étaient-elles quand il a chassé ma mère de sa vie ? Elle lui a écrit à ma naissance, et par la suite. Elle n'a jamais reçu la moindre réponse. Vous rendez-vous compte à quel point cela l'a blessée ? Ne me servez pas de sermon sur la famille, miss Sheldon. Autant que cela me concerne, je n'ai pas de famille, du moins aucune dans ce pays.

Hester le regarda fixement, toute pâle.

— Alors pourquoi êtes-vous venu ? Pourquoi avez-vous entretenu nos espoirs ? Si vous n'aviez aucune intention de nous aider à restaurer la fortune familiale, pourquoi n'avoir pas dit tout simplement à Birch que vous désiriez couper les ponts ?

Jared se leva. Il se posait en fait la même question depuis quelques minutes. Il alla vers la fenêtre et contempla le jardin, tendu par la colère alors qu'il méditait sa réponse.

— Par curiosité, je pense. Je me demandais quel genre d'homme était capable de rayer sa fille de sa vie, pour la simple raison qu'elle s'était enfuie avec l'homme qu'elle aimait.

— Grand-père l'adorait, objecta Hester avec un léger tremblement dans la voix, car elle anticipait déjà la déception du duc. Son orgueil l'a retenu de répondre à ses lettres, je crois, mais je sais qu'il l'a toujours aimée.

— Ah, vous en êtes sûre, c'est cela ? s'indigna Jared en tournant autour d'elle tel un fauve, les yeux assombris et la bouche réduite à une fine ligne crispée. Et qu'est-ce qui vous rend donc si clairvoyante ? Que sauriez-vous de plus que ma mère ne savait déjà ?

— Grand-père est fier, insista Hester, devenue blême. Parfois il dit et fait des choses au-delà de ses intentions, mais ce n'est pas un mauvais homme pour autant. Il a toujours été affectueux et généreux envers moi…

Une première larme glissa le long de sa joue. Elle n'esquissa pas le moindre geste pour l'essuyer, ni celles qui la suivirent bientôt.

— C'est un vieil homme, monsieur Clinton, poursuivit-elle. Il ne lui reste plus longtemps à vivre. Je vous en supplie, ne voudriez-vous pas faire l'effort d'alléger son fardeau, un petit moment ? Personne ne pourra vous forcer à épouser une héritière, mais si vous vouliez seulement faire croire à grand-père qu'il y a un espoir... pendant un petit moment...

Jared se tenait désormais tout près d'elle, les yeux brillants de fureur. Comment pouvait-elle exiger pareille chose de lui ? Quel droit avait-elle de se comporter ainsi ? Aucun, et il allait la punir, les punir tous pour ce qu'ils avaient fait à sa mère. Ne sachant plus très bien ce qu'il faisait, il se pencha vers elle et la saisit par les bras en la regardant fixement. Il la força à se lever, mais, quand il plongea son regard dans le sien, il fut soudain touché au plus profond de lui-même. Poussé par un élan incompréhensible, il baissa la tête et posa ses lèvres sur les siennes.

Il n'avait pas eu l'intention de l'embrasser ni imaginé les sensations que cela lui procurerait ; cet embrasement qui le saisit tout entier d'une manière si inattendue le fit réagir instinctivement. Sa bouche emprisonna la sienne, et sa langue chercha à entrouvrir ses lèvres, puis, impérieuse, réussit à se mêler à la sienne pour en explorer la douceur. Elle avait un goût de miel et de vin, totalement grisant. Il commençait à perdre le contrôle de lui-même, enflammé par ce goût subtil, et par la manière dont le corps souple d'Hester s'ajustait à la perfection contre le sien. Elle aurait pu le repousser si elle l'avait voulu, mais elle n'en fit rien. Au contraire, elle lui permit de prolonger son baiser aussi longtemps qu'il le désirait. Quand il finit par s'écarter d'elle, elle le regardait avec une expression stupéfaite. Les pupilles dilatées, les yeux embrumés par la passion, elle semblait choquée, comme si elle n'avait jamais été embrassée. Mais il devait se tromper sur ce point, bien évidemment.

— Je n'aurais pas dû faire cela, s'excusa-t-il quand il eut repris ses esprits. J'étais en colère, mais vous n'êtes pour rien dans le destin malheureux qu'a connu ma mère.

Hester passa un doigt sur ses lèvres. Elle n'avait pas protesté quand il l'avait embrassé, pas plus qu'elle ne protestait maintenant.

— Je suis réellement désolée que votre mère ait été malheureuse, monsieur Clinton, dit-elle enfin. A mon avis, de tous les enfants de grand-père, elle était sa préférée, et papa parlait souvent d'elle. Je suis certaine qu'il ignorait que ses lettres n'avaient pas de réponse.

— Je le répète, vous n'y êtes pour rien, mais je ne peux pas oublier ce qu'elle a souffert.

— Elle n'était donc pas heureuse avec son mari et vous ?

— Oh ! si, la plupart du temps, dit Jared. Elle aimait papa, et il l'aimait, mais elle pleurait dès qu'elle repensait à son passé.

— Cela ne veut pas dire qu'elle était malheureuse, objecta Hester. Moi-même, je pleure parfois quand je pense aux gens que j'aime. Surtout John. C'était mon frère. Il est mort dans un accident d'équitation quand il avait seize ans, expliqua-t-elle, les yeux assombris par l'émotion. C'était un cavalier émérite ! Je n'ai jamais compris comment cela a pu se produire.

— Vous pensez que ce n'était peut-être pas un accident ? lui demanda Jared, plissant les yeux face à la mine indécise d'Hester. Vous avez des soupçons, c'est cela ?

— Oui… mais je ne vois vraiment pas qui aurait voulu tuer John, admit Hester. Il n'était même pas héritier à l'époque. Papa était toujours en vie.

— On m'a raconté que la famille Sheldon était victime d'une malédiction, reprit Jared. Je pense que ce sont des fariboles, n'êtes-vous pas de cet avis ?

— Si… mais John y croyait, révéla-t-elle. Il m'a raconté l'histoire, une fois. Elle est tragique… Selon la légende, un mauvais sort aurait été lancé contre notre famille il y a fort longtemps. Pour ma part, je n'y crois pas, même si toutes ces morts peuvent laisser penser que les hommes Sheldon sont maudits…

— Vous voulez parler de vos oncles et cousins ? Vous n'êtes pas convaincue que ces morts soient naturelles, c'est bien cela ?

— Je l'ignore. Qui voudrait leur mort ?

— Quelqu'un qui ne pouvait pas hériter avant leur disparition ?

— Que voulez-vous dire ? s'alarma-t-elle, les yeux soudain écarquillés. Mais vous…, non, je ne peux pas le croire.

— Pourtant, vous ne pouvez pas vous empêcher d'y songer, n'est-ce pas ? insista Jared, un éclat dans le regard. Ça vous a traversé l'esprit, ne le niez pas. Me croyez-vous capable de tuer pour toucher l'héritage ?

Hester le regarda fixement. En vérité, c'était exactement ce qu'elle avait pensé au début. Mais, en cet instant précis, il était tellement en colère…, tellement fier… Son instinct lui dictait de lui faire confiance.

— Je ne sais trop que penser, avoua-t-elle. Il y a tant de morts… Non, bien sûr, je ne vous crois pas capable de cela, monsieur. Certes, vous avez essayé de nous tromper en vous faisant passer pour ce que vous n'êtes pas… avec cet horrible accent… Avez-vous réellement cru que cela marcherait, monsieur Clinton ? fit-elle en éclatant de rire malgré elle.

Jared la considéra dans un silence complet pendant un moment, puis sourit.

— Je crois que je suis découvert, avoua-t-il en souriant.

— Je n'ai pas grand-chose à vous apprendre en matière de savoir-vivre, à mon avis, car votre mère semble s'en être chargée pendant vos jeunes années, dit Hester. Mais je pourrais vous être utile d'une autre façon. Nous avons des coutumes étranges ici, voyez-vous. Si vous acceptez de consacrer un peu de votre temps à grand-père, je serai heureuse de vous aider de mon mieux. Et il y a encore d'autres choses. Je pourrais peut-être vous apprendre à danser ?

— Peut-être, fit Jared en réprimant son envie de rire. Ce qui est certain, c'est que j'ai besoin de certaines informations sur la famille.

— Tout ce que vous voudrez, bien sûr.

— Eh bien, vous pourriez commencer par me dire qui est venu ici hier soir.

— Hier soir ? Nous sommes sorties, mais quelqu'un a laissé sa carte : Stephen Grant, un parent éloigné. Le petit-neveu de grand-père, issu de germain.

— Qu'est-ce que cela signifie, au juste ?

— Le duc avait un demi-frère, le fils de la seconde épouse de son père, et M. Grant est le petit-fils de ce demi-frère.

— Je ne sais pas très précisément comment les choses fonctionnent ici, dit Jared. Mais je suis l'héritier du duc, c'est un fait. Que se passera-t-il si je meurs ?

— Eh bien, j'imagine que M. Grant hériterait de tout. Il est le seul autre parent masculin de grand-père. Puis-je vous demander pourquoi vous me posez cette question ? ajouta-t-elle en voyant le visage crispé de Jared.

— Certes, vous le pouvez, mais je ne vous répondrai

pas maintenant. Je ne suis encore sûr de rien. Quand allons-nous nous rendre chez le duc ?

— Dès que vous aurez vos vêtements, expliqua Hester. Si vous le souhaitez, évidemment…

— Telles que se présentent les choses, je n'ai pas le choix, répliqua Jared, toute trace de son ridicule accent désormais disparue de sa voix.

Quand il avait l'air grave, ses yeux étaient d'un bleu-vert intense, remarqua Hester.

— J'ai quelque chose à faire ici, miss Sheldon, continua-t-il. J'ignore où cela me mènera, ainsi que ce qui me pousse à le faire, mais pour le moment je serai heureux de me conformer à vos plans.

— Vous voulez donc dire que vous acceptez de passer du temps avec grand-père et de lui redonner espoir ?

— Vous pouvez le formuler ainsi.

— Dans ce cas, allons vous acheter un chapeau ! A moins que vous estimiez que ce ne soit pas nécessaire, bien sûr. Il vous faudra aussi une tenue pour le bal… et des chaussures pour danser, peut-être ?

— Je serai tout à fait ravi d'acheter un nouveau chapeau en votre compagnie, acquiesça Jared en lui offrant son bras. Je vais faire le nécessaire pour payer tout cela moi-même, mais je préfère que vous le gardiez pour vous.

— Tout ce que je demande, c'est que vous nous laissiez l'occasion de vous accueillir dans votre famille, monsieur.

— Est-ce vraiment tout ce que vous demandez, miss Sheldon ? l'interrogea Jared avec un sourire ironique. Ne vous attendez-vous pas plutôt à me voir épouser une héritière, pour ensuite faire réparer les dégâts de l'incendie sur votre belle demeure ?

— Vous êtes au courant de cela ? s'étonna Hester en haussant les sourcils. M. Birch a outrepassé ses fonctions.

— M. Birch n'a pas soufflé un mot de plus que ce qu'il avait pour instruction de me dire, précisa Jared. J'ai mes propres moyens de découvrir la vérité, comme le comprendront très vite certaines personnes.

Hester le scruta, de nouveau mal à l'aise. Sous cette menace implicite, on devinait une volonté implacable. Oui, il y avait bien plus en cet homme qu'elle ne l'avait imaginé… et elle n'aurait jamais rêvé qu'il l'aurait aussi merveilleusement embrassée.

Pour autant, pouvait-elle lui faire confiance ?

Chapitre 3

Lorsqu'ils eurent fini leurs achats, chez l'un des meilleurs chapeliers de Londres, Hester décida de se promener un moment avant de rentrer chez sa marraine. Elle avait passé un moment fort agréable et souhaitait profiter du temps qu'il lui restait pour en apprendre un peu plus sur l'héritier de son grand-père.

Jared avait joué le jeu et avait fait l'acquisition de quatre chapeaux : un pour le matin, un pour l'après-midi, un autre pour le soir, sans oublier celui pour l'équitation. Il avait demandé que la note soit envoyée à son hôtel. Hester n'avait pas la moindre idée de son montant, mais ne doutait pas que cela représentait une jolie somme. M. Clinton ne semblait pas ruiné, finalement, comme l'avait supposé M. Birch.

Absolument charmant, il accepta de marcher un moment avec elle, adoptant un comportement irréprochable, digne du gentleman anglais qu'il était censé être. Hester n'eut donc aucune réticence à le présenter lorsqu'ils croisèrent quelques connaissances sur leur chemin. Ce fut même un réel plaisir d'annoncer l'héritier de Shelbourne, bien que Jared refuse d'accepter le titre qui lui revenait !

— Les gens vont être curieux à votre égard, lui expliqua-t-elle alors qu'ils étaient presque arrivés chez sa marraine. Je pense que vous serez assailli d'invitations après le bal de grand-père. Si vous restez jusque-là, bien sûr.

— Vous êtes tenace, miss Sheldon, lança Jared,

mi-amusé, mi-ennuyé. Je vais peut-être rester quelques semaines, donc un peu plus longtemps que prévu. Cela comble-t-il vos attentes ?

— Oui, pour le moment.

Elle pria intérieurement pour que ces quelques semaines se transforment en mois. Le duc espérait tant que son héritier s'installe en Angleterre ! Alors, s'il existait un moyen quelconque de convaincre Jared, Hester ferait tout son possible pour le trouver.

Troublée par les idées qui lui venaient en tête, elle jeta un coup d'œil à la vitrine d'une modiste dans le vent qui présentait de ravissants bonnets.

— Quand serez-vous prêt à partir pour la campagne, monsieur ?

— Demain matin, si cela ne contrarie pas vos plans, miss Sheldon.

— Mes plans ? J'avais tout d'abord prévu de vous accompagner, en fait. Mais vous n'avez pas besoin de moi, monsieur. Je pourrais rester ici encore quelques jours.

— Je serais ravi que vous me teniez compagnie, insista Jared. Je préférerais ne pas voyager seul en ce moment.

— Vous ne seriez pas souffrant, j'espère ?

— Je vais parfaitement bien, ne vous inquiétez pas. En fait, il ne s'agit pas de ma santé. Hier soir, alors que je sortais du club, un homme a essayé de m'assommer.

Hester s'arrêta sur-le-champ, interloquée.

— On vous a agressé ? Avez-vous été blessé ? Je ne comprends pas... Aviez-vous gagné beaucoup au jeu, pour que l'on veuille vous détrousser ?

— Vous croyez donc que c'était le motif de l'agression ? C'est possible en effet, conclut-il après quelques secondes de réflexion.

— Voyez-vous une autre raison ? s'exclama Hester,

toujours stupéfaite. Je sais que les décès qui ont frappé notre famille mériteraient une enquête approfondie, mais tout le monde ignore que vous séjournez à Londres, monsieur Clinton. A part monsieur Birch, ma marraine, ma mère, grand-père et moi, personne n'était au fait de votre présence avant ce matin.

— Et si nous supposions que quelqu'un le savait, martela Jared, scrutant Hester.

Etait-elle réellement choquée, ou seulement une excellente actrice ? se demandait-il.

— Pensez-vous que l'on ait voulu me tuer ? insista-t-il.

— Mais qui donc ? Vous ne pensez quand même pas que M. Stephen Grant… Non, c'est impossible ! C'est un homme d'église, il est au-dessus des considérations matérielles.

— Il hériterait d'une propriété et d'un titre. Pour certaines personnes, c'est une raison valable pour commettre un meurtre, ne pensez-vous pas ?

— Ce n'est pas le cas de M. Grant, répliqua Hester avec véhémence. D'ailleurs, comment aurait-il été au courant de votre présence ici ? Vous ne l'avez jamais vu de votre vie, vous ne lui avez jamais parlé. Cette agression est le fait du hasard, j'en suis sûre.

— Peut-être, conclut Jared, toujours circonspect. Mais j'imagine que vous comprenez à présent pourquoi je préférerais ne pas voyager seul, reprit-il.

— En effet. Ma marraine met sa voiture à ma disposition pour mon retour. Je serai avec ma femme de chambre et mes domestiques. Je pense qu'il y aura suffisamment de place pour un passager supplémentaire.

Hester fit un effort pour masquer sa déception. En proposant à l'héritier de faire le voyage avec elle, elle s'obligeait à quitter Londres un peu plus tôt que prévu. En effet, sa marraine l'avait suppliée de prolonger son séjour et elle avait pensé profiter de la présence de Jared à Shelbourne pour se décharger des responsabilités qui lui incombaient normalement. Toutefois, dans les circonstances actuelles, elle ne pouvait qu'offrir ses services à Jared. Après tout, c'était peut-être pour le mieux ! Qui sait si elle ne trouverait pas quelque moyen de le persuader de rester en ville plus longtemps que prévu ?

Elle était perdue dans ses pensées lorsqu'ils arrivèrent devant la demeure de lady Ireland. Jared la salua avec élégance avant de s'éloigner tandis qu'elle était accueillie par le majordome de sa marraine.

Dans le hall, elle récupéra les divers messages et cartes déposés à son intention et à celle de sa marraine, et les emporta dans le petit salon à l'arrière de la maison, où lady Ireland avait l'habitude de s'installer. Comme prévu, Hester y trouva la vieille femme et lui tendit la pile de documents avant de s'installer dans un fauteuil en face d'elle. Lady Ireland les examina d'un rapide coup d'œil et en sortit un.

— C'est pour toi, ma chérie.

— Oh ! je ne l'avais pas vu ! s'excusa Hester. Il a dû se mélanger avec les vôtres. On dirait que cela vient de Richard Knighton, ajouta-t-elle en brisant le cachet de cire, puis en fronçant les sourcils. Oui, c'est de lui ! Il a écrit cela avant que je ne le voie hier soir. Le mot devait être là quand nous sommes rentrées. Il me dit simplement qu'il se réjouit à l'idée de nous rendre visite, précisa-t-elle avant de le glisser dans sa poche. M. Clinton m'a priée de l'accompagner à Shelbourne, marraine. J'avais pensé rester un ou deux jours de plus avec vous, mais je ne peux pas refuser.

— A mon avis, il souhaite avoir au moins une personne

de connaissance sur place. Il se sentira certainement plus à l'aise si tu l'accompagnes. Il n'est peut-être pas aussi repoussant que nous l'avons craint, mais j'imagine qu'il n'est pas habitué à la haute société.

— Peut-être, dit Hester.

Quelque chose la contrariait, mais elle n'aurait su dire quoi exactement. Elle tentait de se souvenir de l'objet de son tracas quand le majordome annonça M. Knighton.

Juste après, son ami pénétra dans la pièce en souriant jovialement. Il s'avança d'abord vers lady Ireland pour lui faire un baisemain puis se tourna vers Hester.

Les formalités accomplies, lady Ireland l'invita à prendre place sur une chaise à son côté, et l'accapara avec une foule de questions sur sa famille jusqu'à l'arrivée du thé.

— Comment votre sœur se porte-t-elle, monsieur Knighton ?

— Maria se remet de la naissance de son troisième fils, expliqua-t-il. Elle va bien, même si elle est un peu fatiguée.

— J'aurais aimé la voir, regretta Hester. Mais je quitte la ville demain matin. Une autre fois, peut-être.

— Mme Tremayne serait ravie de vous voir, assura-t-il. Elle m'a supplié de vous inviter à dîner demain soir. Elle sera désolée de votre départ.

— Je crains d'y être obligée, se justifia Hester. Mais je lui écrirai dans quelques jours, et peut-être nous verrons-nous bientôt. Elle pourrait venir au bal de grand-père.

— Le duc prépare un bal ? s'exclama Richard Knighton. Je croyais qu'il vivait en reclus depuis quelque temps.

— C'est vrai qu'il n'a pas beaucoup reçu depuis que papa…

Hester s'arrêta net. L'étau familier revenait lui serrer la poitrine. La perte de son beau-père l'affectait toujours profondément.

— Mais, comme je vous l'ai dit hier soir, reprit-elle, l'héritier d'Amérique est ici. C'est en son honneur que le duc entend donner un bal, où il conviera tous ses amis.

— Cet Américain, quel genre d'homme est-il ? s'enquit Richard.

— Je dirais qu'il est parfaitement respectable, même si ce n'est pas à proprement parler un gentleman, déclara lady Ireland avant qu'Hester n'ait pu répondre. Il a le profil de sa future position, de bonnes manières, mais un langage qui laisse parfois à désirer. N'es-tu pas de mon avis, Hester ?

Hester hésita. Elle avait invité le cousin de sa mère dans l'intention de lui faire rencontrer l'héritier pour recueillir son avis, mais, pour une raison qui lui échappait, elle n'avait pas tellement envie de donner sa propre opinion sur le personnage.

— Il utilise des expressions malheureuses, en effet, convint Hester. Je crois qu'il est un peu… trompeur.

— Vous le soupçonnez d'être un imposteur ?

— Non, ce n'est pas ce que je veux dire, objecta-t-elle avec empressement. Je ne suis simplement pas certaine qu'il soit ce qu'il a l'air d'être, même s'il est indubitablement le fils d'Amélia. Il lui ressemble beaucoup, et ses références ont été vérifiées. Amélia a écrit plusieurs fois à son père après son mariage, il me semble.

— Elle espérait se faire pardonner, sans aucun doute, dit Richard. J'imagine que son fils doit être plutôt satisfait. Il ne s'attendait sûrement pas à hériter à la fois d'un titre et d'un vaste domaine.

— Je ne suis pas convaincue qu'il veuille de l'un comme de l'autre, répliqua Hester.

Elle en ignorait la raison, mais quelque chose dans le ton de Richard lui avait déplu.

— Il y a très peu d'argent à prendre, après tout, ajouta-t-elle.

— La demeure et les terres pourraient être vendues pour une jolie somme, rétorqua Richard. D'ailleurs, votre grand-père devrait être prudent. Il serait bien avisé de consulter ses avoués, afin de s'assurer que la propriété ne puisse être vendue purement et simplement après sa mort. Si c'était le cas, je ne serais pas étonné de voir l'argent s'envoler au-delà des mers en moins de temps qu'il n'en faut pour le dire.

— Il y a des clauses restrictives sur la succession, expliqua Hester. Tant qu'il y a un héritier direct, on ne peut passer outre et vendre les biens, à moins de verser une somme conséquente.

— Si l'Américain est le dernier dans la lignée de la succession, il pourra agir à sa guise en ce qui concerne la propriété.

— Mais il n'est pas l'unique héritier, précisa Hester. Je ne m'en suis rendu compte que tout récemment. Grand-père a un autre parent masculin, le petit-fils de son demi-frère.

— Vraiment ? Vous ne m'avez jamais parlé de ce gentleman, s'étonna Richard.

— Grand-père s'est querellé avec son demi-frère il y a des années. Depuis, il n'a plus entretenu la moindre relation avec sa famille, mais ce M. Grant lui a écrit il y a quelques mois. Il nous a rendu visite. C'est un homme d'église.

— Cela change la donne, dit Richard. Ainsi, l'Américain ne pourra pas vendre la propriété, empocher l'argent et repartir.

— Grand-père serait très bouleversé si pareille chose se produisait ! s'exclama Hester, qui n'avait jamais envisagé cette option. Non, je suis certaine que M. Clinton ne ferait pas cela, même si…

— Eh bien, espérons que cela n'arrivera pas, la coupa Richard. C'est trop injuste que vous ne puissiez pas hériter, Hester ! Vous avez été d'un grand soutien pour le duc, pendant des années. Un tel sacrifice devrait être récompensé.

— Je ne considère pas cela comme un sacrifice, s'offusqua Hester. Grand-père m'a accordé toute son affection, et a fait tout ce qu'il pouvait matériellement. Je suis heureuse de pouvoir l'aider à présent. Il a souvent exprimé son désir de me léguer Shelbourne… mais, évidemment, c'est impossible. N'oublions pas que, même si j'appelle le duc « grand-père », je ne suis pas une Sheldon, comme vous le savez d'ailleurs, monsieur.

— Je ne l'oublie pas, ma chère Hester, dit Knighton. C'est pour votre bien que j'aimerais que les choses soient différentes. Vous aimez tant Shelbourne et je trouve terrible que vous puissiez en être chassée à la mort du duc.

— Je le sais, soupira-t-elle, incapable de dissimuler sa tristesse.

Lady Ireland prit son face-à-main doré pour scruter M. Knighton avec une légère froideur.

— Comme vous le savez peut-être, monsieur, je n'ai pas d'enfants. J'avais un fils, mais il a été tué à la guerre d'Espagne…, expliqua-t-elle d'un ton voilé par l'émotion. Enfin, là n'est pas le sujet. J'aime Hester comme ma propre fille, et elle aura toujours un foyer auprès de moi. Quand je mourrai…, ajouta-t-elle avec un sourire chaleureux à l'intention de sa filleule, eh bien… elle ne se retrouvera pas sans le sou, si je peux m'exprimer ainsi.

— Je vous en prie, marraine, ne dites pas ce genre de choses. Vous êtes en pleine santé, et il vous reste de nombreuses années devant vous.

— Mais oui, bien sûr ! s'exclama lady Ireland avec chaleur. Il faut néanmoins que tu le saches, Hester, et cela contribuera à rassurer monsieur Knighton quant à ton avenir.

— Je suis certain que miss Sheldon ne manque pas d'amis pour l'entourer, dit celui-ci. Mais il est bon de savoir qu'elle a en vous la meilleure de tous, la complimenta-t-il en souriant, avant de se tourner vers Hester. Miss Sheldon n'ignore pas mon tendre intérêt envers elle. Je ne voulais que l'assurer de mon dévouement si elle devait quitter son foyer.

Hester sentit ses joues s'empourprer. Elle avait toujours considéré M. Knighton comme un homme vers qui elle pourrait se tourner pour solliciter de l'aide, mais uniquement en tant qu'ami. Et voilà qu'il semblait éprouver des sentiments plus profonds qu'elle ne le pensait ! Elle en était très gênée ; même si elle l'aimait beaucoup, elle n'avait jamais envisagé autre chose que des rapports amicaux entre eux.

Troublée par cette découverte, elle décida aussitôt de garder pour elle ses doutes concernant M. Clinton, au lieu de les confier à son vieil ami, comme elle l'avait tout d'abord envisagé.

Elle changea alors habilement de sujet en aiguillant la conversation sur le dernier bal du régent, et la chaleur toujours étouffante dans le pavillon de Brighton.

— Maman m'y avait emmenée avant que papa ne nous quitte. Ne le trouvez-vous pas assez beau, dans son genre ? se reprit-elle. Certes, il est de bon ton de décrier le mauvais goût du prince, mais, pour ma part, j'ai plutôt apprécié le décor. Le prince raffole de ce lieu, voyez-vous.

— Vous êtes trop indulgente, dit M. Knighton en se

levant. Je crains d'avoir abusé de votre temps, mesdames. Je dois d'ailleurs vous quitter, j'ai un autre rendez-vous.

— Je vous raccompagne, déclara Hester en lui emboîtant le pas.

Elle lui tendit sa main quand il arriva à la porte.

— C'est si aimable de votre part d'être venu, monsieur. Je suis désolée de manquer le dîner de votre sœur.

— Elle le sera aussi de ne pas vous avoir vue, Hester. Vous savez qu'elle vous apprécie énormément, tout comme moi, ma chère amie.

— Merci, c'est très gentil, bredouilla Hester alors qu'il gardait sa main un peu trop longtemps dans la sienne.

Elle la retira avec douceur afin de ne pas l'offenser.

— Je sais que je peux toujours compter sur vous en cas de besoin.

— Je suis heureux que vous en ayez conscience. Mais, dites-moi si je me trompe, j'ai eu l'impression que vous vouliez me dire quelque chose à propos de l'héritier hier soir…

Hester observa M. Knighton avec attention. Il semblait mal à l'aise et affectait une indifférence suspecte.

— Oh ! il nous a rendu visite, voilà tout, prétendit-elle. Il semble assez agréable, mais il est un peu trop tôt pour le savoir.

— Rappelez-vous que je serai toujours votre ami, à vos côtés quoi qu'il puisse arriver, répéta-t-il en s'attardant, comme s'il hésitait. Je vais bientôt rendre visite au duc, ainsi qu'à votre chère maman. J'espère que cela ne vous indispose pas ?

— Bien sûr que non ! se récria-t-elle. Maman et grand-père sont toujours enchantés de vous voir, n'en doutez pas. Tout comme moi.

Il lui sourit et reprit son chapeau déposé sur la console de l'entrée.

— A bientôt, Hester, conclut-il avant de sortir.

Après son départ, Hester resta un moment dans le hall, pensive. Knighton s'était comporté différemment, cet après-midi. Se faisait-elle des idées, ou sous-entendait-il qu'il espérait une relation plus intime entre eux ? Si c'était le cas, il n'en était pas question ! Il était le cousin de sa mère par alliance, et bien plus âgé qu'Hester. Au grand jamais elle n'avait songé… Non, c'était impossible ! Son instinct lui faisait-il défaut ? Auparavant, M. Knighton ne lui avait jamais donné la moindre raison d'envisager une demande en mariage. Elle devait avoir mal interprété son comportement. Mieux valait chasser ces idées folles de son esprit !

Sa marraine leva les yeux vers elle quand elle revint dans le salon. Elle jouait avec un flacon de sels à décor argenté, agrémenté d'un compartiment intérieur délicieusement orné pour contenir une petite éponge.

— Mon défunt mari m'avait offert ceci, expliqua lady Ireland en le replaçant sur une petite table où étaient disposés d'autres bibelots exquis du même style. Il me semble que M. Knighton vient de te faire une proposition, Hester. Vas-tu accepter ?

— Pensez-vous que c'était bien de cela dont il était question ?

— Il s'est comporté de manière très étrange, et il te regardait d'une façon qui laissait peu de doute quant à ses sentiments, ma chère. N'as-tu pas remarqué un changement dans son attitude envers toi ces derniers temps ?

— Cela m'a effleuré l'esprit, je dois l'avouer… Mais c'est le cousin de ma mère ! Et nous avons une grande différence d'âge !

— Cela n'entrave pas la possibilité d'une alliance éventuelle, Hester. En règle générale, je n'approuve pas les mariages entre cousins, mais votre lien de parenté est suffisamment éloigné pour que cela soit acceptable. Je serais cependant désolée que tu épouses M. Knighton.

— Oh ! Pourquoi cela ? s'exclama Hester, très surprise car sa marraine l'avait souvent incitée à penser au mariage.

— C'est un gentleman tout à fait correct, si j'ose dire, mais tu pourrais prétendre à mieux, ma chérie. Si tu le voulais.

— Le problème ne se pose pas car, comme vous le savez déjà, je n'ai pas l'intention de me marier, répliqua Hester. Si M. Knighton se déclarait, je refuserais. J'espère qu'il s'en abstiendra car cela risquerait de ternir notre amitié.

— Oui, ce serait dommage, approuva sa marraine. Eh bien, il ferait mieux de réfléchir sérieusement. Il sait que tu es toute dévouée au duc et à ta maman.

— Oui, j'en suis sûre, assura Hester, soudain mal à l'aise. Je serais tellement embarrassée !

— N'y pense plus, lui conseilla lady Ireland. J'avais songé à t'offrir un petit présent, Hester. Aimerais-tu cette broche en opale et diamants offerte par mon mari le jour de notre mariage, ou préférerais-tu le bracelet de perles que j'ai reçu de ma mère à l'occasion de mes seize ans ?

— Vous ne devriez pas songer à vous séparer de l'une comme de l'autre, dit Hester. Je n'ai pas besoin de cadeau, marraine.

— Tu n'as pas beaucoup de bijoux, insista lady Ireland. Je vais te donner les deux, en fait. Et ne refuse pas, car cela me contrarierait ! J'aime faire des cadeaux, et tu es la personne qui m'est la plus chère désormais.

— Vous êtes si gentille envers moi ! s'écria Hester en

allant l'embrasser. Je n'ai rien fait pour mériter pareils présents.

— Ne sois pas gênée, je t'en prie. Je n'ai rien voulu dire, mais M. Knighton..., eh bien, il m'a ennuyée. Tu es mon héritière, Hester. J'ai décidé de faire de petits legs ici et là, mais toi, tu hériteras de mon patrimoine. Je ne suis pas excessivement riche, cependant je mène une vie très confortable. Il en sera de même pour toi. Je n'ai pas parlé d'une rente avant aujourd'hui, car tu vis sous le toit du duc, mais, si le pire devait arriver, je veillerais à ce que ta mère et toi ne manquiez de rien.

— Arrête, je vous en prie, vous allez me faire pleurer ! gémit Hester, profondément émue par la générosité de sa marraine. Je ne peux que vous remercier du plus profond du cœur, pour ma mère et pour moi.

— Promets-moi de ne rien dire à ta mère. Je suis sotte, je n'aurais rien dû te dire pour le moment, mais à cause de M. Knighton il m'est apparu que tu pouvais t'inquiéter pour ta situation.

— Grand-père a déjà préparé le versement d'une petite rente pour nous deux, expliqua Hester. Il aurait désiré nous attribuer plus, mais les clauses de la succession l'en empêchent. Il ne peut redistribuer que ce qu'il tire de ses revenus. Cependant, papa a laissé un peu d'argent à maman. Enfin... mon vrai père, voyez-vous.

— Hum..., reprit lady Ireland, soucieuse. Je suis surprise que tu n'aies pas eu ta part, Hester. J'aurais cru que sir Peter aurait été plus prévoyant vis-à-vis de sa fille unique.

— Si tel a été le cas, je n'en ai rien su, dit Hester. Mais nous ne mourrons pas de faim, marraine chérie. Ne vous inquiétez pas pour moi.

— Certes non, promit lady Ireland. Et tu pourrais te

marier si tel était ton désir, ma chérie…, à quelqu'un de bien plus intéressant que M. Knighton.

Hester resta silencieuse, étonnée que sa marraine exprime aussi clairement son antipathie envers le vieil ami de sa mère. Elle n'avait jamais parlé de lui en ces termes auparavant. C'était réellement étrange…

— Oh ! nous nous sommes peut-être méprises sur ses vues, marraine ! Je vais monter me changer, puisque vous avez des invités ce soir. Je dois aussi vérifier qu'Anna a bien fait ma malle.

— Je vais monter aussi mais je vais d'abord écrire une lettre au duc, dit lady Ireland en lui souriant. Pour lui dire que je serai ravie de venir à son bal, s'il m'invite.

— Il le fera, j'en suis certaine, assura Hester.

Elle s'engagea dans l'escalier. Elle n'y avait jamais réfléchi auparavant, mais il était un peu étrange que son père ne lui ait pas laissé ne serait-ce qu'un petit legs. Il n'avait pas disposé d'une vaste fortune, loin de là, mais c'était néanmoins étonnant qu'elle n'ait pas figuré dans ses volontés. Bah ! Quelle importance ? Elle était heureuse ainsi.

— Monsieur Clinton…

L'avoué se leva avec promptitude et contourna son imposant bureau en acajou pour tendre la main à Jared.

— Quelle agréable surprise ! J'ignorais votre venue !

— Monsieur Roth, je suis content de vous voir, dit Jared en lui serrant chaleureusement la main.

Il était en relation avec l'avoué depuis de nombreuses années et savait pouvoir compter sur sa discrétion.

— Je ne vous ai pas prévenu car d'autres affaires m'ont amené à Londres, expliqua-t-il, mais j'aimerais vous soumettre quelque chose, si vous voulez bien ?

— Certainement, monsieur. Encore une propriété, peut-être ?

— C'est un peu plus compliqué que cela, commença Jared en s'installant dans un confortable fauteuil. Tout d'abord, je dois vous expliquer quelque chose, et vous comprendrez très vite pourquoi cela requiert de la discrétion.

— Oh ! Bien entendu, monsieur. Vous savez à quel point nous savons nous montrer discrets au sujet des affaires que nous traitons.

— En effet… Vous ignorez peut-être que je suis l'héritier du duc de Shelbourne, annonça Jared devant le regard surpris de son interlocuteur. Je ne souhaite pas que l'on m'appelle par mon titre, et cela ne fera aucune différence dans nos affaires. Je vous en informe seulement parce que j'ai des raisons de penser que ma vie et celle du duc pourraient être en danger.

— Dieu du ciel ! Quelqu'un essaie de vous assassiner ? Mais… cet héritage est une goutte d'eau dans votre fortune, voyons !

— Mon héritier est mon cousin américain, expliqua Jared. Je l'ai désigné, ainsi que d'autres bénéficiaires, mais tout cela n'a aucun rapport avec mon héritage en Angleterre. J'ignore ce qui se passerait si je décédais, quoiqu'il me semble avoir compris qu'il existe un autre héritier après moi, un certain Stephen Grant. On me l'a présenté comme un homme d'église. Bien évidemment, il y a aussi miss Hester Sheldon. C'est une cousine, mais elle ne peut hériter tant que subsiste un héritier mâle, si j'ai bien saisi ?

— Oui, c'est à peu près cela, acquiesça Jacob Roth. Je connais le nom de Shelbourne, bien sûr, monsieur, mais je sais très peu de choses de cette famille. Que désirez-vous que je fasse pour vous ?

— J'ai besoin d'une personne de confiance qui surveille les faits et gestes de M. Stephen Grant. Je veux savoir quel genre d'homme il est, s'il a des dettes, des ambitions…

— Je vois. C'est le suspect le plus plausible, j'imagine.

Jared hocha la tête, pensif.

— D'autres personnes pourraient souhaiter me voir mort pour des raisons sans rapport avec les biens du duc, bien sûr. Un homme riche se fait parfois des ennemis en chemin, sans s'en rendre compte. Je peux fournir des précisions à votre homme, je les ai consignées sur cette feuille, ajouta-t-il en la tendant à l'avoué. J'ai besoin d'une enquête, aussi rapidement que vous pourrez. Je désire également savoir si d'autres personnes s'intéressent à la propriété, de lointains parents notamment.

— Oui, bien sûr, acquiesça l'avoué. Avez-vous pris des mesures pour votre propre protection, monsieur ?

— Je peux fort bien prendre cela en charge moi-même pour le moment, répondit Jared. S'il s'agit de l'autre héritier, il doit se montrer prudent, car il serait le premier à être suspecté.

— Et miss Sheldon ?

— A mon avis, elle est au-delà de tout soupçon, mais je serai vigilant jusqu'à ce que tout cela soit réglé.

— Avez-vous envisagé le fait que vos parents puissent être intéressés par votre fortune, monsieur ? Certaines de nos vieilles familles sont convaincues d'être au-dessus de tout le monde, mais bon nombre d'entre elles ne disposent même pas du dixième de vos revenus, monsieur Clinton.

— Ce serait possible, approuva Jared. Mais ils ne retireraient aucun bénéfice de ma mort. Tout semble lié exclusivement à ma famille en Angleterre, et j'ai l'impression que cela dure depuis longtemps, bien avant mon arrivée.

— Voilà qui est inquiétant, monsieur.

— Peut-être. Mais il reste l'éventualité que ce soient des morts naturelles, ou des accidents. Il y avait trois frères, et trois petits-fils.

M. Roth pinça les lèvres comme pour laisser échapper un sifflement de stupéfaction.

— Cela dénoterait une terrible volonté de nuire, si ces morts avaient été provoquées, monsieur.

— Absolument, déplora Jared. Quand votre homme me fera son premier rapport, je pense que je pourrai lui fournir de plus amples informations. Il serait intéressant de découvrir ce qui se cache derrière cette malédiction familiale.

— Vous pensez à un sombre secret enfoui dans le passé ?

— C'est une hypothèse, conclut Jared en se levant. Je n'ai pas inclus Shelbourne dans mes volontés rédigées en Amérique, monsieur Roth. J'aurai des instructions pour vous à ce propos, plus tard.

— Ne devriez-vous pas vous en occuper dès maintenant, monsieur, si je puis me permettre ?

— Je vous écrirai, répondit Jared. J'ai besoin de réfléchir, à la lumière des récents événements.

— Je comprends parfaitement, dit Jacob Roth en lui tendant la main. Mais je vous supplie de prendre garde, monsieur. Dois-je vous féliciter pour les opportunités de cet héritage ?

— Je ne saurais le dire ! s'exclama Jared, amusé. Je vais rencontrer le duc demain. J'en aurai peut-être plus à vous raconter lors de notre prochaine rencontre.

Jacob Roth regarda Jared quitter la pièce, puis s'installa à son bureau. Il prit une feuille de vélin de bonne qualité et trempa sa plume dans l'encre. Son client lui avait demandé un homme de confiance pour enquêter, mais M. Roth avait aussi une autre idée en tête : le faire protéger lui-même, discrètement. Les clients de l'envergure de Jared Clinton étaient rares et précieux. Il serait fâcheux qu'il disparaisse prématurément.

Le lendemain matin, Hester et Jared faisaient leurs adieux à lady Ireland.

— J'ai été ravie de faire votre connaissance, monsieur Clinton, dit cette dernière. Hester s'occupera bien de vous, je n'en doute pas. Le duc est réputé pour être très à cheval sur l'étiquette, mais vous vous en sortirez très bien si vous écoutez ma filleule. Son maintien et son éducation sont admirés de tous.

— Vous êtes trop bonne, madame. Merci du conseil, lança Jared, l'œil pétillant d'amusement. Sacré nom de nom, comme si je m'attendais à tomber sur des ducs et des princes !

— Euh… Je ne suis pas sûre que le régent assistera au bal de Shelbourne, s'étonna lady Ireland en le scrutant avec attention. Quelque chose vous amuse, monsieur Clinton ?

— Non, m'dame, pourquoi ? demanda-t-il d'un air innocent en lui serrant la main. J'espère avoir le plaisir de vous revoir un jour.

— Je serai au bal du duc, je l'espère, répondit-elle avant de se tourner vers Hester. Au revoir, très chère. Tu vas me manquer. Bon voyage, ajouta-t-elle en la serrant dans ses bras.

Jared donna le bras à Hester jusqu'à la voiture. Elle prit place et lui lança un regard acerbe quand il s'installa ensuite à côté d'elle.

— Pourquoi avez-vous fait ça ? Il n'est pas correct de taquiner une dame ainsi, vous savez !

— Pardonnez-moi, je n'ai pas pu résister, s'excusa Jared.

Vous vous attendiez tellement à vous retrouver face à un rustre ignorant que je me suis conformé à ce rôle.

— Un rôle que vous avez tenu délibérément face à M. Birch. Pourquoi vouloir nous donner une mauvaise impression de vous, monsieur ? interrogea Hester en le scrutant.

— Me croiriez-vous si je vous avouais que ce n'était qu'une plaisanterie ?

— Peut-être pas, répliqua Hester. Cependant, je conçois fort bien que vous ayez trouvé cela amusant. M. Birch a-t-il écrit quelque chose dans sa lettre qui vous aurait froissé ?

— On m'a dit qu'une dame aux manières irréprochables m'apprendrait à me comporter décemment dans la bonne société anglaise.

— Et vous avez été offensé ? insista Hester. Oui, je comprends, monsieur Clinton. C'était maladroitement formulé, mais, voyez-vous..., certaines règles se doivent d'être observées. En tant qu'Américain, vous ne les connaissez peut-être pas. Je ne veux pas dire que vous n'avez pas d'éducation, évidemment, mais ici nous faisons les choses un peu différemment. L'idée était avant tout de vous aider à ne pas vous sentir embarrassé.

— Vraiment ? s'exclama-t-il, plongeant avec insistance ses yeux bleu-vert dans les siens. Il n'est jamais venu à l'esprit d'aucun d'entre vous que ma mère était une lady anglaise ? Pensez-vous que j'ai été élevé dans le ruisseau ? Elle s'est enfuie avec un homme qui ne convenait peut-être pas à sa famille, mais elle n'a jamais oublié son rang ni son éducation. Et, comme vous l'ignorez peut-être, les échelons supérieurs de la société américaine sont aussi difficiles à pénétrer que les vôtres, même si c'est pour des raisons différentes.

— Bien sûr ! Je n'ai jamais pensé le contraire, se

défendit Hester. Du moins au début… Ce n'est qu'après que vous ayez rencontré M. Birch…, bredouilla-t-elle. Si vous nourrissiez cette opinion à notre égard, pourquoi être venu ?

— Par curiosité, comme je vous l'ai dit, répondit-il en plantant son regard dans le sien avec audace.

Hester se sentit rougir et détourna les yeux.

— Votre avoué a été persuasif, continua-t-il. Et puis, je voulais voir l'homme qui a brisé le cœur de ma mère.

— Vous vous trompez au sujet du duc, monsieur Clinton… C'était une brouille terrible, je le sais bien, mais votre mère devait savoir au fond d'elle-même que grand-père finirait par la pardonner ! Elle n'ignorait pas qu'elle était sa fille préférée.

Jared resta pensif un instant. Il avait toujours pensé que la tristesse de sa mère était due à sa dispute avec son père, mais peut-être s'était-il trompé. Son mari l'avait adorée, mais Jack Clinton était un homme au sang chaud, au caractère bien trempé. Peut-être avaient-ils parfois eu des conflits. La colère de Jared s'atténua quelque peu, même s'il refusait pour le moment de changer de point de vue. Il tenait à en juger par lui-même.

— Il n'a fait aucune tentative pour se rapprocher d'elle.

— Etes-vous venu pour vous disputer avec le duc ? demanda Hester, inquiète.

— J'ai l'intention de lui dire qu'il l'a rendue malheureuse.

— J'aimerais que vous vous en absteniez.

— Selon vous, il ne mérite pas qu'on le lui dise ?

— Il a été longtemps souffrant. Ses jours sont peut-être comptés. Je serais désemparée si vous le faisiez souffrir pour une chose qui s'est passée il y a tant d'années.

— Ma mère était triste quand elle pensait à sa famille. S'il se souciait tant d'elle, pourquoi ne lui a-t-il pas au moins écrit ? Elle l'a contrarié en s'enfuyant avec un joueur, certes, mais j'ai l'impression que mes oncles et cousins anglais ne valaient guère mieux.

— Peut-être est-ce pour cela qu'il ne voulait pas qu'elle épouse un joueur.

Cet argument le toucha plus qu'il n'aurait voulu l'admettre.

— Je peux concevoir qu'il ait désiré la protéger, reprit-il. Elle était jeune, et à cette époque mon père avait peu de perspectives d'avenir. Mais il l'aimait. Tout ce qu'il a fait plus tard, c'était pour elle, et ils ont été heureux ensemble. Elle n'a jamais manqué de rien.

— S'ils étaient heureux, pourquoi pleurait-elle si souvent ?

— C'était seulement quand elle pensait à la maison de son enfance et à sa famille. Le reste du temps, elle était heureuse. Sa mort a détruit mon père.

— Je suis désolée.

Jared hocha la tête. Il sentait que l'intensité de sa colère s'atténuait.

— Tout cela appartient au passé, dit-il. Mon père est mort depuis vingt ans. J'ai appris à vivre avec des souvenirs.

— Je comprends votre amertume, mais je vous supplie de ne pas vous quereller avec grand-père, monsieur Clinton. Cela me blesserait terriblement s'il devait mourir à cause de cela.

— Vous me mettez un marché difficile entre les mains, miss Sheldon. Vous me demandez beaucoup, mais vous donnez peu.

— Je pense que vous êtes correct, monsieur. Cela vous rendrait-il heureux d'entraîner un homme vers sa tombe, miné par le chagrin ?

Jared croisa son regard et se mit à réfléchir. Etrangement, l'idée de la blesser le contrariait au plus haut point.

— Non, sans doute, reconnut-il après un long silence.

Cela ne changerait rien. Qu'allez-vous m'offrir si je vous accorde ce que vous souhaitez, miss Sheldon ?

— Mon amitié, répondit vivement Hester avec un sourire spontané, qui la transfigura et lui conféra une beauté particulière. J'espère de tout cœur que nous serons amis, monsieur Clinton. Et avez-vous songé à ce que vous gagneriez à faire plaisir au duc ? Je ne sais comment vous vivez, mais vous voilà l'héritier d'une belle demeure ancienne et de vastes terres. Certes, il vous faudra épouser une héritière pour vivre confortablement, parce qu'il y a peu d'argent dans la famille, mais cela en vaut la peine. Je pensais que ce serait difficile avant de vous rencontrer, mais, maintenant que je vous connais, je n'ai plus le moindre doute : vous pourrez séduire aisément n'importe quelle femme. Votre position d'héritier ne fera qu'augmenter vos chances.

— Supposons que je sois d'accord, avança Jared sans la quitter des yeux, quel genre de lady me suggéreriez-vous ? Une femme trop jeune ne me conviendrait pas.

— Oh ! non, je n'y ai pas songé un instant. Vous effaroucheriez les jeunes filles, monsieur Clinton ! s'exclama Hester. La plupart des débutantes sont très jeunes, il est vrai, ajouta-t-elle, mais il y a certaines dames… Une riche veuve, par exemple, qu'en pensez-vous ? Il me semble que vous pourriez trouver une femme à votre goût, si vous étiez prêt à élargir le champ des recherches.

Jared sourit, franchement amusé.

— Ma curiosité est éveillée, miss Sheldon, mais je m'en remets à vous. Dites-moi, avez-vous des dames particulières en vue ?

— Eh bien… J'en vois deux qui vous conviendraient, à mon avis. Mme Hines a vingt-quatre ans. Elle est veuve depuis six mois. Son mari est mort au combat en Espagne. C'était déjà une héritière quand elle s'est mariée, et j'imagine que son mari a dû lui laisser quelque chose. Elle est blonde, aux yeux bleus. Très jolie.

— Je préfère plutôt les cheveux foncés, répliqua-t-il avec courtoisie.

— Alors lady Mary Jenkins est celle qu'il vous faut, continua Hester. Elle a deux ans de plus, mais elle est charmante. Elle a une fille, et son mari, sir Hugh Jenkins, est mort depuis un an, ce qui signifie que rien ne vous empêche de la courtiser. Six mois, c'est un délai un peu court, même si, dans certaines circonstances, c'est acceptable. Elle a de l'argent, et je ne m'avance pas trop en affirmant qu'elle apprécierait un titre plus prestigieux que le sien, pour lui donner plus d'assise en société.

— Nous avons le même genre de règles chez nous concernant les périodes de deuil, dit Jared. Vous pensez donc que je devrais essayer lady Jenkins ? Etre l'héritier du duc me rendrait intéressant à ses yeux ?

— Oui, j'en suis sûre, si vous considérez les choses d'un point de vue purement matériel, expliqua Hester.

Elle ressentit soudain une étrange impression : être obligée d'abonder dans ce sens malgré elle…

— Cependant, vous ne l'avez pas rencontrée, et vous ne désirerez peut-être pas l'épouser, continua-t-elle. Il y a d'autres ladies, bien sûr. J'essayais de sélectionner des femmes qui pourraient susciter votre admiration.

— Et quel genre de lady pensez-vous que j'admire ?

— Eh bien… Elle doit certainement être belle.

— Attirante, cela me suffit, du moment qu'elle a un joli teint et une haleine agréable, détailla Jared en croisant les bras, un sourire sensuel aux lèvres alors qu'il l'observait.

— Euh, oui… Je vous certifie que lady Mary n'a pas mauvaise haleine.

— Et sa silhouette ?

— Elle n'est pas aussi fine que Mme Hines.

— Je n'aime pas l'embonpoint chez les femmes.

— Je vous assure qu'elle n'est pas grosse. Juste un peu potelée.

— Votre silhouette, voilà mon idéal.

— Oh… euh…, bredouilla Hester, sentant une chaleur plutôt agréable lui monter aux joues. Nous sommes de la même taille, même si elle est un peu plus… enrobée.

— Est-elle intelligente ?

— Oh très ! Je crois qu'elle aime la poésie, la musique et l'art.

— Et la politique ? Pourrait-elle tenir avec moi une conversation sur l'état du monde ?

— Est-ce une condition nécessaire ? s'inquiéta Hester. Peu de femmes s'intéressent à cela, à part les plus âgées, peut-être.

— Aimez-vous la politique ?

— Je m'y intéresse un peu mais…

En fait, elle était passionnée par la politique. Elle passait des heures à lire le journal au duc, mais là n'était pas le sujet.

— Je pourrais donc trouver une femme qui en sache à peu près autant que vous, n'est-ce pas ?

— Euh… oui, peut-être, marmonna Hester, sur le qui-vive. Avez-vous d'autres exigences particulières, monsieur ?

— De belles dents, de jolis yeux et… des ongles nets, ajouta-t-il en regardant les mains gantées d'Hester.

— Si je peux me permettre…, toutes les ladies ont les mains soignées.

— Je suis heureux de l'entendre.

— Quelque chose d'autre ? demanda Hester, les yeux brillants, car elle commençait à suspecter qu'il se moquait d'elle.

— Il faut qu'elle sache bien monter. Si je reste, j'ai l'intention d'élever des chevaux.

— Oh ! Rien ne ferait plus plaisir à grand-père ! s'écria la jeune femme, enthousiaste. Autrefois, il était connu pour la qualité de ses pur-sang.

— C'est ce que ma mère m'a dit. Elle montait mieux que toutes les femmes que j'ai jamais rencontrées. Nous avons tous été très choqués par sa chute…

— Je suis tellement désolée, dit Hester.

— Mon père lui a survécu quelques années, mais il n'était plus que l'ombre de lui-même. Il s'est mis à boire, puis a perdu la plus grande partie de son argent. Mais j'imagine que c'est le lot de tous les joueurs.

— S'il ne se remettait pas de sa disparition, il a des excuses, ne pensez-vous pas ? Il a dû beaucoup l'aimer.

— Elle était tout pour lui.

— Elle a eu beaucoup de chance d'être aimée ainsi, et un grand courage de faire ce qu'elle a fait. Je ne sais si j'aurais été aussi brave que votre mère, monsieur.

— Hum… je serais enclin à le penser. Dites-moi, montez-vous à cheval, miss Sheldon ?

— Oui. Je suis bonne cavalière. Enfin, c'est ce que l'on dit de moi. Et j'adore ça.

— Accepterez-vous de m'accompagner pour une balade à cheval quand nous serons à Shelbourne ?

— Oui, si vous le désirez, dit Hester en lui jetant un coup d'œil.

Elle fut aussitôt troublée par son regard, si intense, si pénétrant… Elle avait la certitude qu'il lisait dans ses pensées.

— J'espère que nous pourrons trouver une monture qui vous convienne, reprit-elle très vite, car nos écuries sont terriblement réduites aujourd'hui.

— Bien, dit Jared après un court silence. Nous sommes donc fixés sur lady Mary ?

— Peut-être. En tout cas, ne décidez de rien avant de l'avoir rencontrée.

— Qu'elle me plaise ou non n'est pas un critère, si j'ai bien compris ? Elle dispose d'une fortune. Et vous, vous avez besoin d'une fortune pour restaurer la demeure et relancer l'activité du domaine.

— Oui, mais..., hésita Hester, les yeux perdus dans son regard indéchiffrable, je voudrais que vous soyez heureux de votre choix, monsieur.

— Mon bonheur entre donc dans vos préoccupations ?

— Oui, bien sûr.

— Pourquoi ?

— Parce que... parce que c'est comme ça, voilà tout.

— Vous êtes une créature pleine de contradictions, miss Sheldon.

— Ah bon ?

— Mais oui. Reprenons la liste. Il me faut une brune de votre taille et de votre stature. Elle doit être séduisante, intelligente, cultivée, facile à vivre, avec de jolies dents, de jolis yeux et une haleine agréable. Vous remplissez plutôt bien ces critères, miss Sheldon. Quel dommage que vous ne soyez pas fortunée ! Quoique, étant cousins, nous serions peut-être trop proches pour nous marier ?

— Monsieur Clinton ! Vous vous moquez de moi ! Je m'en doute depuis quelques minutes déjà, et à présent j'en suis sûre. En fait, nous n'avons aucun lien de sang. J'appelle le duc grand-père, mais il ne l'est pour moi que par alliance. Je suis la fille du premier mari de ma mère.

— Alors je ne vois aucune raison de ne pas nous marier, insista-t-il avec un sourire malicieux. A part le léger inconvénient que vous ne soyez pas riche.

— Et une autre chose plutôt importante !

— Je vous écoute ? demanda-t-il, avec un pétillement dans l'œil.

— Je ne désire pas me marier et, quand bien même je le ferais, ce ne serait pas avec vous !

— Ah, vraiment ? Vous me décevez, miss Sheldon. J'en étais pourtant arrivé à la conclusion que nous étions fort bien assortis.

— Vous êtes insupportable ! Vous n'êtes donc jamais sérieux, monsieur ? J'essaye là de vous présenter tous les avantages de se marier pour des raisons financières.

— C'est ce que je vois, rétorqua-t-il sur un ton espiègle. Et vous êtes persuadée que lady Mary me conviendrait parfaitement. Dites-moi, dois-je lui faire ma demande tout de suite, ou attendre quelques jours ?

— Vous me taquinez, monsieur. Loin de moi l'idée de vous dicter votre conduite. Mais vous souhaitiez entendre mes conseils, n'est-ce pas ?

— C'est exact, vous avez raison. Etes-vous très fâchée contre moi, miss Sheldon ?

— Oui, je suis furieuse. Cela peut sembler mercantile de parler mariage en ces termes, mais je vous assure que c'est l'usage dans les familles telles que la nôtre, en particulier quand l'argent manque.

— Cela se pratique de façon tout à fait courante dans d'autres pays aussi, miss Sheldon. Vous, les Anglais, n'avez pas inventé cette pratique, même si vous êtes convaincus d'être la référence en la matière pour tout ce qui respire sur terre.

— Nous, les Anglais ? s'écria Hester, les yeux lançant des éclairs, folle de rage qu'il continue ainsi à la provoquer. N'oubliez pas que vous êtes anglais, monsieur Clinton. Du moins, en partie…

— Certes, mais j'ai eu la chance d'être élevé en Amérique. Nous ne sommes pas étroits d'esprit comme vous. Plus ouverts au changement, nous saisissons les opportunités et essayons de tirer le meilleur de nos vies.

— Je ne suis pas étroite d'esprit ! protesta Hester, sortant de ses gonds, les yeux ardents de colère. Je suis tout à fait capable d'accepter de nouvelles idées, monsieur. Si vous ne souhaitiez pas tirer parti de mes conseils, vous n'auriez pas dû les solliciter. Pourquoi l'avoir fait, en ce cas ?

— Pour le plaisir de vous voir abandonner vos manières guindées, avoua Jared.

Il avait jusqu'alors été assis en face d'elle, mais s'installa soudain à son côté. Elle eut le souffle coupé quand il se pencha vers elle et l'enlaça.

— Vous me plaisez beaucoup quand vous oubliez d'être la très respectable miss Sheldon.

Il l'embrassa alors avec fougue. Quand il relâcha son étreinte quelques instants plus tard, il s'amusa de la surprise qu'il lut dans ses yeux.

— C'était votre second baiser, si je ne m'abuse ? Quelques leçons ne seront pas superflues, mais… je pense que nous serons très bien assortis, miss Sheldon. Vous m'apprendrez comment me tenir dans la bonne société anglaise, et moi je vous apprendrai à embrasser. C'est un marché équitable, il me semble.

— Certainement pas, se récria Hester en rassemblant ses esprits.

Et voilà ! Il essayait encore de la pousser dans ses retranchements, mais elle ne lui accorderait pas ce plaisir.

— Je ne vous donnerai pas de soufflet pour avoir agi ainsi, monsieur. Mais ce n'était pas digne d'un gentleman, s'insurgea-t-elle. Profiter ainsi de la situation… Je mettrai cela sur le compte de votre curieux sens de l'humour et vous pardonnerai, pour cette fois. Si cela devait se reproduire…

— Vous couperiez les ponts entre nous, c'est cela ? suggéra Jared en retournant s'asseoir en face d'elle. J'admets volontiers que ce n'était pas là un geste de gentleman anglais, mais je n'ai jamais prétendu en être un, miss Sheldon. Je suis américain, je ne prends pas de gants et je suis plutôt sauvage. Je croyais que votre avoué vous avait prévenue ?

— Vous êtes beaucoup de choses, monsieur, répliqua-t-elle avec froideur, mais vous n'êtes ni ignorant ni inculte. Je ne vois pas trop à quel jeu vous jouez, mais je ne me disputerai certainement pas avec vous pour un baiser.

— Oh ! comme c'est dommage ! s'exclama Jared. Je pensais que vous alliez encore vous mettre hors de vous ! Votre humeur se lit dans vos yeux, miss Sheldon. Quand vous êtes en colère, ils sont magnifiques. Je vous ai déjà dit que j'aimais les jolis yeux.

— Vous êtes incorrigible, monsieur. Veuillez vous tenir correctement ! Je n'ai aucune envie de vous forcer à terminer le voyage à côté du cocher.

— Oh ! je suis donc en disgrâce ! dit Jared en s'enfonçant dans la banquette, de toute évidence peu impressionné. Eh bien, je ne m'excuserai pas, miss Sheldon. Ce baiser m'a enchanté, et je pense toujours que nous devrions envisager un avenir commun.

— Je n'ai pas d'argent. J'ai presque vingt-sept ans et il est peu probable que j'épouse qui que ce soit, répliqua Hester.

— Mais je viens de vous dire…

— Vous vous moquiez de moi. Si vous ne cessez pas, je ne vous adresse plus la parole jusqu'à la fin du voyage.

— Pardonnez-moi, miss Sheldon. J'épouserai lady Mary pour vous faire plaisir.

— Vous êtes ridicule ! fulmina-t-elle avant de croiser son regard malicieux et d'éclater de rire malgré elle. Vous êtes vraiment incorrigible, monsieur Clinton. Vous n'avez aucune intention d'épouser lady Mary, j'en suis convaincue, ou quelque autre héritière que ce soit.

— Hum, qui sait ? Si vous refusez ma main, je pourrais peut-être y être conduit.

— Vous n'êtes pas sérieux ?

— Ah non ? Eh bien, c'est peut-être un peu tôt pour le dire, je ne vous connais pas vraiment, mais j'ai décidé que vous me plaisiez, miss Sheldon. Puis-je vous appeler Hester ? Ou est-ce prématuré ?

— Beaucoup trop, répliqua-t-elle. Mais si vous y tenez tant, je ne peux pas vous en empêcher.

— Certes, mais je ne le ferai pas si cela vous déplaît, dit-il. Je suis désolé. Je n'aurais pas dû vous embrasser à l'instant. C'était si tentant… mais ce n'était pas bien. Me pardonnerez-vous ?

— Oui, si vous promettez de vous tenir correctement à l'avenir.

— Je promets de ne pas recommencer jusqu'à notre arrivée. Mais je ne peux pas garantir que je n'essaierai pas de nouveau.

— Nous ne pouvons pas nous marier, vous le savez très bien, rétorqua-t-elle. Arrêtez ces enfantillages et réfléchissez un peu. Allez-vous vous établir ici ? Et vous marier pour répondre aux vœux de la famille ?

— Je vais vous faire une promesse, dit Jared. Si vous trouvez une femme que je puisse aimer autant que mon père a aimé ma mère, je l'épouserai. Et si elle est riche, tant mieux.

— Vous allez vous mettre en quête d'une riche épouse ?

— Vous le ferez pour moi, répondit Jared, arborant de

nouveau une expression indéchiffrable. Présentez-moi la femme qu'il faut et je l'épouserai.

— Oh…

Elle le regarda attentivement. Pour une fois, il semblait sérieux.

— J'essayerai, promit-elle sur un ton peu convaincu.

— Parfait, conclut Jared en s'installant plus confortablement avant de fermer les yeux.

Quel malotru ! Il la mettait hors d'elle et, à présent, il coupait court à la conversation pour dormir ! Et tout ça, juste après l'avoir embrassée d'une manière qui avait affolé ses sens. Il était vraiment infernal ! Elle se mordit la lèvre, en conflit avec elle-même. Elle aurait été contente qu'il donne sa parole de rester et d'épouser une héritière si elle lui en dénichait une, tout en éprouvant une horrible sensation au plus profond d'elle-même à cette perspective.

Elle commença à passer en revue toutes les veuves de sa connaissance, et les héritières célibataires à la tête de fortunes conséquentes. Aucune d'elles ne semblait convenir, et elle se retrouva à regretter de ne pas en être une elle-même afin que M. Clinton ne soit pas contraint de faire un mariage d'argent.

A quoi pensait-elle donc ? Elle se morigéna sans ménagement. Elle était follement ridicule de s'imaginer un seul instant qu'ils allaient bien ensemble. Il s'était moqué d'elle, elle en était sûre. Ils n'étaient pas faits l'un pour l'autre, évidemment. Du moins, elle n'avait aucune envie de l'épouser. Ni d'épouser qui que ce soit.

Pourtant, elle ne put s'empêcher de le scruter discrètement. En fait, il commençait à lui plaire. Tout d'abord, elle avait trouvé ses traits grossiers, mais, à y voir de plus près, il était plutôt séduisant. Pas d'une beauté classique mais intéressant, solide… Le genre d'homme qui vous soutient dans les épreuves.

C'était insensé. Même s'ils tombaient fous amoureux — ce qui de toute façon n'arriverait jamais ! —, un mariage serait impossible entre eux. Le domaine avait besoin d'argent et il était de son devoir de trouver une héritière à M. Clinton !

Chapitre 4

— Hester, ma chérie ! s'exclama lady Sheldon en la serrant dans ses bras. Tu as l'air en pleine forme. As-tu fait bon voyage ?

— Très agréable, maman, répondit Hester en embrassant sa mère.

Elle ne manqua pas de remarquer son air anxieux.

— Comment allez-vous ? Et le duc ?

— Nous ne nous portons pas trop mal. Toutefois, tu n'ignores pas que ma santé laisse un peu à désirer, ma chérie, et tu manques tant à ton grand-père qu'il grogne comme un ours chaque fois que je lui propose mon aide.

— Pauvre maman ! s'esclaffa Hester. Il valait donc mieux que je ne prolonge pas mon séjour chez ma marraine.

— Elle se porte bien, j'imagine, dit lady Sheldon en regardant l'homme derrière sa fille, qui suivait la conversation avec un intérêt évident. Mais nous oublions nos manières, Hester. Tu ne m'as pas encore présentée à ce gentleman.

— Pardonnez-moi, monsieur Clinton, s'excusa Hester en se tournant vers lui, les joues légèrement empourprées de confusion. Monsieur, voici ma mère, lady Sheldon. Maman, je vous présente monsieur Clinton, ou peut-être, comme grand-père y tiendra sans doute, le vicomte Sheldon.

— Mes amis m'appellent Jared, madame, dit-il en lui prenant la main qu'elle tendait avant de s'incliner avec autant d'élégance qu'un aristocrate à la cour. Je suis enchanté de faire enfin votre connaissance.

Lady Sheldon resta un instant perplexe. La lettre de l'avoué avait semblé sous-entendre que le fils d'Amélia avait mal tourné, mais le gentleman qu'elle avait devant elle était tout à fait présentable. Ses vêtements sortaient de chez un tailleur de luxe, peut-être pas aussi raffinés que ceux des jeunes dandys, mais ce style plutôt sévère lui allait très bien. De plus, c'était lui qui semblait conférer le chic à ses vêtements, et non pas le contraire comme c'était souvent le cas.

— Vous êtes le bienvenu, monsieur. Le duc est très impatient de vous voir, finit-elle par dire lorsqu'elle se fut remise de sa surprise.

— Espérons qu'il ne sera pas déçu, madame. Je crains que vous n'ayez espéré un homme à la tête d'une certaine fortune, et je suis désolé de ne pouvoir vous offrir une solution à vos soucis.

— Hester vous a exposé la situation, je vois..., soupira lady Sheldon en se tournant vers sa fille.

Sa mère s'était opposée à ce qu'Hester aille rencontrer l'héritier à Londres, mais le duc avait assuré qu'il se fiait au jugement de sa petite-fille plus qu'à celui d'un homme, et lady Sheldon avait été obligée de céder.

— Il est désolant que vous voyiez la demeure dans cet état, monsieur, ajouta-t-elle. Le feu a causé tellement de dégâts, et nous n'avons pas encore pu entreprendre la restauration du bâtiment.

Jared examina le hall où il venait d'entrer. De l'extérieur, la vaste demeure dans le style de la reine Anne était superbe, car le feu n'avait pas affecté les murs épais en pierre grise. Contenues à temps, les flammes n'avaient pas non plus endommagé le toit ni le corps du bâtiment.

A l'intérieur, la demeure manquait simplement d'entretien. Le plafond offrait de belles frises, mais certaines s'étaient écaillées et demandaient des réparations attentives. L'escalier conduisant au premier étage était majestueux avec sa balustrade sculptée, mais le tapis des marches avait vu des jours meilleurs. Les meubles étaient de bonne facture, bien que démodés et massifs. En dépit de cela, la demeure était accueillante, peut-être parce que l'on y sentait la touche de toutes les générations qui s'y étaient succédé. Son appartement au-dessus de son cercle de jeu n'offrait pas cette impression, et tous ceux dont il disposait dans les hôtels qu'il possédait étaient impersonnels. Mais, depuis la mort de son père, cela lui convenait parfaitement.

— Ce n'est pas tout à fait ce que j'attendais, madame, mais l'on voit vite les améliorations qui pourraient être faites avec un peu d'investissement.

— C'est triste à dire, mais ce n'est pas le pire, confia lady Sheldon avec un sourire nostalgique. Hester adore cette demeure, voyez-vous. Moi, je la trouve trop grande. Un jour je m'installerai à Bath, dans une petite maison. Dites-moi, monsieur, la trouvez-vous trop ancienne…, trop grande pour être confortable ?

— Il est trop tôt pour en juger, je pense, dit Jared.

Il était plutôt agréablement surpris, car il s'attendait à quelque chose de similaire aux palais vides et décatis qu'il avait visités à Venise. La demeure était assez vaste pour accueillir une famille et possédait des chambres d'amis en quantité suffisante, et en même temps son entretien restait abordable pour un homme nanti d'une fortune raisonnable.

— Oui, vous avez tout à fait raison, acquiesça lady Sheldon avec un soupir. J'aurais voulu que l'on puisse la restaurer, pour ma fille, et pour le duc, bien sûr.

— Ne vous inquiétez pas pour moi, maman, assura Hester. Vous savez que j'ai promis de venir avec vous à Bath.

— Vraiment, ma chérie ? demanda lady Sheldon, qui ne s'était pas départie de son air inquiet. Nous verrons bien ce qui se passera quand l'heure sera venue, dit-elle en regardant l'héritier. Je comprendrais que vous ne vouliez pas vivre ici. Si seulement nous avions l'argent, nous pourrions rouvrir la maison de Londres. Elle est plus moderne que ce lieu, et mon mari la préférait.

Jared lui sourit, mais resta muet, se concentrant pour évaluer la situation tandis qu'il suivait son hôtesse dans l'escalier. Elle les conduisit à une porte tout au bout du couloir et se retourna, plus soucieuse que jamais.

— Voici les appartements du duc, monsieur. Il refuse d'en sortir, même s'il assure qu'il le fera pour le bal. Ils n'ont pas été très abîmés par l'incendie, mais je suis sûre que l'odeur de fumée subsiste.

Elle tamponna ses lèvres avec un mouchoir parfumé, et une odeur de lavande se répandit autour d'elle.

— Je ne viens pas avec toi, Hester, continua-t-elle. Ton grand-père meurt d'envie de te parler, ainsi qu'à son héritier. Je vais m'assurer que vos chambres sont bien préparées et vos affaires déballées.

— Voudriez-vous, je vous prie, demander à vos domestiques de me laisser m'occuper moi-même de ma malle, madame ? demanda Jared.

— Oh... oui, bien sûr, si vous le souhaitez, répondit lady Sheldon. Avez-vous la clé sur vous ?

— Oui. Mais on peut défaire mon petit sac, car j'aurai besoin de me changer plus tard.

— Je vais demander à une femme de chambre de repasser vos vêtements, s'empressa-t-elle d'ajouter, les sourcils soudain froncés. Je vous assure que l'on peut faire confiance aux domestiques, monsieur.

— Je n'en doute pas un instant, répliqua Jared, mais je préfère défaire mes affaires moi-même.

Lady Sheldon hocha la tête et tourna les talons. Voilà qui était des plus étranges, même s'il fallait s'attendre à tout de la part d'un Américain. Elle ne se serait opposée à la volonté de M. Clinton pour rien au monde. Après tout, il était l'héritier que tout le monde attendait depuis longtemps.

Hester frappa à la porte des appartements de son grand-père et fut priée d'entrer. Ils pénétrèrent dans le confortable salon où un feu brûlait dans l'âtre, en dépit du soleil qui se déversait par les étroites fenêtres. Le duc était assis dans un fauteuil à haut dossier près du feu. Il avait quitté le lit depuis quelques jours et avait nettement meilleure mine. Son siège avait été placé à proximité de la fenêtre, par laquelle on pouvait apercevoir quelques arbres vigoureux : une vue plutôt réconfortante pour un homme qui avait si longtemps gardé le lit.

— Grand-père ! s'écria-t-elle en se précipitant vers lui. Comment allez-vous ?

— Mieux, depuis que tu es là, marmonna-t-il. Alors, tu l'as amené, ma fille ? Il va faire l'affaire ?

— Oh ! oui ! Je le crois ! Mais il est ici en personne, grand-père. Voyez donc par vous-même.

Elle fit signe à Jared, qui hésita un instant, puis s'avança.

— Grand-père, voici M. Jared Clinton, ou plutôt désormais le vicomte Sheldon.

— Bonjour, monsieur, dit Jared en tendant la main au vieillard.

Le duc avait les cheveux blancs, un peu dégarnis, mais ses yeux étaient toujours d'un bleu intense, du même bleu que ceux de sa fille et de Jared à l'instant.

— Quel plaisir inattendu, persifla-t-il. Je n'aurais jamais cru un jour être invité dans la demeure d'enfance de ma mère.

— Et vous m'en voulez pour cela, n'est-ce pas ? lança le duc en le toisant brièvement pendant leur poignée de main. Vous pensez que je me suis mal conduit à son égard ?

— Je crois que vous aviez le droit d'être en colère au début, mais vous auriez pu faire preuve de clémence par la suite. Elle n'a quand même pas fait une chose si épouvantable !

— Vous avez peut-être raison, répondit le duc, qui arborait à cet instant la même expression que son petit-fils, imperturbable, ses yeux bleus brillant d'émotion contenue. Je l'aurais peut-être fait si…

— … si elle n'était pas morte ? coupa Jared. Ce fut une tragédie pour tous ceux qui l'aimaient.

— Et vous pensez que je n'en fais pas partie ? s'exclama le duc, l'air soudain éploré. Elle m'a brisé le cœur quand elle s'est enfuie avec votre père. C'était un joueur, et il n'était pas son égal. Dans aucun domaine.

— Il le savait, répliqua Jared. Mais il l'aimait. Il a tout fait pour la rendre heureuse, lui a donné tout ce à quoi elle aurait dû naturellement avoir droit, mais je crois qu'il n'a jamais totalement réussi à faire disparaître la tristesse dans ses yeux.

— Elle m'a écrit plusieurs fois…

— Vous avez retourné ses lettres.

— Je les ai d'abord lues, avoua le duc. Je voulais être sûr qu'elle allait bien, mais je ne pouvais pas pardonner. Je suis têtu. J'ai souvent regretté de ne pas les avoir gardées.

Après sa mort… Il n'y a rien de pire que les vieux fous, monsieur. J'ai regretté de ne pas lui avoir répondu, de ne pas lui avoir dit que je l'aimais. Elle aurait pu revenir ici si elle l'avait souhaité. Elle devait savoir au fond d'elle-même que je ne lui tournerais pas le dos.

— Auriez-vous accepté mon père ?

Les deux hommes se toisèrent dans un affrontement muet de leurs volontés, campés sur leurs positions. Finalement, ce fut le duc qui baissa les yeux.

— Non, je ne l'aurais probablement pas accueilli chez moi. Je ne lui ai jamais pardonné de m'avoir pris ma fille.

— Elle l'aimait et il l'aimait. N'est-ce pas une raison suffisante pour se marier ?

— Je me suis marié deux fois, jamais par amour, même si j'ai plus apprécié la mère d'Amélia. Elle était facile à vivre et Amélia a été ma préférée. J'ai ma fille, maintenant, ajouta-t-il en regardant Hester, mais j'ai mis très longtemps à me remettre de la perte d'Amélia.

— Et elle, elle ne s'est jamais remise de la souffrance que vous lui avez infligée lors de votre dispute avant son départ.

— Elle vous l'a confié, c'est cela ?

Le duc plongea sa tête dans ses mains, comme s'il ne pouvait supporter l'idée qu'un homme plus jeune voie sa douleur et s'immisce dans ses pensées.

— J'ai regretté mes paroles un millier de fois. Si j'avais pu les retirer, je l'aurais fait.

— Les mots sont une arme dangereuse, monsieur. Utilisés à mauvais escient, ils peuvent infliger une blessure mortelle… et on ne peut les retirer une fois prononcés.

— Vous n'êtes pas aussi indulgent que votre mère, déclara le duc en cherchant les yeux de Jared. Dans sa dernière lettre, elle m'écrivait qu'elle m'avait pardonné, et qu'elle m'aimait…

La voix du duc se brisa et ses mains se mirent à trembler.

— Si je lui avais répondu à ce moment-là… mais j'étais trop obstiné, trop stupide, ajouta le duc.

— C'est exact.

Jared s'était exprimé d'un ton coupant, excluant tout esprit de pardon. Le duc cherchait un apaisement que Jared n'était pas prêt à lui offrir.

— Etes-vous comme votre père ? l'interrogea le duc. Etait-il aussi dur que vous ?

— Ma mère disait que je vous ressemblais, monsieur.

— Vous aimez châtier, continua le duc. Oui, peut-être me ressemblez-vous. J'espérais que nous pourrions trouver un terrain d'entente, mais vous semblez me haïr tellement…

— Bien sûr que non ! s'exclama Jared, surpris de sa propre réponse. Je suis en colère, mais je ne vous hais pas. Vous avez fait souffrir ma mère, je l'ai vue pleurer quand ses lettres revenaient, et elle parlait souvent de vous. Mais elle n'était pas amère. Je n'affirmerai pas que tout est oublié et pardonné, parce que c'est impossible, mais je ne vois pas pourquoi nous ne pourrions pas nous entendre, monsieur. Miss Sheldon m'a expliqué que vous souhaitiez me voir épouser une héritière pour restaurer la demeure et relancer le domaine. Pour l'instant, je ne peux pas vous promettre de répondre à votre souhait, mais je vais rester un peu et, si miss Sheldon me trouve la parfaite épouse, je me marierai.

Le duc le contempla en silence.

— Vous êtes un drôle de personnage, monsieur. Mon avoué n'a pas eu très bonne opinion de vous, mais vous n'êtes pas aussi terrible que le portrait qu'il m'avait dépeint.

Nous pourrons peut-être tirer quelque chose de vous. Qu'en penses-tu, ma fille ? demanda-t-il à Hester.

— M. Clinton ne manque pas de manières, grand-père. Sa garde-robe a peut-être besoin de quelques ajustements…

— Je croyais que vous deviez vous en occuper en ville ?

— Nous avons acheté quelques chapeaux, mais je pense que…

— J'ai assez de vêtements pour l'usage que j'en fais, coupa Jared. Je ne suis peut-être pas le genre de dandy anglais dont vous rêviez, mais je suis plutôt présentable, non ?

— Euh… oui, reconnut le duc, mais il vous faudra quelque chose de correct pour le bal. Hester, je te laisse t'en charger. Si vous avez besoin d'argent…

— J'ai ce qu'il me faut pour le moment, trancha Jared d'un ton qui n'admettait pas de réplique. Je ne vous ferai pas honte, Votre Grâce.

— Arrêtez tout de suite ces fariboles ! s'écria le duc. Nous n'utilisons pas nos titres entre membres de la famille, c'est réservé aux domestiques ou aux visiteurs. Vous serez Sheldon. Je suis Shelbourne. Voyez-vous la différence ? Les titres ! Il y en a tant qu'on en veut ! Ils sont utiles quand on a beaucoup de fils, voilà tout. Les fils…, voilà ce qui compte dans une famille. Ils meurent trop facilement, Sheldon.

— Je suis désolé que vous ayez connu tant de deuils dans votre famille, monsieur, dit Jared. Etaient-ce des accidents, ou y aurait-il une maladie héréditaire dont je devrais être informé ?

— Certains disent que c'est une malédiction, répondit le duc, les yeux traversés d'une brève lueur amusée. La douairière lady Sheldon en est convaincue, mais ce sont des sornettes. J'ai presque quatre-vingts ans et je n'ai encore succombé à aucun mauvais sort.

— Grand-père ! le rabroua Hester. Maman ne se pose vaguement la question que pour John et mon père. Je suis sûre qu'elle n'y croit pas vraiment.

— Puis-je savoir d'où provient cette croyance, monsieur ? interrogea Jared.

— Hester vous le dira. Viens me donner un baiser, ma fille, et reconduis-le. Il voudra sans doute voir sa chambre et visiter la maison. Montre-lui les portraits et raconte-lui l'histoire. A mon avis, ce sont des contes de bonnes femmes, mais il y a un fait certain : nous avons connu trop de tragédies dans cette famille.

— Vous êtes fatigué, cher grand-père, se désola Hester.

Elle lui prit la main et la sentit trembler dans la sienne.

— Reposez-vous, maintenant. Nous ne voudrions pas que vous fassiez une rechute qui nous obligerait à annuler le bal. Vous êtes si impatient qu'il ait lieu !

— J'ai parfois l'impression que cela n'a aucune importance, dit le vieillard, soudain revigoré. S'il y a quelqu'un que j'ai vraiment aimé, c'est toi, ma fille. Je voudrais que ce lieu te revienne, ce serait légitime, mais ce serait probablement un fardeau pour toi. Tout comme pour vous, Sheldon, à moins que vous ne trouviez un moyen de gagner de l'argent. Mes fils étaient des joueurs, tous, même si le beau-père d'Hester était le meilleur d'entre eux. Il faudrait un miracle pour rendre à cette famille le rang qui était le sien, et je ne vois pas comment cela se pourrait. Pourtant, nous n'avons pas mérité cela, aucun de nous… J'ai appris que vous avez vécu dans une maison de jeu. Et vous aussi…

— J'ai joué de malchance récemment, dit Jared sans sourciller à son mensonge.

En ce qui le concernait, la somme nécessaire à la restauration du domaine était négligeable en comparaison avec sa fortune, mais il n'était pas encore prêt à se dévouer pour cette famille, même si l'un de ses membres occupait désormais ses pensées d'une manière inattendue.

— J'ai réussi à sauver quelques bricoles avant de quitter La Nouvelle-Orléans, précisa-t-il.

— De quoi rester à flot, se moqua le duc. Eh bien, bon sang ne saurait mentir, n'est-ce pas ? Votre père était un joueur, votre mère était issue d'une lignée de joueurs. Enfin, au moins estimons-nous heureux que vous soyez présentable. Remplissez votre devoir envers la famille et vous ne me décevrez pas.

— Mon devoir ? s'écria Jared avec une expression indéchiffrable. Et quel est-il donc, monsieur ?

Hester lança un regard noir à Jared.

— Je vais arrêter de vous contrarier, ajouta ce dernier. Miss Sheldon me foudroie du regard. Je suis désolé si j'ai été trop franc.

— Non, ne le soyez pas, se récria le duc. S'il y a une chose que je ne supporte pas, ce sont les beaux parleurs hypocrites qui enrobent leurs discours de fioritures. Dire la vérité, que ça blesse ou non, et en assumer les conséquences, même les pires, telle a toujours été ma devise.

Jared inclina la tête. Le vieil homme était en mauvaise santé et esseulé, c'était évident. En d'autres circonstances, il aurait éprouvé de la sympathie pour lui, mais là, il ne pouvait s'empêcher de penser que le duc recueillait les fruits de ce qu'il avait semé. Jack Clinton aurait ramené Amélia en Angleterre, il aurait renoncé à la vie qu'il s'était bâtie parmi les citoyens aisés de La Nouvelle-Orléans, et tout recommencé si tel avait été le bon plaisir de sa femme adorée. Mais le duc lui avait signifié qu'il ne voulait plus jamais la voir ni lui adresser la parole. Elle en avait eu le cœur brisé. Jared ne pouvait pas tirer un trait sur cela, du jour au lendemain. Le pourrait-il un jour, d'ailleurs ?

Cependant, il accorderait quand même leur chance à ces gens. Le duc pourrait remercier sa petite-fille car elle était pour beaucoup dans la décision de Jared.

— Vous aviez promis de ne pas le contrarier ! l'admonesta-t-elle, le tirant de ses pensées.

— Ces choses devaient être dites. Je n'en reparlerai plus, à moins que ce ne soit lui qui le fasse, martela Jared. Vous vous attendiez donc à ce que je lui saute au cou et le supplie de m'accueillir comme le fils prodigue ?

— Non, bien sûr que non ! se récria Hester.

Elle soupira. Il avait raison, pensa-t-elle. Il avait dit ce qu'il avait sur le cœur, mais sans rage envers le vieil homme. Il n'avait ni menti ni prétendu être ce qu'il n'était pas.

— Vous avez quand même dû remarquer qu'il est très frêle, insista-t-elle. Je ne veux pas qu'il meure… Je l'aime tant !

Sa voix se brisa dans un sanglot.

— Et il vous le rend bien, dit Jared. A-t-il déjà évoqué le fait qu'il aimerait changer les clauses de la succession et vous léguer cet endroit ?

— Oui, à de nombreuses reprises. Mais il sait que c'est impossible, bien sûr. Cela coûterait très cher et il n'a pas l'argent.

— Vous le souhaiteriez ?

— Oh oui ! C'est ma maison, celle où j'ai toujours vécu. Mon vrai père est mort avant ma naissance et maman s'est remariée un an plus tard. Mon beau-père a été comme un père pour moi, et grand-père…, c'est mon grand-père. Il m'a toujours choyée comme sa propre petite-fille. Mais je ne réclame rien. Ne vous imaginez pas que je vous jalouse, ou que cela me contrarie. J'ai l'avenir de cette maison à cœur, voilà tout, ainsi que de ses terres et des gens qui y vivent.

— Si vous le pouviez, vous installeriez-vous ici toute votre vie ?

— Oui… peut-être…, murmura Hester en secouant la tête. Mais cela n'aura pas lieu d'être. Je dirige cette demeure depuis quelques années. Maman me laisse agir à ma guise parce qu'elle n'a pas la tête faite pour ce genre de choses, et après la mort de papa…, eh bien, j'ai pris la suite. Les domestiques prennent leurs instructions auprès de moi. Quand vous vous marierez, ce seront les attributions de votre épouse, et je m'en irai… J'ose toutefois espérer que vous m'inviterez de temps à autre, ajouta-t-elle avec un air malicieux.

— Vous envisagez de vivre avec votre mère, ou votre marraine ?

— Je pense me partager entre elles, répondit Hester. Je ne sais pas encore. Maman n'aime pas les voyages. Quant à moi, j'aimerais bien voir un peu l'Europe. J'ai toujours pensé que Venise me plairait.

— C'est une ville magnifique. Tout comme Rome, et tant d'autres villes… J'aime tout particulièrement Paris. Elle a un charme qui n'appartient qu'à elle.

— Vous avez beaucoup voyagé ? demanda-t-elle, sa curiosité en éveil. Etes-vous déjà venu en Angleterre ?

— Oui, à Londres, mais c'est mon premier voyage dans le sud du pays, miss Sheldon. Je suis venu il y a un an, je ne me souviens plus très bien quand exactement. J'avais des affaires à traiter à Paris et je me suis arrêté à Londres, jusqu'à ce que les conditions météorologiques soient plus clémentes pour rentrer.

— Je ne sais trop que penser de vous, monsieur, lui

avoua-t-elle avec franchise. Vous affirmez des choses… puis semblez dire leur contraire. Quelles étaient ces affaires à Paris, si je puis me permettre ?

— Eh bien, non, vous ne pouvez pas vous le permettre maintenant, répliqua-t-il en plongeant son regard impénétrable dans le sien. Si vous aviez l'obligeance de me montrer ma chambre, j'aimerais me rafraîchir. Ensuite, peut-être me ferez-vous visiter la maison ?

— Oui, bien sûr. Grand-père m'a demandé de vous raconter l'histoire de la famille, dit-elle en le scrutant, sans pouvoir rien déceler de ses pensées. Qui êtes-vous au juste, monsieur Clinton ? Vous êtes le fils d'Amélia, certes, et vous avez admis être joueur, mais qui êtes-vous ? A mon avis, vous avez bien plus de facettes que vous ne voulez l'admettre.

— On m'a accusé d'être trop réservé, répondit Jared en souriant à peine. Certains trouvent ennuyeux que je ne me confie pas sur mes affaires au premier abord. Mais j'estime risqué de se livrer à quelqu'un avant de savoir à qui l'on a affaire. Si je vous livrais mes secrets, cela pourrait même être périlleux pour vous, miss Sheldon.

— Etes-vous un homme dangereux, monsieur Clinton ? Devrais-je me méfier de vous ? demanda Hester, sentant un frisson lui parcourir l'échine.

— Vous ? s'exclama Jared, avec un franc sourire cette fois. Vous n'avez aucune raison de me craindre, ainsi que votre mère ou le duc. Mais d'autres auraient de bonnes raisons pour cela, miss Sheldon. Et ils seraient bien avisés de le faire, car je ne pardonne pas facilement.

— Vous avez des secrets, j'en suis sûre.

— N'est-ce pas le cas de tout le monde ? ironisa-t-il. N'ayez pas l'air si inquiet, miss Sheldon. Je vous donne ma parole de ne vous faire aucun mal, ni à ceux que vous aimez. Me croyez-vous ?

Hester le regarda longuement avant d'acquiescer d'un signe de tête.

— Oui, je vous crois, monsieur. Venez, je vais vous montrer vos appartements. C'étaient ceux de votre mère. Le duc les a gardés en l'état. Ils vous plairont, je pense.

Hester profita du temps qu'il lui restait pour quitter sa tenue de voyage, en piteux état après des heures de route. Elle choisit une robe du soir de soie jaune pâle et se changea sans solliciter l'aide d'une femme de chambre. Elle rassembla ses cheveux en un chignon lâche. Après s'être observée dans le miroir, elle libéra quelques mèches çà et là pour adoucir la sévérité de sa coiffure.

— Vanité, ton nom est Hester ! s'esclaffa-t-elle devant son reflet.

Elle avait choisi l'une de ses plus belles tenues en l'honneur de M. Clinton, elle en était bien consciente. C'était là très présomptueux de sa part, mais tellement agréable ! Elle passa le joli bracelet de perles offert par sa marraine, mit un peu de parfum sur ses poignets et derrière ses oreilles, puis se dirigea vers l'aile est où se trouvaient les appartements de M. Clinton. Elle frappa à la porte, mais, n'obtenant aucune réponse, elle se risqua à passer la tête par la porte entrebâillée.

— Monsieur Clinton, êtes-vous prêt ?

Toujours pas de réponse. Elle referma donc la porte et descendit l'escalier vers les pièces de réception situées à l'avant de la maison. Elle héla un valet de pied qui croisait son chemin, et lui demanda s'il avait vu le vicomte Sheldon.

— Oui, miss Sheldon. Il m'a demandé où se trouvait la bibliothèque du duc, alors je l'y ai conduit moi-même.

— Merci, Reynolds. Je vais l'y rejoindre.

Elle était un peu surprise que M. Clinton ait décidé d'aller explorer seul une demeure qu'il ne connaissait pas. La bibliothèque était au fond du corps principal, avec une vue sur le parc et le petit lac.

— Je croyais que vous m'attendriez là-haut, monsieur.

Hester fut surprise quand il se tourna vers elle : il portait une tenue de soirée équivalente en coupe et en qualité à ce qu'avait porté son père, quoique dans un style plus austère. Cet Américain n'avait rien d'un dandy. Il était en noir, avec une chemise blanche et une cravate très sobre, sans le moindre bijou, pas même une chevalière, ce qu'elle trouva étrange car la plupart des hommes estimaient cet accessoire indispensable.

— Vous êtes très… bien, monsieur.

— Merci. Puis-je vous retourner le compliment, miss Sheldon ? J'ajouterai même que vous êtes tout à fait charmante.

— Je suis acceptable. Je ne suis pas belle, monsieur Clinton.

— Ai-je dit « belle » ? Charmante a une tout autre signification, en tout cas pour moi.

— Oh… merci. Nous devrions éviter de nous chamailler sur des détails. Voudriez-vous voir la galerie des portraits ? Ce sera plus facile de vous y expliquer notre histoire.

— Alors, allons-y.

Il lui offrit son bras et, quand elle y posa sa main, elle ressentit un petit picotement au cœur qui n'était pas sans ressembler à celui qu'elle avait éprouvé lors de leur baiser pendant le voyage.

— Je cherchais des archives qui auraient recensé

l'histoire de la famille, expliqua-t-il. Ma mère me disait toujours que la bibliothèque était sa pièce préférée. Elle y allait souvent quand elle désirait être seule.

— Vraiment ? fit Hester. Moi aussi. Grand-père préfère ses appartements, ces derniers temps, mais il travaillait toujours dans la bibliothèque à l'époque où il se déplaçait à sa guise. Désormais il faut qu'on le porte, et cela lui déplaît tant qu'il reste chez lui, à l'étage.

— Je comprends sa réticence, dit Jared. Il a besoin d'une chaise maniable. Deux domestiques pourraient facilement le descendre.

— Vous voulez parler d'un fauteuil roulant ? Je ne suis pas sûre qu'il serait d'accord.

— Un fauteuil adéquat résoudrait bon nombre de ses problèmes, insista Jared. Laissez-moi m'en occuper.

— Vous feriez cela ? Ce serait beaucoup plus digne pour lui que d'être obligé de se faire porter par quelqu'un.

— Evidemment, affirma Jared tout en admirant la vaste salle qui s'ouvrait devant eux. La galerie des portraits, c'est cela ?

— Oui. Nous y sommes tous. Ma mère, mon beau-père et moi, même si je ne devrais peut-être pas y figurer, en fait… Par où voudriez-vous commencer ? Le portrait de votre mère, sans doute ?

— Il en existe un ?

— Plus d'un, répondit Hester en souriant. Certains la représentent quand elle était enfant. Ici, elle est avec ses frères… et là, avec son premier poney. Voici le dernier, quand elle avait seize ans.

Jared examina les portraits de famille. Il sourit devant l'image de sa mère avec ses frères, et resta un long moment à contempler celui où elle était jeune fille.

— Puis-je voir votre mère, votre beau-père et vous ?

— Nous sommes ici.

Hester le conduisit un peu plus loin dans la galerie.

— J'avais seize ans à l'époque de ce tableau. Et celui-ci, à côté, a été peint l'année dernière.

— Pourquoi y êtes-vous coiffée dans un style aussi sévère ? Votre coiffure moins stricte de ce soir est très jolie, apprécia-t-il en la détaillant. Cet artiste ne vous a pas rendu justice.

— Je préfère que les portraits ne soient pas trop flatteurs, répliqua Hester. Je suis telle que vous me voyez, monsieur. Et maintenant, si nous avançons encore un peu, nous arrivons aux portraits plus anciens. Le grand que vous voyez là est celui du marquis de Shelbourne. Votre arrière-arrière-arrière-grand-père. Le duché n'a été obtenu qu'en 1690, après que le neuvième marquis de Shelbourne eut rendu de grands services à la couronne. Etant déjà très riche, il a reçu des honneurs plutôt qu'une rétribution.

— Quel fut ce grand service ?

— Si ma mémoire est bonne, il a épousé une favorite du roi qui était enceinte et évité un scandale. Mais cela figure dans les archives familiales, si l'on se donne la peine d'y mettre le nez. Ce gentilhomme ici est le second duc de Shelbourne, donc votre arrière-grand-père. C'est à cette époque que la malédiction a commencé.

— Qu'a-t-il donc fait pour l'attirer sur la famille ? Une chose horrible, certainement ?

— Il existe beaucoup d'histoires à ce sujet, mais cela concerne en réalité l'un des fils du second duc. Mon frère me l'avait raconté une fois, mais s'était trompé : il croyait que le fils aîné du duc avait été assassiné. En fait, d'après les récits que j'ai lus, il a séduit la fille d'un hobereau de bonne famille, même si elle ne faisait pas partie de l'aristocratie. Le père de la jeune fille a été fou de rage quand il a découvert qu'elle était enceinte. Il a fait irruption ici, ivre de colère, pour exiger que le coupable épouse sa fille, mais le duc a refusé de le recevoir. Le fils aîné du duc, qui était le frère de grand-père, est mort quelques jours plus tard d'une fièvre galopante. Ce n'était donc pas un assassinat. Le père de la jeune fille était hors de lui d'avoir été éconduit, et on a dit qu'il a volé un objet de grande valeur, un calice en or serti de rubis et de saphirs supposé d'origine égyptienne et doté de pouvoirs magiques. La légende disait que, tant que le calice resterait en possession de la famille, celle-ci prospérerait. En ce temps-là, on considérait les anciens Egyptiens comme de puissants magiciens, bien sûr.

— Croyez-vous en ce genre de choses ?

— Je ne sais pas trop, murmura Hester. Non, je n'y crois pas, mais apparemment le duc ne pensait pas de même. Il s'est mis dans une colère épouvantable quand il a découvert la disparition du calice. Il a envoyé des domestiques à la poursuite de l'homme pour récupérer son bien, et celui-ci a maudit la famille avant d'être tué par ses poursuivants. Il a déclaré que tous les descendants du duc périraient de mort violente, et qu'ils ne retrouveraient jamais leur gloire passée à moins de rentrer de nouveau en possession du calice... qui a été si bien caché que personne ne l'a jamais retrouvé.

— Une histoire intéressante, mais peu crédible, commenta Jared. J'attendais quelque chose de plus terrifiant.

— L'histoire ne s'arrête pas là, poursuivit Hester. La fille du hobereau a été abandonnée à son propre sort. Submergée de honte d'être la cause de ce drame, elle a quitté sa maison et a erré jusqu'à son accouchement. Elle s'est alors présentée à la porte du duc et y a donné naissance à son bébé, décédant juste après. L'enfant a été laissé sur les marches de la maison, enveloppé dans un châle, les domestiques n'osant pas l'emmener à l'intérieur.

— C'est tragique, mais c'était prévisible.

— Certes, mais ce qui s'est passé ensuite est peut-être même pire. Quand le duc est rentré de sa journée de chasse avec ses chiens et a découvert le bébé, il l'a donné à une domestique en lui ordonnant de l'ôter de sa vue. Quelques jours plus tard, la servante l'a informé que le nourrisson était mort. Le duc s'est mis en rage et l'a accusée de négligence. Ensuite, il a pris son cheval et s'est brisé le cou en sautant une barrière qu'il avait l'habitude de franchir sans encombre. On a raconté qu'une forme grise surgie de nulle part avait effrayé son cheval.

— Ah, maintenant je vois ! s'exclama Jared. Vous avez donc une dame grise qui apparaît chaque fois qu'un membre de la famille va mourir ?

— Eh bien, certains membres de la famille ont raconté avoir vu une forme grise. J'ignore si c'est une femme ou...

Hester s'interrompit, les yeux soudain emplis de tristesse.

— Mon demi-frère était excellent cavalier. Pourtant, il a fait une chute mortelle.

— Pardonnez-moi, j'avais oublié que vous me l'aviez déjà mentionné, s'excusa Jared, qui remarqua le vif chagrin qu'elle éprouvait à évoquer cet accident. Vous ne pensez quand même pas qu'il a vu la dame grise, n'est-ce pas ?

— Non, j'en doute, avoua Hester. Mais je me suis demandé si quelque chose avait effrayé son cheval.

— Un renard ou quelque chose d'autre..., quelque chose d'autre..., supposa Jared, soudain très attentif. Avez-vous songé que quelqu'un pouvait vouloir sa mort ?

— Je l'ignore. Effectivement, j'ai dû me poser la question, mais à l'époque mon beau-père était vivant. Cela devait être un simple accident, à mon avis. Ne le croyez-vous pas ?

— Cela en a toutes les apparences, cependant il y a tellement de coïncidences. Tant de membres de la famille sont morts jeunes, par accident ou à la suite de maladies.

— Deux de mes oncles par alliance sont morts en raison d'une faiblesse à la poitrine, comme mon beau-père sur la fin, même s'il était déjà souffrant depuis longtemps. Mais mon frère était en parfaite santé. Il ne semblait atteint d'aucune affection héréditaire.

— Il y avait deux autres petits-fils, continua Jared. Comment sont-ils morts ?

— L'un d'eux a été tué quand son cabriolet s'est renversé. Il a été projeté sur la route. On a dit qu'il allait à trop vive allure et avait trop bu, après avoir parié qu'il pourrait battre un record de vitesse. L'autre est mort en duel. Il avait été provoqué, selon les dires, et son adversaire s'est enfui à l'étranger. Mais c'était un joueur et il avait perdu tant d'argent que s'il avait vécu il ne serait rien resté dans la famille. Je ne crois pas à la malédiction, monsieur, ajouta-t-elle en levant vers lui un regard troublé, mais on peut affirmer sans aucun doute que cette famille a joué de malchance.

— Absolument.

Il fronça les sourcils. Devait-il lui révéler ce que son agresseur lui avait appris l'autre soir ? Quelqu'un avait payé pour le faire tuer. Bien sûr, son assaillant avait très bien pu mentir pour sauver sa propre peau, mais Jared était convaincu qu'il lui avait dit la vérité.

Toutefois, il n'avait aucune preuve tangible et il décida donc de garder pour lui ses découvertes. Inutile d'effrayer la jeune femme avec de simples suppositions.

— C'est une histoire tragique, miss Sheldon, et votre famille a par trop souffert. Mais il me semble que la plupart de ces gens sont morts de causes naturelles ou par leurs propres erreurs. La mort de votre frère reste un mystère, certes. Impossible de savoir ce qui a effrayé son cheval. Une tragédie de plus, voilà ce que l'on peut en conclure.

— Oui, bien sûr, vous avez raison, acquiesça Hester. C'est ridicule de ressasser cette histoire, je le sais bien. Rien ne ramènera John, et mon beau-père a été souffrant très longtemps. Il a attrapé un refroidissement, qui a traîné et a fini par se transformer en pneumonie. Il n'y a aucun mystère dans sa mort, car maman et moi nous sommes occupées de lui nous-mêmes.

Jared hocha la tête. Il semblait peu probable que l'on ait tué systématiquement tous les mâles de la famille du duc, même si un ou deux accidents méritaient peut-être une enquête. Certains décès remontaient trop loin dans le passé pour que l'on puisse découvrir la vérité, mais Jared demanderait à son agent d'enquêter sur le duel et l'accident de cabriolet. Si les deux hommes avaient été provoqués délibérément…

Il décida de garder toutes les options ouvertes. Si l'agression dont il avait été victime ne s'avérait rien de plus que l'initiative d'un petit truand qui voulait saisir sa chance, il oublierait toute l'histoire, mais dans le cas contraire… cela signifiait que quelqu'un avait plus d'une mort sur la conscience.

— Si j'étais vous, miss Sheldon, je m'ôterais de l'esprit toutes ces histoires de malédiction, lui conseilla-t-il en souriant. A mon avis, vos ennuis ne sont pas causés par un calice égyptien disparu il y a des lustres.

— Non, bien sûr que non. Je vous ai dit que c'était une légende ridicule. Rejoignons donc maman, sans cela elle va croire que vous vous êtes perdu.

*
* *

Hester retira les épingles de son chignon et libéra ses cheveux pour les brosser, tout en examinant son reflet dans le miroir. Elle avait les cheveux longs sur le portrait commandé par le duc pour ses seize ans, mais avait commencé à les attacher quand elle avait aidé à soigner son beau-père. Elle ne s'en était plus préoccupée depuis, et ne s'était pas souciée de son apparence pendant sa longue période de deuil.

Oh ! et puis quelle importance ? songea Hester. Elle serait idiote de se mettre à rêvasser pour la simple raison que l'héritier commençait à beaucoup lui plaire. Peut-être même beaucoup trop. Il avait flirté sans aucune pudeur avec elle dans la voiture. Et dit des choses qu'il aurait mieux fait de taire. Surtout, il l'avait embrassée.

Elle s'autorisa un sourire. Elle avait résisté toute la soirée à la tentation de repenser à ce baiser, car plus elle découvrait M. Clinton, plus il lui plaisait. Oh ! bien sûr, mieux valait qu'elle le considère comme le vicomte Sheldon, car grand-père insisterait là-dessus, mais elle n'arrivait pas à le voir autrement que comme le M. Clinton qui s'était joué d'elle avec malice lors de leur première rencontre.

Elle comprenait d'ailleurs parfaitement ses raisons, maintenant qu'elle le connaissait mieux. Sa mère avait énormément compté pour lui, c'était évident, et il était furieux de la manière dont elle avait été traitée, ainsi que des allégations dans la lettre de l'avoué. Il ne fallait pas s'étonner qu'il ait été fou de rage à l'idée qu'elle lui apprendrait comment se tenir en société !

Jared Clinton ne se comportait peut-être pas comme un gentleman anglais, certes. Il disait ouvertement ce qu'il pensait et n'essayait pas d'être beau parleur, mais le duc était également ainsi. Ils se ressemblaient plus qu'ils ne le croyaient ! Non, vraiment, les manières de M. Clinton n'avaient aucun besoin d'être reprises. En fait, elles étaient plutôt rafraîchissantes, comme une brise légère qui aurait soufflé dans les corridors étouffants des conventions. Son accent était différent, mais tout à fait acceptable. Il utilisait parfois des termes qui n'avaient pas le même sens en Angleterre, mais il n'avait rien dit de déplacé devant lady Sheldon. En fait, quand elles avaient un peu conversé avant de se retirer, celle-ci avait confié à sa fille qu'elle le trouvait absolument charmant.

— La lettre de M. Birch était complètement erronée, avait-elle confié à Hester. C'est un joueur, dont la chance a peut-être tourné, mais ton papa jouait aussi. Pas autant qu'oncle Thomas, mais plus que de raison, il faut bien le reconnaître. Cela ne l'a jamais empêché d'être charmant.

— Nous ne devrions pas lui en vouloir de jouer, maman, si je peux me permettre. Il est malheureux que M. Clinton ait perdu son argent, mais ce n'est peut-être pas autant que grand-père l'a entendu dire. On exagère souvent, dans ce genre d'histoires.

— Oui, bien sûr, ma chérie. De plus, cela ne nous regarde pas vraiment. Tant que le duc est vivant, il ne recevra qu'une rente, et après cela…

— Je n'aimerais pas me résoudre à penser que le domaine devra être vendu, avait déploré Hester. Mais cela ne sera pas notre affaire, maman.

— Il m'a dit quelque chose de remarquable un peu plus tôt dans la soirée, avait précisé lady Sheldon. Il m'a assurée que cette maison serait toujours un foyer pour nous si nous le souhaitions et que nous ne devions pas songer à la quitter, à moins que ce ne soit notre désir, même après que le duc… J'ai trouvé cela très élégant de sa part, Hester.

— C'est vrai, c'est très gentil, mais ce ne serait pas

très confortable après son mariage, maman. Vous avez été habituée à être la maîtresse de ces lieux.

— Pour aborder ce sujet, il me semble que tu l'es bien plus que je ne l'ai jamais été, avait déclaré lady Sheldon. Tu sais que j'ai toujours été dépassée. Je ne m'attendais pas à vivre ici. Ton beau-père n'était pas censé hériter. Il possédait son propre domaine, qui est désormais le mien, bien sûr, bien qu'il eût été à John si..., murmura-t-elle en soupirant. Mais cessons de revenir là-dessus. Je n'ai envie de vivre ni ici ni là-bas, en fait. Je t'ai déjà dit que je me retirerais à Bath quand le moment serait venu. Je pense demander au vicomte d'examiner les comptes de mon domaine pour moi. Il me dira que faire, car je ne suis pas sûre que mes intendants le gèrent au mieux.

— Est-ce judicieux de l'importuner avec cela, maman ?

— Oh ! je ne pense pas que cela lui posera de problème, avait rétorqué lady Sheldon. Il m'a paru compétent en affaires. Nous avons discuté quand tu es montée dire bonsoir à ton grand-père, et il m'a l'air très sensé. Quand je lui ai parlé de mon petit domaine, il m'a promis de faire le nécessaire pour atténuer mes soucis à ce propos.

— C'était très aimable de sa part, mais qu'est-ce qui vous fait croire qu'il est compétent en la matière ? s'était exclamée Hester, perplexe.

— Oh ! il m'a parlé de gestion des terres, et du coût de restauration de la maison, qu'il semble estimer bien moins exorbitant que nous l'imaginions. Il m'a expliqué qu'il allait faire venir un entrepreneur pour évaluer ce que coûterait la restauration des dommages de l'incendie.

— A-t-il la permission de grand-père pour cela ?

— Il la lui faudrait pour démarrer les travaux mais il m'a assurée qu'il en parlerait au duc dès demain.

— Je ne suis pas certaine que nous ayons les moyens de les entreprendre.

— Eh bien, je ne connais rien à ces choses, avait déploré lady Sheldon. Mais il m'a dit que ce n'était qu'un examen préliminaire pour estimer l'étendue réelle des travaux.

Hester avait alors cessé de questionner sa mère. M. Clinton n'ayant pas discuté de cela avec elle, elle lui en parlerait dès le lendemain.

— Bonne nuit, maman.

— Bonne nuit, ma chérie, lui avait souhaité lady Sheldon en l'embrassant sur la joue. Je suis heureuse que tu sois rentrée. Sache que le vicomte t'aime beaucoup, ma chérie.

— Il vous l'a dit ?

— Non, mais cela se voit.

Hester était restée méditative pendant que sa mère s'éloignait dans le hall.

Ce nouvel aspect des choses était intrigant, songea-t-elle. Le vicomte avait apparemment décidé de rester. Elle demeura plongée dans ses pensées après avoir terminé de brosser ses cheveux, et se leva pour aller se mettre au lit. Elle s'arrêta devant sa fenêtre pour jeter un coup d'œil dans le jardin. La lune baignait d'une lueur argentée les arbres, buissons et parterres. Soudain, elle distingua quelque chose dans un massif. Etait-ce bien là un homme, qui observait la maison ? Elle n'en était pas certaine, car elle n'avait aperçu qu'une ombre et, quand elle essaya de mieux scruter l'obscurité, elle ne vit plus rien. La silhouette avait disparu. Son imagination lui jouait certainement des tours.

Leur visiteur était-il allé fumer un cigare dans le jardin ? Il en était amateur, elle le savait pour avoir déjà senti une vague odeur de fumée sur lui parfois. Ce qui lui plaisait plutôt, d'ailleurs. Cependant, il n'avait pas fumé en sa présence ce soir, et ne s'était pas non plus excusé pour aller le faire dans une autre pièce. Peut-être avait-il attendu que ces dames se retirent. Pourtant... Hester était convaincue que la silhouette qu'elle avait aperçue n'était pas celle de M. Clinton. Si tant est qu'elle n'avait pas rêvé. M. Clinton ne traînerait pas dans les massifs en observant sa chambre. Son instinct l'en assurait, et elle fut prise d'un frisson soudain. Si ce n'était pas lui, alors qui ? Pas un domestique, en tout cas, car la silhouette était celle d'un gentleman, et il semblait scruter sa fenêtre en particulier.

Elle tenta de se rassurer en se disant qu'elle rêvait, mais elle bloqua tout de même sa fenêtre et tira les rideaux avant de se coucher et de souffler sa bougie.

— Le clair de lune m'a joué des tours, voilà tout ! conclut-elle.

Dans le jardin, l'homme continuait à observer la maison, désormais plongée dans l'obscurité. Il ne s'attendait pas à ce qu'elle regarde au-dehors. L'avait-elle vu ? Si tel était le cas, elle se demanderait ce qu'il faisait là. Mais il était certain d'avoir réagi assez vite. Même si elle avait aperçu quelque chose, il était improbable qu'elle en ait vu assez pour le reconnaître.

Il ne voulait pas qu'elle soit au fait de sa présence maintenant. Il n'avait pas eu le temps de décider comment se comporter par rapport aux récents événements. Il lui fallait attendre et observer avant de continuer son action.

Chapitre 5

Le lendemain, Hester se leva de bon matin, revêtit sa tenue d'équitation puis se rendit aux écuries, comme elle en avait l'habitude. Elle aimait monter avant le petit déjeuner. Cela lui éclaircissait les idées pour la journée. Ensuite elle se sentait pleine d'énergie et affamée.

Le chef palefrenier l'accueillit avec un grand sourire. Elle avait toujours une attention personnelle pour ses serviteurs et était appréciée de tous.

— Bonjour, Jones ! J'espère que votre fils va mieux ?

— Oui, mademoiselle, répondit le palefrenier. Le docteur a dit que c'était juste ses dents qui poussaient. Il a donné un onguent à Mme Jones, pour qu'elle lui mette sur les gencives.

— Je suis heureuse de l'entendre, se réjouit Hester tout en plongeant la main dans sa poche. J'ai apporté des bonbons pour votre aîné. Je voulais le remercier pour les jolies fleurs qu'il m'avait cueillies avant mon départ.

— Merci, mademoiselle, Tommy sera content ! s'exclama-t-il en glissant le cadeau dans la poche de sa veste. Est-ce que Poppy vous ira pour ce matin, mademoiselle ? Le vicomte est parti galoper avec Fire Dancer. Je lui ai dit que vous le montiez parfois, mais il a semblé penser que ce cheval lui conviendrait.

— J'allais vous demander Poppy, de toute façon, dit Hester. Fire Dancer doit être un peu nerveux, car il n'est pas beaucoup sorti depuis qu'il a été malade. Est-il bien rétabli ?

— Oh oui, mademoiselle, et lord Sheldon a une bonne main. Si vous voulez mon avis, vous n'avez pas à vous inquiéter.

— Parfait.

Jones l'aida à monter sur sa jument, qu'un jeune apprenti venait d'avancer. Poppy était beaucoup plus calme que Fire Dancer. En effet, l'étalon sortait très peu depuis la mort de son beau-père et il avait tendance à se montrer nerveux lorsqu'une autre personne qu'elle ou Jones tentait de le monter. Cependant, le nouveau vicomte devait savoir s'y prendre avec les chevaux. Si le chef palefrenier lui avait permis de prendre Fire Dancer, c'était en toute connaissance de cause.

— Vous pouvez reculer, je suis prête, annonça-t-elle à Jones.

— Vous ne prenez pas un palefrenier avec vous, mademoiselle ?

— Ce n'est pas nécessaire, répondit Hester. Je ne quitterai pas les limites du domaine et je doute que Poppy me désarçonne, ce n'est pas dans sa nature !

Sur ces mots, elle partit au petit galop. Après être sortie de la cour, elle traversa une vaste prairie qui s'étendait vers le lac. C'était sa promenade préférée, parce que ces étendues dégagées lui permettaient de lâcher la bride à sa monture quand elle avait envie de piquer un galop. Ce matin pourtant, elle se contentait d'une allure modérée, savourant le sentiment de liberté et la caresse du vent sur son visage.

Le duc avait fait appel à un paysagiste quand il était plus jeune. Un agréable bosquet avait été créé au-delà du lac, et il offrait un plaisant tableau sous le soleil levant.

Quand Hester s'approcha de la rive, elle repéra un cavalier au loin. L'héritier… Devait-elle se joindre à lui ?

Elle allait diriger Poppy dans sa direction lorsqu'un coup de feu manqua de la faire tomber. Surprise, et terrorisée, elle se mit à tourner la tête dans tous les sens, à la recherche du tireur. Le coup de feu avait semblé provenir des arbres…

Lorsqu'elle tourna la tête vers l'endroit où s'était trouvé Jared Clinton, elle vit avec horreur que Fire Dancer, complètement affolé, cherchait à jeter son cavalier à terre pour prendre la fuite. Seigneur ! Si l'animal ne se calmait pas, Jared risquait de se faire tuer ! Le cœur d'Hester se mit à battre à toute vitesse, tandis qu'elle était comme hypnotisée par le terrible spectacle qui s'offrait à elle. Elle avait l'impression de revivre la mort de son frère !

Peu à peu cependant, son désespoir fit place à l'admiration face à la lutte que Jared menait contre le cheval. Il était évident que le vicomte était loin d'être un novice quand il s'agissait de mater un cheval ombrageux. Il faisait montre d'un sang-froid impressionnant et gardait son assiette en dépit des tentatives de Fire Dancer pour le désarçonner. Quelques minutes plus tard, l'étalon commença à se calmer, jusqu'à simplement secouer la tête et souffler, ses sabots raclant le sol. Quand le cheval fut totalement apaisé, Jared descendit et s'approcha de sa tête tout en le tenant fermement par la bride. Il semblait le rassurer en lui parlant doucement, puis il fit quelque chose d'étrange. Embrassait-il Fire Dancer ? Hester essaya de mieux voir… Non, il avait l'air de souffler dans ses naseaux, sans cesser de lui parler. Quoi qu'il fît, cela avait de toute évidence un effet apaisant. Ensuite, il se remit en selle.

Hester lui fit alors signe et se dirigea vers lui. Lorsqu'elle ne fut plus qu'à quelques pas, l'air préoccupé de Jared la frappa.

— Bravo, monsieur ! Vous l'avez brillamment maîtrisé. Ai-je bien entendu un coup de feu juste avant que Fire Dancer n'essaye de se débarrasser de vous ?

— Cela provenait du bois, dit Jared. J'ai senti le vent de la balle qui effleurait ma joue. Si elle était passée à peine quelques centimètres plus à droite, j'aurais été blessé.

Hester le regarda fixement, sous le choc.

— Mon Dieu ! Je ne m'en suis pas rendu compte ! Je pensais qu'il s'agissait d'un braconnier. Vous ne pensez tout de même pas que c'était délibéré, si ? ajouta-t-elle, incrédule, alors qu'elle prenait tout juste conscience de ce qu'impliquaient les mots de Jared.

La réponse se lisait sur le visage de ce dernier : il était convaincu que l'on venait d'attenter à sa vie.

— Mais pourquoi… Qui voudrait vous tuer ? continua Hester. Personne ne sait que vous êtes ici.

Ils s'assirent côte à côte tout en rassurant les chevaux. Hester essayait d'assimiler ce qu'il venait de lui affirmer. Si quelqu'un avait tenté de lui tirer dessus, c'était donc que l'on savait qu'il était ici.

— Ce n'est pas la première tentative, dit Jared. Il y a également eu cette agression maladroite à Londres. Je n'étais pas sûr d'être victime d'un complot à ce moment-là, mais désormais il me faut reconsidérer la question. On dirait que quelqu'un veut bel et bien ma mort.

— Parce que vous êtes l'héritier ? demanda Hester, le cœur serré.

— Je n'exclus aucune hypothèse pour l'instant, répondit-il avec un calme impressionnant.

De toute évidence, il ne souhaitait pas s'étendre sur le fait d'avoir frôlé la mort.

— Je repense à ce que vous m'avez dit à propos de votre frère, reprit-il. J'ai d'abord pensé qu'il s'agissait selon toute probabilité d'un accident. Mais qu'auriez-vous cru si j'avais fait une chute et m'étais brisé le cou ? Et si le cheval s'était sauvé en s'emballant, se blessant lui-même ensuite ?

— Je me serais demandé si Fire Dancer n'avait pas été trop difficile pour vous.

Malgré le nœud qui s'était formé dans sa gorge, Hester s'efforçait de garder un ton posé, imitant celui de Jared. Comment pouvait-on faire une chose aussi épouvantable ?

— C'est la première fois que je monte Fire Dancer. Vous ne pouviez pas savoir si j'étais capable ou non de le maîtriser. Si j'étais mort, vous auriez donc pu imaginer que j'avais simplement perdu le contrôle de ma monture, après qu'un coup de feu l'eut effrayée.

— C'est exact…

Hester le scrutait intensément. Ce genre de discussion semblait si extraordinaire ! Mais il fallait qu'elle se contrôle : il attendait d'elle qu'elle garde son sang-froid.

— C'est plausible, même probable, continua-t-elle, mais qui voudrait votre mort ?

— Je n'en ai pas la moindre idée. A part ce gentleman dont vous avez parlé à Londres…, ce Stephen Grant.

— Si vous mouriez, il hériterait, confirma Hester à voix basse. Je sais qu'il est le coupable idéal, cependant je ne crois pas… Je ne peux concevoir qu'il se rende coupable d'un tel acte, monsieur Clinton, mais j'ai bien entendu le coup de feu et j'ai vu ce qui s'est passé… C'est un miracle que vous n'ayez pas été désarçonné… ou pire !

— Pourquoi considérez-vous M. Grant au-dessus de tout soupçon ? Parce que c'est un homme d'église ?

— En partie, acquiesça Hester.

Ils marchaient côte à côte, tenant leurs chevaux par la

bride. A les voir ainsi, personne n'aurait dit qu'un incident venait de se produire.

— Et je ne le vois pas comme un homme dévoré d'ambition, ajouta-t-elle. Il ne serait pas à la hauteur de la tâche comme vous le seriez.

— Vous pensez que je corresponds aux vues du duc ? s'exclama Jared en haussant les sourcils. Mon Dieu ! Vous me surprenez, miss Sheldon !

— Je me surprends moi-même ! gloussa Hester.

Devant le sang-froid de Jared, elle sentit la tension qui l'habitait s'atténuer progressivement. Elle commençait à penser que cet homme était capable de maîtriser n'importe quelle situation.

— Tout d'abord, j'ai détesté l'idée de vous voir prendre la place de mon grand-père, avoua-t-elle. Puis j'ai découvert que vous aviez de nombreuses cordes à votre arc... En fin de compte, vous conviendriez fort bien.

— Expliquez-vous.

Devant son air malicieux, elle se mit à rougir.

— Vous ne me taquinerez pas, monsieur Clinton ! Je refuse de poursuivre. Vous avez impressionné maman, qui vous a trouvé compétent en affaires, et vous devez bien imaginer que ce genre de talent est ce dont nous avons désespérément besoin à Shelbourne.

— Pourtant, je pensais que l'aristocratie anglaise considérait qu'il était de mauvais goût de parler d'argent...

— Oui, dans certains cas, c'est vrai. Il serait par exemple vulgaire de clamer le prix d'une acquisition quelconque, et on ne marchande pas avec les fournisseurs.

— Mais il est parfaitement acceptable de ne pas les payer ?

— Non, bien sûr que non ! se récria Hester, tout en remarquant l'air sceptique de Jared. D'accord, il arrive souvent que les gentlemen ne payent pas leurs notes de tailleur quand ils ont des difficultés, je le sais.

— Mais une dette de jeu est une question d'honneur ?

— Oui, certainement. N'êtes-vous pas de cet avis ?

— Une dette de jeu doit être payée. Mais le tailleur mérite tout autant de l'être, peut-être même plus, puisqu'il a donné de son temps et de ses matériaux.

— Certes, mais personne n'en parle.

— Pas si l'on est un gentleman, conclut Jared avec un sourire narquois. Personnellement, je n'aime pas payer plus que nécessaire. Je fais toujours établir un devis avant de confier un travail, comme je le dirai à votre grand-père quand je le verrai ce matin. Si la maison doit être restaurée, il nous faut une estimation avant de commencer.

— Vous avez raison, bien sûr, mais…

Hester hésita, et secoua la tête en le dévisageant avec incrédulité.

— Pourquoi avons-nous cette discussion ? On vient de vous tirer dessus ! Nous devrions être en train de chercher le coupable. Avez-vous des ennemis, quelqu'un qui pourrait vous en vouloir ?

— Nous avons déjà écarté l'héritier en seconde ligne, alors qui reste-t-il ?

— Nous n'avons pas tout à fait exclu M. Grant, objecta Hester. Etant le prochain dans l'ordre de la succession, il est possible qu'il espère hériter à votre place. Mais, en vous tirant dessus en pleine journée, il prenait tout de même le risque d'être découvert…

— Effectivement. Dans ce cas, j'ai peut-être un ennemi, conclut Jared. J'ai pu m'en faire par le passé, mais à ma connaissance personne n'a jamais tenté de me tuer. Pourquoi aujourd'hui ? Tout cela n'a commencé que lorsque je suis arrivé en Angleterre, en tant qu'héritier du duc.

— M. Grant est le seul qui pourrait bénéficier de votre mort, monsieur, insista Hester. A moins que vous ne pensiez que je… Vous avez entendu grand-père déclarer qu'il m'aurait tout laissé s'il l'avait pu, et vous savez que j'adore ce domaine.

— Il est impossible que vous m'ayez tiré dessus, et je ne vous vois pas comme le genre de personne susceptible d'engager un assassin. Il nous reste donc deux solutions : soit j'ai un ennemi inconnu ; soit c'est M. Grant.

— Si vous étiez riche vous-même, qui tirerait profit de votre mort ? s'enquit Hester. Vous n'avez plus de fortune, je le sais fort bien, mais vous avez dit ne pas être sans rien.

— J'ai un cousin, dit Jared. Il hériterait de la plupart de mes biens. Mais Red est riche. Il ne s'intéresse pas à ce que j'ai.

— N'avez-vous pas perdu votre maison de jeu à son profit ? poursuivit Hester.

— En quelque sorte, marmonna Jared.

Il envisagea l'idée de révéler la vérité à la jeune femme, mais se retint.

— Croyez-moi, ce n'est pas Red. Il est toujours à La Nouvelle-Orléans.

— Vous ne pouvez pas en être sûr. Il aurait pu payer quelqu'un pour vous tuer, et imputer cela à des intrigues autour de votre héritage en Angleterre.

Jared fronça les sourcils. Les propos d'Hester étaient sensés, mais il connaissait trop bien Red pour les considérer sérieusement. Il haussa les épaules.

— Tout est possible, mais j'aurais tendance à l'exclure lui aussi.

— J'essaye simplement de vous aider, se justifia Hester. Cette famille a vécu assez de tragédies comme cela, monsieur Clinton. Je préférerais qu'il n'y en ait pas d'autre. Et je ne veux pas pleurer sur votre tombe.

— Le feriez-vous ? demanda-t-il, soudain très attentif, ses yeux d'un bleu plus intense que jamais quand il la scruta. Miss Sheldon… ou puis-je vous appeler Hester ?

— Oui, si vous voulez, accepta-t-elle. Nous commençons à nous connaître un peu, monsieur. Je ne vois pas d'objection à ce que vous m'appeliez par mon prénom en privé. Et, oui, en effet, je pleurerais si vous mouriez.

— Alors je m'en abstiendrai, du moins pas avant quelques années.

— Ce n'est pas drôle ! s'emporta-t-elle, les yeux étincelants quand elle décela l'humour dans son ton. Avez-vous au moins compris que je vous ai autorisé à m'appeler par mon prénom en privé seulement ?

— Bien sûr. Je serai discret, chuchota-t-il. En retour, je vous demanderai de l'être à propos de ce que vous avez vu ce matin. Je préférerais que personne ne soit au courant, et je suis convaincu que nous devrions garder pour nous nos soupçons.

— Est-ce bien sage ? Ne pensez-vous pas qu'il vaudrait mieux en informer le duc, et faire une enquête au sujet d'une intrusion éventuelle sur nos terres ?

— Remettez-vous-en à moi pour la suite de tout cela, recommanda Jared. Je vous l'assure, je suis plus que capable de m'en occuper. De plus, l'inquiétude qu'éprouverait votre grand-père à cette nouvelle risquerait d'ébranler de nouveau sa santé.

— Oui, c'est juste, reconnut Hester, un peu surprise qu'il montre tant de considération. Mais vous devez prendre des précautions, monsieur. Si cette créature malfaisante devait réussir son plan, ce serait la fin pour nous tous.

— Je suis flatté que vous m'accordiez tant d'importance,

dit Jared. Mais vous arriveriez à soutenir seule toute la famille, Hester, j'en suis persuadé. Vous êtes une jeune femme très capable.

Hester se renfrogna.

— Capable…, hum… Cela me paraît bien terne, mais je préfère le prendre comme un compliment, monsieur Clinton. Ou peut-être devrais-je commencer à vous appeler vicomte Sheldon, puisque c'est votre titre ?

— Pourquoi pas plutôt Jared ? Uniquement en privé, bien sûr, se moqua-t-il en souriant. J'admets être perdu avec toutes vos conventions…

— Jared ! fulmina Hester. Vous ne me bernerez pas une fois de plus ! J'admets avoir été dubitative lors de notre première rencontre, mais je ne croirai plus une seule minute que vous soyez sans éducation ni manières et que vous ayez besoin du moindre de mes conseils en la matière.

— Vraiment ? C'est dommage ! Et moi qui pensais que nous commencerions nos leçons après le petit déjeuner ! Comment vais-je vous convaincre de me consacrer du temps si ce n'est pas pour m'apprendre à bien me tenir dans la haute société ?

— Vous êtes incorrigible ! Vous n'avez pas besoin de prétexte pour me voir. Je vais tout naturellement vous passer la main pour la gestion du domaine. Vous avez beaucoup à apprendre sur la façon dont les choses ont été administrées jusqu'à aujourd'hui. Depuis la maladie de grand-père, tous les employés viennent prendre leurs instructions auprès de moi. Je lui ai toujours demandé conseil pour les questions importantes, mais j'ai essayé de lui épargner les petits tracas. Maintenant que vous êtes là, je m'en référerai à vous. Il faudrait vraiment que vous rencontriez M. Roberts aujourd'hui. C'est l'agent de grand-père, il s'occupe de ses affaires. Il y a aussi Johnson, l'intendant, qui serait enchanté de vous parler des terres.

— Ah…, soupira Jared, les yeux brillants. Je viens de vous dire que je vous trouvais très capable, Hester. Vous êtes une jeune femme remarquable.

— J'ai presque vingt-sept ans et j'ai vécu ici toute ma vie. Tout le monde me connaît. Tout ce que j'ai acquis s'est fait naturellement. Vous aurez peut-être un peu plus de mal, et encore ! Maman affirme que vous avez vous-même de l'expérience en affaires.

— Vous avez l'air bien plus compétente que moi, remarqua-t-il. Je préfère que vous continuiez à faire selon vos habitudes pour le moment, Hester, sauf si vous estimez avoir ponctuellement besoin de mon aide. Je ne voudrais pas que l'on pense que je me mêle de tout. De plus, je n'ai toujours pas décidé si j'allais rester ici, aussi est-il préférable que vous gardiez les rênes.

— Oh ! s'exclama-t-elle, étrangement déçue. Je croyais… Comme vous avez montré un certain intérêt pour la maison…, j'espérais que vous vous prépariez à rester pour remplir votre devoir envers votre famille.

— Je ne considère pas qu'il soit de mon devoir de vivre ici, à moins que je ne l'aie choisi, répliqua-t-il. Cependant, je veux bien me préparer à épouser une lady qui remplira mes critères. Et je pourrais peut-être faire quelque chose pour ce domaine. Je n'ai pas besoin de recourir à un mariage de convention pour restaurer les dégâts de l'incendie.

Ils s'approchaient des écuries. Hester tira sur ses rênes et le scruta pour essayer de lire dans ses pensées, mais sans succès.

— J'ai une vague idée de ce que cela coûterait, avança-t-elle. M. Grant estime les travaux à plusieurs milliers de guinées.

— Il vous a vraiment dit cela ? Avait-il dans l'idée de vous aider financièrement ?

— Non… mais il m'a proposé de me conseiller quand je chercherais les entrepreneurs.

— Ah oui ? Dites-moi, lui avez-vous demandé son avis ou vous l'a-t-il donné spontanément ?

— Il m'a dit que cela dépasserait cinq mille livres.

— Ce n'est donc pas un gentleman, puisqu'il était prêt à parler d'argent, trancha Jared, moqueur. Mieux vaut ignorer ses propos. Laissez-moi me charger de cela, Hester, si vous le voulez bien.

Elle était sur le point de lui demander s'il avait les moyens de dépenser pareille somme pour restaurer une maison dans laquelle il n'était pas certain de vouloir résider, mais elle se retint. Ce serait trop personnel et indiscret. Elle ne voulait surtout pas être taxée de vulgarité !

— C'est très sage de votre part de ne rien ajouter, lança-t-il comme s'il lisait dans ses pensées. Car je ne vous aurais pas répondu. Cela nous évite d'être gênés tous les deux.

Sur ces mots, il descendit de sa monture et l'aida à descendre de la sienne. Hester le toisa d'un air menaçant quand il la reposa à terre, tandis que ses mains s'attardaient autour de sa taille un peu plus longtemps que nécessaire. Elle s'éloigna aussitôt d'un pas déterminé et le laissa reconduire les chevaux vers les palefreniers qui attendaient. Certes, il n'était peut-être pas le rustre ignorant pour lequel il avait essayé de se faire passer, mais cela ne l'empêchait pas d'être un homme extrêmement irritant !

Quand elle entra dans la maison, elle croisa sa mère qui descendait l'escalier et remarqua sur-le-champ l'air embarrassé de lady Sheldon.

— Quelque chose ne va pas, maman ?

— Nous avons un visiteur, Hester. M. Grant s'est invité.

Il m'a dit qu'il avait eu l'intention de te voir à Londres, mais que tu étais déjà partie quand il s'est présenté.

— Oh ! oui... J'aurais peut-être dû lui écrire. J'ai oublié.

— Eh bien, il s'est inquiété et est venu ici immédiatement pour s'assurer que tu n'étais pas souffrante.

— Il lui aurait suffi de s'informer auprès de ma marraine, remarqua Hester, soucieuse. Il n'avait aucune raison de venir ici en personne, nous ne nous connaissons pas si bien que cela, nous ne nous sommes vus que très rarement.

— Il semble penser que tu pourrais avoir besoin de son aide, supposa lady Sheldon. Il ne l'a pas dit ouvertement, mais il a insinué que M. Clinton ne serait peut-être pas une personne de confiance.

— Oh ! Comment ose-t-il ? s'écria Hester, oubliant sur-le-champ qu'elle-même venait d'être contrariée par l'héritier.

— Je lui ai rappelé que le titre exact de M. Clinton était vicomte Sheldon, ajouta doucement lady Sheldon. Je crois que cela lui déplaît. Il clame être venu ici nous offrir sa protection, Hester, mais je crois plutôt que c'est de lui que nous devrions être protégées !

Hester considéra longuement sa mère.

— Que voulez-vous dire par là ? lui demanda-t-elle.

— Je veux seulement dire que M. Grant est un homme horriblement prétentieux ! confessa lady Sheldon. Ne prends pas cet air terrifié, Hester. Je pense qu'il veut simplement bien faire.

— Oui, peut-être, concéda celle-ci. Quand est-il arrivé, et où est-il ?

— Il y a quelques minutes, et il prend son petit déjeuner dans le salon.

— Alors je vais attendre un peu avant de m'y rendre,

décida Hester. Je monte me changer, maman. Excusez-moi, je vous prie. Et ne vous inquiétez pas.

Elle se précipita dans sa chambre sans attendre la réponse de sa mère. Quel ennui que M. Grant soit arrivé à l'improviste ! D'autant plus que sa présence ne faisait que confirmer les soupçons de Jared. Et si M. Grant était celui qui avait tiré sur l'héritier ?

Hester prit tout son temps pour se changer. Elle passa une robe confortable et simple, d'un gris pâle, avec un discret décolleté. Pour tout ornement, elle enfila également un joli feston en dentelle, tout à fait de son âge, selon elle. Puisque l'héritier la considérait comme capable, elle lui offrirait une image de sérieux conforme à son opinion.

Elle arriva dans le salon au moment où M. Grant le quittait. Il sourit en la voyant.

— Ma chère Hester, quel plaisir de vous voir en parfaite santé ! J'étais inquiet quand lady Ireland m'a expliqué la situation et je suis venu sur-le-champ voir si je pouvais vous être d'une aide quelconque. Je m'en félicite, car cela doit être difficile pour vous tous. N'ayez crainte, je vous protégerai du mieux que je le pourrai.

— Je ne m'étais pas rendu compte que j'avais besoin de protection, rétorqua Hester. Cependant, nous sommes toujours heureux de vous voir, monsieur, assura-t-elle avec un manque de sincérité dont elle était tout à fait consciente. Peut-être pourrons-nous bavarder un peu plus tard ? J'ai monté ce matin et j'aimerais prendre mon petit déjeuner. Puisque vous avez déjà mangé…

— Oui, certainement. J'ai été convoqué par le duc dans ses appartements et je dois y aller tout de suite, mais j'espère sincèrement vous voir plus tard.

Hester le détailla alors qu'il s'éloignait. Il n'était pas sans attrait. De taille et de corpulence moyennes, avec des traits agréables sans être séduisants, du moins à ses yeux, Stephen Grant était même tout à fait présentable. Il portait des vêtements très sobres et sombres en accord avec sa fonction, mais elle remarqua que ses bottines n'avaient rien à envier à celles d'un dandy et brillaient d'un éclat peu discret.

Hester était songeuse quand elle entra dans la salle à manger. Elle prit son petit déjeuner seule et en profita pour se plonger dans ses pensées, tout en dégustant des muffins au miel avec une tasse de thé.

Au moment où elle quittait la pièce, elle vit Jared entrer dans la maison, toujours en tenue d'équitation.

— Avez-vous pris votre petit déjeuner, Jared ? M. Grant est arrivé, le saviez-vous ?

— La réponse aux deux questions est oui, dit Jared. En fait, j'ai pris mon petit déjeuner avec M. Grant pendant que vous étiez en haut.

— Oh… Qu'avez-vous pensé de lui ? C'est un peu étrange qu'il soit arrivé ce matin.

— Peu de temps après que l'on m'a tiré dessus, c'est cela ? demanda Jared. Nous ne devrions pas trop nous arrêter à ce détail pour le moment, Hester. Il m'a paru tout à fait correct, et m'a confié espérer que je ne causerais pas de nouveau tort à la famille car elle a déjà assez souffert.

— Il n'a pas dit ça ! s'étrangla Hester, choquée. Oh ! comment a-t-il pu oser ? Il n'a aucun droit ici. Nous le connaissons à peine. Il n'est jamais venu avant la mort de papa… Il a manqué de retenue, monsieur.

— Je croyais que vous deviez m'appeler Jared ?

Elle repéra la moquerie dans son regard, ce qui éveilla immédiatement ses soupçons.

— Que lui avez-vous dit, au juste ? l'interrogea-t-elle.

— Vous me soupçonnez donc de quelque chose ? s'étonna Jared, faussement naïf, un sourire au bord des lèvres. Qu'aurais-je donc pu lui dire ?

— Il a l'air de s'imaginer qu'il est arrivé juste à temps pour nous sauver de vous. Maman était très contrariée car elle ne l'apprécie pas, contrairement à vous.

— Je lui en suis très obligé, et le sentiment est réciproque, dit Jared. J'ai assuré M. Grant que je tenais compte de ses conseils et que j'essayerai de ne pas faire honte à cette famille, dans la mesure de mes moyens, bien que je doive m'en remettre à vous pour ma conduite car je ne sais pas comment me comporter dans la haute société.

— Oh ! vous ! s'exclama-t-elle alors qu'elle venait de voir l'éclat dans les yeux de Jared, confirmant ses soupçons. Vous avez encore pris cet abominable accent, n'est-ce pas ? Et vous avez joué au rustre une fois de plus !

— Eh bien, c'est ce à quoi il semblait s'attendre, se justifia Jared. Bon sang, cousine, je ne voulais pas décevoir notre homme.

— Pas étonnant qu'il ait été inquiet pour nous ! s'agaça Hester. S'il insiste pour rester ici afin de nous protéger de vous, je vous en tiendrai pour responsable !

— Mais nous avons besoin qu'il reste ici, à mon avis. Nous pouvons ainsi l'avoir à l'œil. S'il a le projet de se débarrasser de moi, il aura ici bon nombre d'opportunités. Plus vite il se découvrira, mieux cela vaudra, si c'est bien lui qui m'a tiré dessus.

— Tout ne le désigne donc pas ?

— Si, et c'est bien ce qui m'incite à avoir des doutes, avança Jared, pensif. Ne vous inquiétez pas pour moi, Hester, je suis capable de m'occuper de cela. On s'habitue à ce genre de situation quand on travaille et qu'on vit avec des joueurs endurcis.

— Avez-vous vraiment possédé une maison de jeu à La Nouvelle-Orléans ? Je ne sais jamais si vous racontez des histoires ou si vous dites la vérité.

— Oui, mais ce n'était pas le local délabré où m'a déniché votre avoué, expliqua-t-il. Je venais de l'acheter, dans l'intention de le démolir pour bâtir des entrepôts à la place.

— Oh... et quel genre d'entrepôts désirez-vous construire ?

— Hum..., du genre de ceux qui servent à stocker certaines marchandises.

— Etes-vous contrebandier ?

Jared éclata franchement de rire.

— Quelle imagination débordante vous avez là, Hester ! J'ai une petite affaire d'importation à La Nouvelle-Orléans. Elle est indépendante du cercle de jeu, et reste en ma possession.

Cette affaire était en fait bien plus importante qu'il ne lui avait dit, mais elle avait semblé surprise par cette bribe d'information.

— Je me figurais que vous trouveriez cela vulgaire, continua-t-il. Le commerce n'est pas bien vu, chez vous.

Hester se renfrogna.

— Mon cher cousin, quand votre domaine est au bord de la ruine, toute source d'argent est plus que bienvenue. Et puis, l'importation, ce n'est pas vraiment du commerce. De plus, personne n'est obligé de le savoir.

— Etes-vous snob, Hester ?

— Je ne sais pas, se défendit-elle en rougissant. Vous pensez que je le suis ? Je me souciais seulement de votre image. Comme vous arrivez à peine d'Amérique, vous ne pouvez pas vous permettre de laisser la porte ouverte aux spéculations. Du moins, pas plus qu'il n'est nécessaire.

— Vous êtes peut-être un tantinet snob, finalement, décida Jared, en penchant la tête de côté, l'air railleur. Mais ça ne me gêne pas. C'est le fruit de votre éducation, sans doute.

Hester réprima un rire.

— Sans doute, dit-elle. Quant à moi, vos affaires ne me dérangent pas, Jared. Je suis heureuse que vous ne soyez pas autant à court d'argent que nous l'avons cru tout d'abord. Cela semblait étrange que vous ayez tout perdu. Y a-t-il beaucoup d'autres choses que vous ne me dites pas, Jared ? lui demanda-t-elle après l'avoir considéré longuement.

— Peut-être, mais rien qui puisse vous inquiéter. Ne vous imaginez pas que j'ai de sombres secrets qui, lorsqu'ils seront révélés, jetteront l'opprobre sur la famille. Certaines personnes me considèrent même comme un être respectable.

— Vous avez néanmoins des secrets que vous n'êtes pas prêt à partager, insista-t-elle. Dites-moi de me mêler de mes propres affaires, si vous voulez, mais êtes-vous encore en possession d'une fortune considérable ?

— Eh bien…, mêlez-vous donc de vos affaires, ma très subtile et adorable miss Sheldon, roucoula Jared. Je vous ai dit tout ce que j'avais l'intention de vous dire pour le moment, et il se pourrait que ce soit dangereux pour vous d'en savoir plus.

— Peut-être…

Hester scruta le visage de Jared, mais n'en tira rien, il était parfaitement impénétrable.

— Du moins, vous ne m'avez pas rabrouée, poursuivit-elle, alors que je l'ai mérité, car ma question était très impertinente. Très bien. Je ne fouillerai pas dans vos secrets, mais j'espère que vous me les confierez un jour.

— C'est possible, dit Jared. Le duc souhaite s'entretenir avec moi plus tard dans la matinée. Pensez-vous que je pourrais d'abord rencontrer M. Roberts ? J'aimerais le consulter, je suis certain qu'il me donnerait de bons conseils.

— Oui, bien sûr. Il a un bureau ici dans la maison. Je vais vous y conduire. Ensuite, je dois voir l'intendant avant de monter saluer grand-père.

— Quelle efficacité ! apprécia Jared. Je vous apprécie de plus en plus, Hester.

— Oh…, merci, bredouilla-t-elle, un peu effarouchée par cette franchise. En fait, je vous apprécie également, Jared.

— Nous devrions nous occuper bientôt d'organiser ces leçons de danse, murmura-t-il.

Aussitôt, Hester sentit une vague de chaleur l'envahir. C'était une sensation nouvelle et tout à fait plaisante, elle devait l'avouer.

— Je crois que j'adorerai apprendre à danser avec vous, Hester.

— Je crois que vous n'avez nul besoin de ces leçons, à vrai dire. Mais si vous le souhaitez… Faisons-le un après-midi dans la grande galerie.

— Je suis impatient, chuchota-t-il avec un air qui fit bondir le cœur d'Hester.

Elle détourna le regard, profondément troublée. Elle avait les joues brûlantes tant Jared la gênait par ses insinuations. Il flirtait avec elle, elle le sentait, mais elle essayait de ne pas se laisser prendre à son jeu. Pourquoi se comportait-il ainsi ? Il était peu probable qu'elle lui plaise réellement, elle qui n'avait jamais rencontré beaucoup de succès auprès des hommes. Non, Jared s'ennuyait sans doute et, comme elle était la seule femme disponible dans son entourage, il occupait son temps libre comme il le pouvait. Le problème, c'était qu'elle en était venue à l'apprécier... peut-être trop pour rester sereine en sa présence d'ailleurs. Elle devait à tout prix garder à l'esprit que Jared se destinait à une héritière. Une relation entre eux était exclue, même s'il l'avait taquinée en prétendant qu'il pourrait fort bien l'épouser. Il lui avait dit qu'ils iraient bien ensemble, et elle était de plus en plus convaincue qu'il avait parfaitement raison.

Après avoir présenté Jared à M. Roberts, Hester se rendit au jardin d'hiver. Cette pièce était utilisée pour remplir les vases de la maison des fleurs que les jardiniers apportaient chaque jour. Elle passa une heure agréable à composer des bouquets et en choisit un avec les tulipes préférées de son grand-père pour le lui monter. Quand elle entra dans ses appartements, il avait un livre à la main et semblait serein. Elle remarqua que c'était un recueil de poèmes.

— Comment allez-vous ce matin, grand-père ?

— Beaucoup mieux depuis que tu es rentrée. Cette maison revient à la vie lorsque tu es là.

— Vous me flattez, grand-père ! Quels sont vos projets aujourd'hui ? demanda-t-elle tout en disposant le vase près de lui, bien en vue.

Puis elle se pencha et l'embrassa sur la joue.

— Puis-je faire quelque chose pour vous ? proposa-t-elle.

— Oui. Tu peux me promettre que tu n'épouseras pas cet idiot prétentieux qui est venu me voir tout à l'heure et a eu l'audace de m'affirmer qu'il estimait que tu ferais une bonne épouse pour lui.

— M. Clinton vous a dit cela ?

— Bon sang, bien sûr que non ! se récria le duc, furieux, Et M. Clinton ne te mérite pas non plus. Mais au moins c'est un homme raisonnable, de notre monde, et il y aurait sa place. Je voulais parler de cet imbécile qui se prend pour l'ambassadeur de Dieu sur terre !

— Vous ne voulez pas dire M. Grant, grand-père ? s'exclama Hester, stupéfaite. Il ne vous a quand même pas demandé s'il pouvait me faire la cour ?

Lisant la réponse dans les yeux de son grand-père, elle s'emporta.

— Comment ose-t-il ? Je n'en avais pas la moindre idée, et je ne le lui aurais jamais permis !

— Dieu merci, tu es une créature sensée, Hester, soupira le duc, soulagé. J'ai été injuste avec toi, je le sais, en te gardant ici alors que tu aurais dû avoir ta chance dans la société, mais tu es encore assez jeune pour trouver mieux que Grant.

— C'est quand même un gentleman, grand-père.

— Certes, mais c'est un imbécile imbu de lui-même. Je n'ai jamais aimé son grand-père, et je ne peux pas le voir lui non plus. Je ne sais rien de sa mère, car je ne l'ai rencontrée que de rares fois. De toute façon, il est trop vieux pour toi.

— Je doute qu'il ait plus de trente-cinq ans.

— Il s'exprime comme s'il était plus vieux, grommela le duc. Tu ne l'écouteras pas, n'est-ce pas ? Je ne supporterais pas sa présence ici, et je ne souhaite pas non plus te perdre maintenant. Tu auras tout ton temps quand je ne serai plus.

— Ne parlez pas de nous quitter, je vous en prie, l'implora Hester. Je vous aime et je ne veux pas vous perdre. De plus, vous pouvez être rassuré, M. Grant ne me plaît pas du tout.

Son grand-père sourit, visiblement soulagé.

— Alors, comment notre héritier se débrouille-t-il ? J'aime assez sa tournure. Parfois brusque et très direct, mais il est comme elle, Hester. Comme mon Amélia.

— Oui. J'ai vu son portait. Je suis de votre avis.

— Je voulais dire de caractère. Elle était prompte à s'enflammer et nous nous disputions trop souvent, mais je l'aimais, et… oh, bon sang ! Je crois qu'elle m'aimait aussi.

— J'en suis certaine, assura Hester. Je pense que son fils dépasse vos espérances, n'est-ce pas ?

— Du genre à bien cacher son jeu, c'est cela ? insinua le duc, l'air satisfait. C'est exactement ce que je soupçonnais. Sais-tu qu'il va faire venir un entrepreneur pour évaluer les dégâts de l'incendie ? Il a dit qu'il fallait un devis avant de lancer les travaux. Est-ce là le comportement d'un joueur, Hester ?

— Non, en effet. Je lui ai demandé s'il possédait vraiment une maison de jeu à La Nouvelle-Orléans, et il me l'a confirmé. Mais il a également avoué que l'endroit délabré où il a reçu M. Birch n'était qu'un vieil entrepôt qu'il souhaite détruire. Son cercle de jeu est un lieu bien plus chic, d'après lui.

— Il nous mène en bateau, n'est-ce pas ?

— Je le crois.

— S'il y a quelqu'un capable de lui faire avouer la vérité, c'est bien toi, Hester, affirma le duc. Je pense qu'il t'aime bien. Il serait d'ailleurs fou de ne pas t'apprécier. Mais c'est ainsi qu'il parle de toi. Il te respecte.

— Je suis heureuse de l'entendre, mais à mon avis il ne nous révélera rien qu'il n'ait décidé.

— Crois-tu qu'il a encore de l'argent ?

— Oui. Mais j'ignore si l'on peut parler de fortune.

— Notre chance aurait-elle tourné ? Je me suis parfois demandé si cette malédiction était vraiment sur nous, Hester. Et cet homme…, il pourrait sauver cette famille, s'il le voulait.

— Hum, vous avez sans doute raison. Mais décidera-t-il

de rester ? Avons-nous le pouvoir de le retenir ? Le titre revêt peu d'importance à ses yeux, à mon avis, et pour le moment il ne voit la maison que comme une source de dépenses. Il ne l'aime pas de la même manière que nous.

— Donne-lui du temps, ma fille, conseilla le duc. Quelque chose l'a conduit ici. Il n'était pas obligé de venir, et nous ne pouvons pas le garder à moins qu'il n'en ait envie. Il nous reste donc à espérer qu'il finisse par comprendre l'importance d'appartenir à une famille comme la nôtre.

— Je suppose qu'il est venu à cause de sa mère, avança Hester. Il voulait voir la maison de son enfance… ainsi que son père.

— Il m'a reproché de l'avoir rendue malheureuse. Et je reconnais ma responsabilité. J'aurais voulu pouvoir changer cela quand elle est morte, Hester. Mais c'était trop tard.

— Je pense qu'il finira par le comprendre, murmura Hester. Nous devons espérer que nous lui plairons, en tant que famille…, et qu'il nous aimera assez pour rester.

— Il t'aime bien, répéta le duc. Quant à nous autres…, soupira-t-il en haussant les épaules, eh bien, attendons. Nous verrons bien.

Jared s'installa dans l'un des fauteuils de la bibliothèque. Bon nombre des réponses qu'il cherchait se trouvaient dans cette pièce, il en était convaincu. Cette pièce où sa mère avait aimé se réfugier.

Très vaste, la bibliothèque offrait sur trois côtés de superbes rayonnages en acajou, chargés de livres reliés en cuir. Une exploration superficielle lui avait révélé que quelques-uns concernaient l'histoire de la famille. M. Roberts lui avait expliqué que la famille avait toujours recensé les naissances et les mariages sur les pages de garde des bibles, et que tout le reste était consigné dans les journaux.

Ce dernier s'était aussi longuement étendu sur l'état des finances de la famille, qui était peut-être pire que ce que Jared avait imaginé. Sans aide, le duc serait vite amené à vendre soit ses terres, soit les trésors familiaux. Jared examina les diverses porcelaines disposées sur de petites tables ou les rebords de fenêtres. Son œil exercé en évalua la valeur précise. Il en importait à La Nouvelle-Orléans depuis plusieurs années, afin de satisfaire les goûts de ses riches compatriotes. La suite dont il disposait dans son hôtel était d'ailleurs décorée des plus belles pièces, souvent achetées à des familles de l'aristocratie obligées de s'en défaire.

Ce serait par trop humiliant pour Hester si son grand-père adoré devait vendre des objets possédés par la famille depuis des siècles. Non, Jared ne la laisserait pas subir ce genre d'affront ! Il était venu en Angleterre prêt à détester les membres de la famille de sa mère, à leur dire exactement ce qu'il pensait d'eux, qu'ils pouvaient garder leurs titres et leur orgueil et il s'était retenu à cause d'une jeune femme fougueuse… et de ce qu'il avait vu dans les yeux d'un vieil homme.

Jared éclata de rire tout seul. Red l'aurait traité de femmelette, aurait affirmé qu'il se laissait manipuler par des gens qui ne méritaient pas son aide. Et peut-être aurait-il eu raison. Toutefois, même si le duc s'était mal conduit envers sa fille, il semblait sincèrement le regretter et Jared avait vite compris qu'il n'aurait aucun plaisir à déverser sa rancune sur ces gens.

A ses yeux, l'ancienne demeure des Sheldon n'était pas dénuée de charme, mais pas aussi confortable que certaines de celles qu'il possédait. Elle était chargée d'histoire et la bibliothèque était l'une des pièces qui le rappelait le plus. Jared s'était immédiatement senti séduit par l'atmosphère paisible de la pièce. Il s'en fallait de peu pour qu'il se laisse happer par ce monde auquel il n'appartenait pas vraiment… Mais était-il prêt à tout abandonner pour se consacrer à Shelbourne ?

En Amérique, il pouvait avoir tout ce qu'il voulait : une vie qui lui plaisait, la richesse, des amis, l'empire de ses propriétés et de son commerce qu'il avait plaisir à pratiquer, la liberté d'aller et venir à sa guise. S'il devenait le vicomte Sheldon, puis le duc de Shelbourne plus tard, il perdrait cette liberté. Sa brève entrevue avec Roberts lui avait fait comprendre qu'une fois accepté, ce fardeau serait le sien pour toujours. Un domaine tel que celui-ci ne se limitait pas seulement à des terres et à une vieille bâtisse qui serait magnifique s'il daignait y investir une petite fortune, il comprenait aussi les gens qui y vivaient.

Roberts lui avait parlé des cottages qui avaient besoin de réparations, des enfants qui n'avaient pas d'école et des hommes qui se retrouveraient sans travail si le domaine était vendu et démantelé. Difficile de faire abstraction de tout cela… En tant qu'héritier, il devait à ces gens qui dépendaient de sa famille de tenter d'améliorer leur vie.

Mais s'il le faisait, pourrait-il s'en libérer ? Et dans ce cas, en aurait-il l'envie ?

— Ah, ma très chère Hester ! s'écria M. Grant quand il la vit redescendre, après sa visite au duc. J'admirais les fleurs, et lady Sheldon m'a expliqué que c'était l'une de vos tâches. Quel talent vous avez !

Hester dut se contenir pour ne pas s'emporter et envoyer au diable cet importun.

— Vous êtes trop aimable, monsieur, dit-elle en lui ouvrant le chemin vers un des petits salons en enfilade.

Chacun était doté de magnifiques portes à double battant, qui avaient dû être superbes en leur temps, comme le laissaient imaginer les dorures effacées par endroits. Aujourd'hui, elles offraient un spectacle attristant. La pièce elle-même était meublée avec élégance, même si les tapisseries étaient un peu défraîchies. Hester n'y avait pas vraiment prêté attention jusque-là, mais il régnait une atmosphère de décrépitude dans les pièces à l'usage de la famille.

Elle s'efforça de sourire à M. Grant. Elle aurait préféré être seule, car elle avait de la correspondance à faire. Le duc lui avait demandé d'envoyer les invitations pour le bal, qu'il voulait organiser dans deux semaines. Elle s'installa au bureau près de la fenêtre et sortit une pile de bristols frappés de la couronne de Shelbourne.

— Souhaitez-vous rester seule ? s'enquit M. Grant alors qu'il choisissait une chaise proche d'elle pour s'y installer confortablement. Vous êtes une femme si compétente, Hester. J'ai observé comment vous dirigez tout ici à la perfection, et je suis persuadé que vous ferez une excellente épouse pour le gentleman chanceux qui sera votre mari.

L'air satisfait qu'il arborait lui indiqua qu'il se voyait dans le rôle dudit gentleman et était persuadé que sa proposition serait couronnée de succès. Elle aurait tant voulu que le duc interdise à cet homme de lui tenir ce discours !

— Restez si vous le souhaitez, monsieur, mais j'ai un tas d'invitations à écrire. Le duc donne un bal dans deux semaines et il n'y a pas de temps à perdre.

— Peut-être pourrais-je vous aider ? Je cachèterai les lettres pendant que vous écrirez.

— Merci de votre offre, mais je préfère le faire

moi-même. Peut-être aimeriez-vous lire pendant que je m'acquitte de cette tâche ?

— Je vois que je vous dérange. Pardonnez-moi, dit-il en se levant. Je vais vous laisser en paix, Hester. Il serait préférable que je m'entretienne avec le vicomte.

— Faites, je vous en prie, répondit Hester sans lever les yeux de son tas de papier.

Elle trempa sa plume dans l'encre et commença à rédiger la première invitation, tout en plaignant le pauvre Jared. C'était égoïste de sa part de lui envoyer M. Grant. A cette pensée, elle se rendit compte que ce dernier n'avait toujours pas quitté la pièce.

— Y a-t-il autre chose ? s'enquit-elle.

— J'aimerais m'entretenir en privé avec vous... d'un sujet... personnel. Mais je vois que je n'ai pas choisi le bon moment...

— En effet, monsieur, déclara Hester d'un ton ferme. Je dois vraiment écrire ces invitations aujourd'hui. Une autre fois, peut-être.

— Oui, bien sûr. Nous nous verrons plus tard.

M. Grant avait l'air froissé. De toute évidence, il voulait se déclarer, même après en avoir été dissuadé par le duc. Pourquoi insistait-il ainsi, alors qu'ils se connaissaient à peine et qu'elle ne l'avait jamais encouragé en ce sens ?

Soulagée d'être parvenue à le dissuader pour le moment, Hester se concentra de nouveau sur ses invitations. La liste d'invités du duc était assez longue. Elle avait beau suspecter que bon nombre d'entre eux seraient dans l'impossibilité d'assister au bal, elle se devait de répondre à son désir de convier tous ses vieux amis. Sa mère avait ajouté quelques noms de son côté, et Hester avait aussi établi une liste de jeunes femmes de sa connaissance. Si tout le monde répondait favorablement, il y aurait une centaine de personnes, dont au moins une trentaine séjournerait un jour ou deux au domaine.

Cela signifiait un surcroît de travail pour les domestiques et il faudrait recruter des extra au village. Autant dire qu'il n'y avait pas de temps à perdre !

Chapitre 6

— Je vous ai cherché partout ! s'indigna M. Grant quand il vit Jared entrer dans le hall dans l'après-midi. Personne ne m'a prévenu que vous étiez sorti.

— J'ignorais que je devais vous tenir informé de mes faits et gestes, répliqua Jared.

Il venait d'effectuer une rapide visite du domaine en compagnie de M. Roberts, et en revenait très pessimiste quant aux destinées de ceux qui y vivaient, à moins que des mesures ne soient prises d'urgence pour enrayer son déclin.

— N'est-il pas l'heure de cette bizarre coutume anglaise de prendre le thé ? continua-t-il. Ne faisons pas attendre miss Sheldon. Si vous le souhaitez, je vous consacrerai quelques minutes ensuite.

— Je vous demande pardon ? s'écria M. Grant, l'air totalement incrédule. Etes-vous conscient de ma position dans cette famille, monsieur ?

— Je suppose que vous êtes le veinard qui récupérera cet endroit si j'ai un accident fatal et que je meurs. Après la fin du vieux bonhomme, bien sûr, dit Jared en utilisant de nouveau à dessein son vocabulaire de rustre inculte.

M. Grant le considéra avec horreur.

— Je trouve cela extrêmement offensant, monsieur ! Je suis le petit-fils du frère du duc, et en tant que tel vous me devez le respect.

— Si vous voulez que je vous respecte, il vous faudra le mériter, asséna Jared, son accent soudain disparu, en le toisant d'un air glacial. Je viens de visiter des cottages qui seraient même indignes d'abriter des animaux, où vivent des femmes avec des enfants en bas âge, aux prises avec des toits percés et des murs si humides qu'ils sont recouverts de moisissures. Expliquez-moi ce que vous comptiez faire à ce propos avant mon arrivée, et là vous aurez peut-être quelque chose d'intéressant à dire.

— Je ne vous comprends pas, monsieur. Quel rapport l'état de ces cottages a-t-il avec moi ? Bien évidemment, je déplore cette situation, mais elle est tout à fait banale chez les pauvres.

— Alors, en tant qu'héritier potentiel, vous devriez avoir honte de vous ! s'écria Jared, maintenant furieux. Je ne suis pas partisan de l'esclavage, et je suis impatient qu'il soit aboli, mais je connais des gens qui auraient honte de laisser vivre leurs esclaves dans des conditions aussi épouvantables que celles que je viens de voir ici.

— Je ne sais rien de tout cela…, bredouilla M. Grant, désarçonné par cette attaque imprévue. Dans ma paroisse, je fais tout mon possible pour atténuer les souffrances des pauvres.

— Excusez-moi, je dois parler à miss Sheldon, le coupa Jared.

Il s'éloigna, laissant M. Grant mortifié et stupéfait. Il se rendit dans le grand salon à l'arrière de la maison, s'attendant à y trouver Hester et sa mère pour le thé. Il n'aurait pas dû s'emporter, il en était fort conscient, mais il était révulsé par ce qu'on lui avait montré dans l'après-midi. Quel droit avait cette famille de gaspiller une fortune au jeu alors que des gens dont elle avait la responsabilité vivaient dans des conditions qu'il n'aurait pas accepté pour ses chevaux ? Quand il pénétra dans le salon, Hester était seule. Un grand plateau d'argent avait été déposé sur une table, croulant sous une montagne de petits gâteaux, de biscuits et de scones. Cette scène d'opulence le révolta encore plus. Après la misère dont il avait été témoin, il ne pouvait supporter un tel spectacle. Sa colère se remit à bouillonner.

— Miss Sheldon ?

Hester leva les yeux vers lui et comprit immédiatement qu'il était hors de lui.

— Quelque chose ne va pas, Jared ? s'enquit-elle en se levant.

— Vous pouvez le dire !

Hester lui lança un regard stupéfait. En ce moment précis, Jared était tout le portrait de son grand-père.

— Saviez-vous pour ces cottages ? Les conditions dans lesquelles doivent vivre ces gens… Avez-vous vu comment Mme Blinch doit élever son enfant, dans cette ruine ? Comment s'étonner que ce petit soit toujours malade ?

— Vous êtes allé chez Mme Blinch ? s'étonna Hester, surprise de son agressivité.

— Et chez quelques autres. Son cottage était le pire. Vous me surprenez, Hester. Je pensais que vous auriez fait quelque chose à propos de tout cela.

— M'accusez-vous de négligence ? s'indigna Hester.

Elle ne s'était pas rendue chez les Blinch depuis son retour de Londres, mais c'était son habitude d'apporter des cadeaux, des vêtements ou de la nourriture à de nombreux nécessiteux du village.

— Nous ne sommes pas propriétaires de ce cottage, expliqua-t-elle. M. Blinch travaille pour nous, c'est exact, mais sa maison lui appartient. Grand-père a vendu une partie des cottages à leurs occupants il y a des années. M. Blinch voulait être propriétaire, et grand-père a accepté.

— D'après ce que j'ai compris, les cottages que vous possédez ne sont guère en meilleur état, et, en tant que plus grand propriétaire terrien de la région, vous auriez pu faire quelque chose pour la famille, ne serait-ce que la reloger dans un endroit plus décent.

— Nous faisons ce que nous pouvons, mais nos moyens sont limités. Nous réparons les cottages les uns après les autres, et c'est de la responsabilité de M. Blinch de s'occuper de son toit.

— Mais vous lui avez vendu cette maison, et il travaille pour votre famille. Mme Blinch a déclaré qu'ils voulaient bien la rendre à votre grand-père, en échange des réparations qui la rendraient habitable.

— Je l'ignorais, avoua Hester. Et je ne suis pas sûre que grand-père le sache. Mais nous faisons tout ce qui est en notre pouvoir pour les aider. Il est tout simplement impossible d'effectuer tous les travaux. Vous avez visité le village, mais il y a d'autres cottages sur le domaine, qui ont été restaurés.

— Vous le saviez, insista Jared, les yeux ardents. Pourtant, vous aviez pour seule préoccupation de réparer les dommages de l'incendie dans cette maison. Et vous vous préparez à donner un bal. Ne me dites pas que cela ne coûte rien.

— Nous avons des comptes pour le vin et la nourriture, se justifia Hester, devenue écarlate sous ce regard réprobateur. Les notes seront payées en leur temps.

— Je n'en doute pas. Roberts va les porter à mon attention, si je peux me permettre.

— Si vous êtes encore là, persifla Hester, méfiante.

— Oh ! je resterai assez longtemps pour les voir, assura

Jared. J'aurais pu ignorer ce qui se passait ici si je n'avais rien vu, mais ce domaine part à vau-l'eau. Si personne ne fait rien, vous allez tous couler.

— Certes, la situation laisse à désirer…, murmura Hester.

N'ayant jamais vu Jared dans un état pareil, elle se sentait très mal à l'aise. On aurait dit qu'il la tenait pour responsable de tous les maux qui s'étaient abattus sur le domaine et les gens qui travaillaient pour la famille. Elle avait fait de son mieux avec le peu dont elle disposait, et était à la fois blessée et humiliée qu'il s'adresse à elle en ces termes.

— Vous avez on ne peut plus raison là-dessus ! Je n'utiliserais même pas ce cottage en ruines comme écurie pour mon cheval ! fulmina Jared. J'ai ordonné qu'on le démolisse et que l'on en reconstruise un autre.

— Comment ? s'écria Hester, sidérée. Et où va aller cette famille entre-temps ?

— J'ai donné pour instruction qu'elle s'installe dans les dépendances jusqu'à ce que le nouveau cottage soit prêt, et j'ai également demandé à Roberts de faire venir un médecin demain matin au plus tard. Je réglerai la note.

— Je ne suis pas sûre que grand-père appréciera vos manières si expéditives, monsieur.

— S'il veut que je mette mon argent dans sa maison, il faudra bien qu'il s'y fasse, répliqua Jared, très sec. Si vous voulez bien m'excuser, je ne suis pas enclin pour le moment à m'attarder dans un salon. J'ai à faire. Je vous verrai ce soir.

Sur le seuil, il bouscula légèrement un M. Grant toujours sidéré.

— Eh bien, vraiment, commença M. Grant en pénétrant dans la pièce. Je dois présenter mes excuses pour un tel déploiement de mauvaises manières, Hester. Il a dû perdre la tête, pour vous parler ainsi.

— Il était furieux, dit Hester, la main un peu tremblante alors qu'elle servait le thé.

Des larmes lui brûlaient les yeux, mais elle était trop fière pour se laisser aller devant M. Grant.

— Ce cottage est affreux, je le sais bien, reprit-elle, et certains autres ne valent pas mieux, mais nous n'avons tout simplement pas d'argent à leur consacrer. Nos métayers dépendent de nos rentrées ponctuelles.

— On ne peut vous tenir pour responsable, déplora M. Grant. Infliger ce genre de tirade aux oreilles d'une lady délicate n'est pas un comportement de gentleman.

— Je suis responsable de ce qui se passe ici. Quand mon père est mort, grand-père est tombé malade. Il n'a vu que ma mère et moi-même pendant des mois. J'ai fait ce que j'ai pu, mais…

Elle réprima un sanglot, refusant de se laisser atteindre par les accusations de Jared. Ce n'était pas le moment de se lamenter devant cet homme qui n'était pas un intime. Elle se reprit très vite.

— Du thé, monsieur Grant ?

— Merci. Avec du lait, mais sans sucre, demanda-t-il en la couvant d'un regard mielleux qui la contraria au plus haut point. Heureusement, cela lui fit reprendre définitivement contenance.

— Il est injuste qu'un tel fardeau soit retombé sur vos épaules, continua-t-il. Aucune femme ne devrait avoir à se soucier du monde des affaires.

— Je vous assure que je ne considère pas cela comme un fardeau, se récria-t-elle. Cela m'a profondément dérangée que nous ne puissions pas effectuer plus de réparations, mais…

Elle s'interrompit pour réfléchir. Avait-elle été égoïste de se soucier plus de Shelbourne que des cottages ? Certes, elle n'était pas insensible à la détresse autour d'elle, mais cette maison était très chère à son cœur.

— Miss Sheldon… Ma très chère Hester…

M. Grant s'était levé, et, alors qu'elle le considérait avec stupéfaction, il mit péniblement un genou à terre.

— Vous devez savoir que je serais infiniment heureux de vous sortir de tout cela… en faisant de vous ma femme. Je ne suis pas riche, mais j'ai assez pour subvenir à nos besoins. Vous auriez tout ce qu'une lady raffinée telle que vous peut désirer. Vous n'auriez plus jamais à épuiser votre jolie tête pour des questions d'argent ou de propriétés.

— Monsieur ! Monsieur Grant, je vous en prie, relevez-vous ! s'écria Hester.

Elle le considéra, affolée. Comme si la réprimande de Jared ne lui avait pas suffi ! Voilà qu'elle se retrouvait face à une situation qu'elle aurait voulu éviter à tout prix !

— Mère…, soupira-t-elle, soulagée à l'apparition de lady Sheldon. Comment va grand-père ?

— Oh ! comme d'habitude ! répondit lady Sheldon, en regardant tour à tour sa fille puis M. Grant, embarrassé de toute évidence. Pardonnez-moi, ai-je interrompu quelque chose ?

— Oh ! non ! Nous reparlerons une autre fois, monsieur. Veuillez m'excuser, mais je suis un peu bouleversée pour le moment.

— Euh, oui…, bien sûr. Excusez-moi, lança-t-il avant de s'éclipser en hâte.

— Mon Dieu ! s'écria lady Sheldon, attristée. J'ai bien interrompu quelque chose, n'est-ce pas ?

— Oui, et heureusement ! répliqua sèchement Hester. J'ai échappé à sa demande un peu plus tôt dans la journée, mais il a fini par me coincer. C'est très étrange, maman, car je n'ai jamais rien fait pour encourager de tels sentiments de sa part.

— Je l'espère bien, soupira sa mère. Ton grand-père ne supporterait pas qu'il vive ici, et nous ne pourrions pas nous en sortir sans toi, Hester.

— La situation est en train de changer, objecta Hester, pensive. Le vicomte vient de me réprimander pour ne pas avoir pris des mesures concernant le cottage des Blinch. Il a ordonné qu'on le démolisse et a l'intention de le faire reconstruire. Il va faire installer la famille dans les dépendances, pour la durée des travaux.

— C'est ce que m'a dit M. Roberts. Il était très satisfait. Il a ajouté que le vicomte était une révélation, quoique je ne voie pas très bien ce qu'il a voulu dire par là.

— Je suis certaine qu'il fait ce qu'il faut, mais il me reproche d'avoir négligé la famille Blinch et de ne pas avoir fait réparer leur maison.

— Ce n'était pas vraiment à toi de t'en occuper, ma chérie. Ils vivent dans des conditions épouvantables, certes, mais Blinch aurait bien pu prendre un marteau, des clous et aller réparer son toit lui-même !

— Le cottage était en mauvais état quand il l'a acheté, et je dois dire à sa décharge que M. Blinch est très pris. Il travaille pour nous, mais il élève aussi des porcs sur le bout de terre qu'il possède. J'imagine qu'il n'a pas réalisé qu'il fallait entretenir les cottages régulièrement quand il a demandé à devenir propriétaire du sien.

— Sans doute. Il pensait que ce serait avantageux pour lui, mais il n'a pas mesuré les obligations que cela impliquait.

— C'est ce qu'a laissé entendre Jared, maman. Il pense

que nous sommes de mauvais propriétaires, et il a l'intention de nous montrer comment nous amender.

— J'ai remarqué que Jared était un gentleman déterminé, en effet, dit lady Sheldon en souriant à sa fille. Estime-toi heureuse qu'il soit prêt à s'investir pour ce domaine, Hester. S'il allège ta tâche, tant mieux ! Tu as déjà assez à faire avec la maison et les domestiques.

— Il va passer en revue et critiquer tout ce que j'ai fait pour le domaine !

— Non, je ne pense pas, dit lady Sheldon. Tu espérais bien une aide extérieure, n'est-ce pas ? Il était évident que cela apporterait du changement. Pour ma part, je suis satisfaite. Je vais dormir bien mieux maintenant que le vicomte prend les choses en main.

— Bien sûr, c'est son rôle de s'occuper des affaires du domaine, concéda Hester. Mais il était furieux contre moi, maman. Je ne l'avais jamais vu dans un état pareil.

— A mon avis, tu n'étais pas le motif de sa colère, avança lady Sheldon. Et je suis sûre qu'une fois calmé, il se rendra compte que tu n'es en rien responsable. Tu n'as pas perdu l'argent de la famille au jeu, et tu as consacré tous tes efforts à nous maintenir la tête hors de l'eau.

— Il ne voit pas les choses de la même manière, se désola Hester. Je ne vais pas penser à cela maintenant, maman, je suis bien trop préoccupée par M. Grant et ses projets. Je vais refuser son offre, bien sûr, mais je suis persuadée que rien ne l'empêchera de me refaire sa demande.

La vérité, songea Hester, était qu'elle était bien moins ennuyée par la demande de M. Grant que par la colère du vicomte. Comment pouvait-il la juger aussi mal alors qu'elle avait cru qu'ils devenaient amis ?

*
* *

Jared ôta sa tenue d'équitation tout en se morigénant pour sa conduite. Il avait déjà commencé à se calmer et il se rendait compte qu'il avait été injuste envers Hester. Il avait été tellement écœuré par la manière dont cette famille avait jeté son argent par les fenêtres et ainsi conduit à la décrépitude le domaine qu'il avait déversé toute sa rage sur elle. Elle qui s'était battue durant des mois pour leur faire garder la tête hors de l'eau, tout en faisant son possible pour les métayers.

Il se lava en vitesse, pressé de présenter ses excuses à Hester. La jeune femme n'était pas responsable de l'état du domaine. Il avait fallu des années de gestion désastreuse et de pertes de jeu inconsidérées pour qu'une telle famille en soit réduite à ces extrémités. Il avait eu tort de l'accuser, il en était fort conscient.

Il avait tout d'abord eu l'intention de repartir une fois que les travaux auraient démarré dans la maison, déterminé à couper court et à s'éclipser avant de se retrouver englué par des liens ténus qui se renforçaient insidieusement à chaque instant supplémentaire passé ici. Il exhala un petit soupir d'appréciation en passant la chemise impeccable et les vêtements qu'un jeune domestique avait préparés pour la soirée. Le choix du jeune homme l'enchanta. Frederick ferait un excellent majordome, et il lui en faudrait un s'il décidait de s'installer en Angleterre. Chez lui, il ne prêtait pas toujours beaucoup d'attention à la façon dont il s'habillait, plus occupé à savourer la liberté de travailler de ses mains ou à pratiquer l'équitation quand l'envie lui en prenait. S'il restait ici et devenait l'homme dont avait besoin cette famille, ce serait différent.

Y pensait-il réellement ? Jared s'examina sans complaisance dans le miroir d'acajou qui ornait l'armoire de sa chambre.

Le mobilier de la pièce était acceptable, mais il le changerait sans aucun doute. Il ferait venir ses meubles personnels de La Nouvelle-Orléans et demanderait à Red de vendre le reste, parce qu'il doutait d'y vivre encore. Ce qui ne l'empêcherait pas de garder certaines de ses propriétés en France.

Etait-il donc devenu fou ? Pourquoi voudrait-il dépenser une fortune dans cette maison ? Et engloutir des milliers de dollars dans la propriété d'un homme qui ne s'était jamais soucié de s'enquérir de son petit-fils américain avant d'y être poussé par la nécessité ?

Parce que sa mère aurait voulu qu'il sauve sa famille du gouffre dans lequel elle se précipitait ! La réponse le frappa comme une évidence. Voilà pourquoi il avait été entraîné ici contre sa volonté. Il s'était débattu, mais le beau regard grave d'une jeune femme l'avait mené en ce lieu. Et le sentiment que cette demeure, cette vie étaient son avenir ne faisait que croître depuis lors.

Jared jura dans sa barbe. Il était bel et bien pris au piège, que cela lui plaise ou non. Mieux valait donc informer ses parents que leurs soucis étaient terminés. Il pouvait remettre ce domaine sur pied sans même sentir les dépenses que cela occasionnerait, et il le ferait. Mais il se ménagerait la possibilité de s'en aller une fois la tâche terminée, et de retrouver son ancienne vie.

D'ailleurs, qu'est-ce qui l'attendait à La Nouvelle-Orléans ? Des amis, son cousin, sa propriété… mais il pouvait avoir tout cela ici. Et même plus, s'il n'avait pas ruiné toutes ses chances avec Hester un peu plus tôt.

Le pardonnerait-elle ? Jared envisagea les options de son avenir. Il lui faudrait quelqu'un qui l'aide en ce lieu, une femme qui l'accepterait tel qu'il était, parce qu'il était peu susceptible de changer. Jared était doté d'un fort tempérament. Il était habitué à mener les choses à sa guise. La femme qu'il épouserait devrait l'accepter, si elle le pouvait. Quand il avait demandé à Hester de lui trouver une épouse, il plaisantait. Mais à présent, il réalisait que celle-ci serait essentielle s'il voulait faire sa vie à Shelbourne. Il ne lui restait plus qu'à voir si les événements tournaient de la manière qu'il espérait.

Hester se changea pour revêtir une tenue de soirée gris pâle. La plupart de ses vêtements étaient d'ailleurs de cette teinte, parce qu'elle portait encore le demi-deuil. Elle n'en avait que très peu dans d'autres couleurs. Cette robe n'était pas sa plus jolie. Elle avait demandé à sa femme de chambre de lui faire une coiffure sévère, et elle ne portait aucun bijou quand elle arriva dans le salon ce soir-là. Elle avait la ferme intention de montrer au vicomte qu'elle refusait de le flatter en faisant un effort d'élégance. Il avait repris la gestion du domaine, elle ne pouvait que lui en être reconnaissante, mais elle allait faire un peu machine arrière. Cela ne lui ferait aucun bien de se rendre vulnérable à son égard. Si elle s'autorisait à l'aimer trop, elle pourrait en souffrir.

Jared était déjà dans le salon, en compagnie de Lady Sheldon. Ils semblaient en pleine conversation. M. Grant s'était mis à l'écart, près de la fenêtre, préférant de toute évidence être seul. Lady Sheldon adressa un sourire à Hester.

— Jared a quelque chose à te dire, ma chérie. Il m'a confié qu'il te devait des excuses.

— J'ai été grossier envers vous cet après-midi, commença Jared. Pardonnez-moi. Je n'aurais pas dû vous blâmer pour l'état de ces cottages. Lady Sheldon m'a expliqué que vous avez toujours fait ce que vous pouviez pour les villageois.

— Vous êtes pardonné, répondit Hester en relevant la tête pour lui lancer un regard fier et réservé, tout en restant polie. Je comprends votre colère, et je suis soulagée que vous ayez pris des mesures pour améliorer la situation.

— J'expliquais à lady Sheldon qu'à mon avis, nous devrions démolir les cottages un par un et les reconstruire. Dépenser de l'argent en réparations est une perte de temps, alors que l'on peut construire des maisons avec le confort moderne, dont les murs ne dégoulineront pas d'humidité.

— Cela représente une somme considérable, objecta Hester en fronçant les sourcils. Etes-vous prêt à investir autant ici ?

— Oui. Je crois que je n'ai pas le choix, trancha Jared. Si je dois vivre ici, en tant qu'héritier, puis duc quand le temps sera venu, les choses devront être telles que je les souhaite.

Hester le considéra, stupéfaite. Cette déclaration était l'aboutissement de ses prières, mais elle n'y était finalement pas préparée. Sa vie changerait tellement... Elle serait bien plus facile sous certains aspects... et bien plus difficile aussi.

— Oui, bien sûr, balbutia-t-elle. Je suis... ravie que vous ayez décidé de faire de cette maison votre foyer.

— Cela étant dit, j'ajoute que je passerai une partie de mon temps à Londres, reprit Jared. Mais, même si je suis là-bas, je m'assurerai que tout se passe bien sur le domaine.

— Je vous en remercie d'avance, dit Hester, soudain soulagée.

S'il n'était pas en permanence à Shelbourne, elle pourrait plus facilement supporter sa présence.

— En avez-vous déjà informé grand-père ? s'enquit-elle.

— Non, mais j'ai l'intention de le faire ce soir, après le dîner, annonça-t-il, dérouté par la réserve nouvelle que montrait Hester. J'espère que mes projets pour le village rencontrent votre approbation ?

— Bien sûr, mais la décision vous appartient, monsieur.

— Etes-vous fâchée contre moi, Hester ?

— Non, pourquoi ? Vous vous êtes excusé, c'est suffisant.

— Je pense qu'elle devrait être furieuse quand même, intervint M. Grant, émergeant de la pénombre, au fond du salon. Vous avez été épouvantablement grossier avec elle, monsieur.

— C'est exact, reconnut Jared en réfrénant ce qu'il aurait voulu ajouter, hors de propos pour le moment. Mais Hester a été assez bonne pour accepter mes excuses.

— Vous avez de la chance qu'elle soit d'un bon naturel, ajouta M. Grant en le foudroyant du regard. Si quelqu'un s'adressait à ma femme en ces termes, il aurait à en répondre.

— Je vous en prie, monsieur Grant, n'en dites pas plus, supplia Hester. C'est oublié.

— Vous devez savoir à quel point je me soucie de vous, Hester, insista M. Grant. Je n'ai jamais été aussi choqué de ma vie. Entendre cette… personne… parler à une dame de cette manière… et à une dame que je place au-dessus de toutes les autres !

— Vraiment, cela n'a pas d'importance, coupa Hester. Le vicomte Sheldon avait toutes les raisons d'être hors de lui et je ne les discute pas. De plus, il va investir son argent dans le domaine. Il a le droit d'agir à sa guise.

— Mettre de l'argent dans le domaine ? s'étrangla M. Grant. Je doute qu'il en ait !

— En cela vous vous trompez, monsieur, répliqua Jared. J'avais l'intention de vous le dire en privé, lady Sheldon, mais laissez-moi vous assurer que vos soucis financiers sont terminés. J'ai décidé de dépenser ce qu'il faudra pour remettre ce domaine sur pied. Quand je suis arrivé, je n'étais pas certain de vouloir utiliser mon argent à cela, mais j'ai réfléchi. Les nouveaux cottages ne sont qu'une partie de l'ensemble. Demain, je vais discuter avec un entrepreneur que m'a recommandé M. Roberts, et nous allons commencer les travaux. Quoique, bien sûr, nous allons peut-être avoir besoin de plus d'une entreprise, et j'envisage des travaux assez longs. J'espère néanmoins pouvoir faire réparer les dommages de l'incendie à temps pour le bal.

— Quel joli conte ! s'exclama M. Grant, renfrogné. Dieu merci, le dîner est prêt, ajouta-t-il d'un ton sinistre en voyant le majordome entrer dans la pièce.

— Veuillez m'excuser, milady, dit celui-ci. La cuisinière n'est pas tout à fait prête, mais il y a un visiteur…

— Un visiteur ? A cette heure ? dit lady Sheldon, étonnée. Qui cela peut-il être ?

— J'espère que je ne m'impose pas ! lança une voix d'homme sur le seuil.

Le majordome s'effaça pour le laisser entrer.

— Lady Sheldon, miss Sheldon… Je vous ai envoyé une lettre pour vous prévenir de mon arrivée, mais il semble que vous ne l'ayez pas reçue. Je suis désolé d'arriver ainsi à l'improviste.

— Monsieur Knighton ! Richard ! s'exclama lady Sheldon, souriante, en s'avançant mains tendues pour accueillir son cousin, qui l'embrassa sur les deux joues. Quel plaisir de vous voir, mon cher cousin ! Venez, je vous en prie, que je vous présente quelqu'un. Vous n'avez pas encore rencontré l'héritier du duc. Vicomte Sheldon, voici mon cousin, M. Richard Knighton.

— Enchanté de faire votre connaissance, dit M. Knighton en tendant la main. Hester m'a parlé de vous, et c'est un grand honneur de vous rencontrer. Permettez-moi de vous souhaiter la bienvenue dans votre nouvelle demeure.

J'espère que vous vous acclimatez, monsieur. Cela a dû vous faire un choc, de découvrir cet endroit.

— J'ai été agréablement surpris. La maison est vaste, mais je m'attendais à ce qu'elle soit beaucoup plus ancienne.

Jared serra la main tendue. Le nouvel arrivant semblait être un gentleman avenant et ouvert, et son irruption tombait on ne pouvait mieux.

— Le corps principal a peut-être un peu plus d'un siècle. Les ailes ont été ajoutées ensuite, précisa M. Knighton. Comme vous le dites, cela aurait pu être pire. Ces demeures élisabéthaines sont impossibles à chauffer, dit-on. Ma maison dans le Hampshire est beaucoup plus petite, mais aussi plus moderne. Si j'étais vous, je démolirais tout dès que l'occasion s'en présenterait pour reconstruire quelque chose plus au goût du jour.

Remarquant l'expression d'Hester, il fit un grand sourire.

— Oui, je sais que vous adorez cette demeure, Hester, continua-t-il, mais vous ne pouvez pas vous attendre à ce que le vicomte partage votre opinion.

— En fait, je pense qu'elle pourrait être… et sera magnifique, dit Jared. Les dégradations ne sont que superficielles, et un maître d'œuvre pourra y remédier rapidement. Avec un mobilier un peu plus raffiné et de nouvelles tapisseries, elle reprendra meilleur aspect, dit-il en souriant devant les yeux agrandis d'Hester. Cela prendra du temps, miss Sheldon, mais je crois voir comment en faire un endroit bien plus agréable à vivre pour nous tous.

— Faites selon votre idée, dit-elle.

— Je vais d'abord réaménager mes appartements, expliqua Jared. J'ai l'intention de faire expédier mes affaires personnelles d'Amérique.

— Vous allez donc rester ? s'enquit M. Knighton, l'air

scrutateur. Je pensais que c'était peu probable, mais j'en suis enchanté pour Hester, et pour ma cousine.

Il balaya ostensiblement la pièce du regard, faisant mine de découvrir qu'un autre gentleman était présent.

— Monsieur… Vous êtes monsieur Grant, j'imagine ? Nous nous sommes déjà vus une fois à Londres, si ma mémoire est bonne.

— Monsieur, dit M. Grant en inclinant la tête avec raideur. Miss Sheldon nous a déjà présentés, en effet. Mais c'était ici, pas à Londres.

— Bien sûr ! Comment ai-je pu l'oublier ? Je suis enchanté de vous revoir, monsieur.

M. Knighton traversa alors la pièce pour lui serrer la main, au moment où l'intendante vint annoncer que le dîner était servi.

— Madame, prendrez-vous mon bras ? proposa Jared à lady Sheldon qui ne se fit pas prier et lui offrit un grand sourire. Ouvrons la marche.

— Oui, certainement, accepta-t-elle. Vous devriez présider, monsieur. J'ai demandé que l'on installe votre couvert en bout de table. Hier, nous l'avions laissé vide, car c'est la place qui revient de droit à votre grand-père, mais il ne descend plus dîner ces derniers temps.

— Si vous le souhaitez, acquiesça Jared.

Il jeta un coup d'œil à Hester. Elle avait accepté de se faire accompagner par M. Knighton. M. Grant en avait l'air fort contrarié. Il ruminait certainement quelque chose : mieux valait le garder à l'œil, songea Jared.

— J'espère que vous êtes satisfaite des décisions que j'ai prises, madame ? reprit-il.

— Je m'en remets à vous pour tout ce qui concerne les affaires, s'empressa-t-elle de répondre. Je n'ai pas la tête faite pour cela. C'est cette pauvre Hester qui a tout pris en charge.

— J'espère qu'elle continuera à me conseiller, avança Jared, assez fort pour qu'Hester puisse l'entendre. J'ai beaucoup à apprendre et votre fille connaît tout le monde. En ce qui concerne la tenue de la maison, j'espère qu'elle procédera comme auparavant ?

— Oh ! vous pouvez compter sur sa bonne volonté ! dit lady Sheldon. Elle a le bien du domaine à cœur, monsieur, comme vous le savez certainement déjà.

— Oui, bien sûr. Je n'en ai jamais douté.

Hester lui lança un regard soupçonneux. Il lui sourit en passant devant elle quand il se dirigea en bout de table pour y prendre sa place.

Les domestiques avaient démarré le service, en commençant par lady Sheldon. Cependant, ce fut à Jared qu'ils présentèrent le vin, dont il s'enquit du millésime. Hester fut fascinée par son expression quand il le goûta : il ne l'apprécia pas vraiment, c'était indubitable. Pourtant, il n'exigea pas qu'on le change. Elle fit un signe au maître d'hôtel.

— Oui, miss Sheldon ? demanda celui-ci en penchant la tête car elle souhaitait chuchoter.

— De meilleurs vins, je vous prie, monsieur Harris. Nous avons des invités…

L'homme hocha la tête et s'éclipsa. Hester savait qu'il réservait les quelques bons crus qu'il leur restait à l'usage du duc, mais ce n'était plus nécessaire désormais. Elle ne doutait pas que le vicomte s'occuperait de regarnir la cave à son goût.

Quelques instants plus tard, le verre de Jared fut remplacé, et on lui servit un vin différent. Il regarda Hester en haussant les sourcils. Elle lui répondit par un hochement de tête, mais éprouva une satisfaction secrète quand, après l'avoir goûté, il lui adressa un sourire d'approbation. Il leva son verre vers elle, et Hester soutint son regard, en prise à des émotions contradictoires.

La décision qu'avait prise Jared de rester était à la fois surprenante et rassurante, car elle savait qu'ayant décidé d'investir dans le domaine, il le ferait bien. Sa volonté de reconstruire les cottages était le signe qu'il ne laisserait rien au hasard. C'était un coup de chance qu'elle ne pouvait pas regretter, pourtant elle sentait encore une petite douleur au fond d'elle-même. S'il l'appréciait vraiment, il ne l'aurait pas accusée de négligence.

Son altercation avec Jared l'avait conduite au bord des larmes, ce qui lui arrivait très rarement.

Elle se rendit soudain compte qu'elle n'avait fait que penser à lui depuis le début du dîner, ignorant ses invités de manière peu courtoise. Elle avait commencé à aimer Jared Clinton plus que de raison, et son explosion de colère l'avait durement rappelée à la réalité. Elle ne savait rien de cet homme. Il pouvait être n'importe qui… Jared avait reconnu posséder un cercle de jeu. Qu'y avait-il d'autre dans son passé qu'elle ignorait ?

Elle avait déduit que l'agression dont il avait été victime devait avoir un rapport avec sa nouvelle condition d'héritier, mais rien n'était sûr… Cela pouvait très bien concerner un autre pan de sa vie. De plus, à presque vingt-sept ans, elle n'était plus de la première jeunesse. Maintenant qu'il avait accepté son rôle, il serait inondé d'invitations, et la file d'attente des mères avides de mariage pour leurs jolies jeunes filles serait interminable. Il était séduisant et de toute évidence fortuné, en dépit de ses tentatives pour le dissimuler. Une fois que la nouvelle serait répandue, il pourrait faire son choix parmi toutes les femmes célibataires de Londres.

Comment donc envisagerait-il de la prendre pour épouse ? pensa Hester. Il avait dit une fois en plaisantant qu'ils iraient bien ensemble, mais il se moquait d'elle, bien sûr. Oh oui, il s'était moqué d'elle depuis le début ! Peut-être l'avait-elle mérité ; elle l'avait jugé sans le connaître. Mais comment aurait-elle pu deviner la vérité ?

Il l'avait punie de l'avoir pris pour un moins-que-rien. Et elle soupçonnait qu'il n'avait eu tout d'abord aucune intention de sauver le domaine quand il était arrivé à Shelbourne. Quelque chose l'avait convaincu qu'il était de son devoir de restaurer l'honneur de la famille. Cependant, elle refusait de croire qu'elle était la cause de ce revirement. Il avait montré de la compassion pour les pauvres et les nécessiteux, et elle respectait son intégrité. Si elle l'avait déjà apprécié avant qu'il ait révélé ce trait de caractère, elle ne l'en aimait que plus maintenant. Mais il avait aussi prouvé qu'il était entier, et pouvait être cinglant. Tout bien réfléchi, elle ne pouvait pas non plus l'en aimer moins pour cela. Ah ! elle n'était pas sûre de pouvoir continuer à vivre dans cette maison une fois qu'il aurait trouvé une épouse !

Elle releva de nouveau la tête vers Jared, qui était en train de l'observer avec tant d'intensité qu'elle se sentit rougir et se détourna vite vers M. Knighton, son voisin, pour bavarder avec lui.

— Lady Ireland m'a dit qu'elle viendrait ce week-end, lui annonça-t-il. Vous allez sans doute être très occupée, maintenant que la date du bal est fixée.

— C'est exact, reconnut Hester. J'ai une invitation pour vous. Vous viendrez, j'espère ?

— Pour tout vous dire, j'espérais rester ici jusqu'au bal.

— Ah... euh... oui, je ne vois aucune raison qui empêche

cela, bredouilla Hester, un peu surprise qu'il s'invite d'une manière aussi cavalière. Maman sera contente de vous garder près d'elle, j'en suis certaine.

— Et vous aussi, j'ose espérer ? l'interrogea-t-il avec un sourire.

Aussitôt, Hester se souvint du comportement étrange de M. Knighton lorsqu'il était venu lui rendre visite chez sa marraine. Son cœur se serra à l'idée que le vieil ami de sa mère puisse nourrir l'espoir de l'épouser. C'était déjà assez terrible comme cela que M. Grant s'obstine. Mais être obligée de refuser deux prétendants, voilà qui serait bien pire !

Hester passa le reste de la soirée partagée entre irritation et gaieté. Apparemment, M. Knighton éprouvait envers M. Grant une vive antipathie, qui d'ailleurs semblait réciproque. Ils furent tous deux très empressés auprès d'elle, ce qui eut le don de l'agacer. En revanche, elle se divertit beaucoup de l'expression qu'elle lisait dans leurs yeux quand ils se regardaient l'un l'autre. Comment ne pas croire qu'elle était la cause de cette antipathie mutuelle ? Tandis qu'elle s'amusait à les comparer à deux chiens se disputant un os, elle se refusa à envisager que la cour qu'ils lui faisaient tous deux était sérieuse. C'était vraiment incompréhensible. Elle n'était pas une héritière et, le vicomte ayant décidé de s'occuper du domaine, il ne restait aucune possibilité qu'il lui revienne un jour.

Elle rumina longtemps les derniers événements dans sa chambre avant de se coucher. Elle n'avait pas songé au mariage depuis des années. Elle avait reçu une proposition quand elle était très jeune, mais le prétendant, d'un certain âge, ne lui avait pas plu. Depuis lors, les choses avaient changé, et elle avait mis de côté ses rêves de jeune fille. Que non pas un, mais deux gentlemen lui déclarent leur flamme était surprenant. Ou bien c'était elle qui se faisait des idées au sujet de M. Knighton… Toutes ces pensées la tinrent éveillée une bonne partie de la nuit. Puis, épuisée, elle finit par plonger dans un profond sommeil.

Le lendemain matin, quand elle se rendit aux écuries pour effectuer sa promenade habituelle, elle y découvrit Jared. L'avait-il attendue, elle n'aurait su le dire. Mais il fit un signe à l'un des palefreniers, qui avança immédiatement son cheval déjà sellé.

— Je pensais que nous pourrions monter ensemble, si aucun de vos soupirants ne vous en a déjà priée.

Il l'avait donc aussi remarqué, ce qui signifiait que le manège ridicule des deux hommes la veille n'était pas le seul fruit de son imagination.

— Je l'aurais refusé s'ils l'avaient demandé, dit vivement Hester. J'aime cette promenade matinale, et je ne veux pas qu'elle soit gâchée.

— Sera-t-elle gâchée si je vous accompagne ?

— Non, car je ne pense pas que vous cherchiez l'occasion de me faire votre demande, Jared, et c'est ce que j'essaye d'éviter en ce moment.

— Vous n'éprouvez donc pas de plaisir à être courtisée par deux gentlemen bien sous tous rapports ? l'interrogea Jared d'un ton innocent, démenti par la lueur moqueuse dans ses yeux.

— Non. Je ne comprends pas ce qui leur est passé par la tête ! Je n'ai pas de fortune. Je ne suis pas une beauté. Je ne vois pas pourquoi ils veulent soudain m'épouser.

— Vous n'êtes peut-être pas ce que l'on appelle communément une « beauté », mais vous devez savoir que vous êtes attirante, intelligente et charmante.

Hester se sentit rougir sous son regard insistant.

— Eh bien, je ne crois pas m'être améliorée ces huit dernières années, et personne ne m'a demandée en mariage tout ce temps. Alors ?

— Personne ? Que les gentlemen anglais peuvent donc parfois être stupides ! s'exclama Jared, avec la même lueur amusée dans les yeux. Peut-être est-ce mon arrivée qui leur a fait réaliser ce qu'ils auraient à perdre ?

Hester accepta qu'il l'aide à se mettre en selle, mais refusa de se laisser prendre à ses taquineries.

— Qu'est-ce qui vous a décidé à rester ? l'interrogea-t-elle alors qu'il se mettait également en selle.

— Voulez-vous que je vous le dise franchement ?

— Bien sûr.

— Tout d'abord, je n'aime pas qu'on me tire dessus. Si cet acte était destiné à m'effrayer pour que je m'enfuie et renonce à mes droits sur ce domaine, c'était un mauvais calcul. Ma seconde raison est plus compliquée. J'ai découvert que j'avais un certain attachement pour cet endroit et ces gens. J'ai compris que, si je ne faisais rien, beaucoup de personnes en pâtiraient, en plus de la famille.

Hester le scruta pendant qu'ils sortaient de la cour au pas. Elle était quelque peu offensée par sa franchise, car de toute évidence il avait eu pour première intention de laisser la famille se dépêtrer seule de ses ennuis. Mais la souffrance des gens qui dépendaient du domaine pour subsister l'avait fait changer d'avis.

— Vous êtes plein de compassion, monsieur. Je ne peux pas le blâmer, même si j'espérais vous voir évoquer la loyauté envers la famille. Vous êtes l'un des nôtres, après tout, que cela vous plaise ou non.

— Peut-être…

Il plongea son regard dans le sien d'une telle manière qu'elle détourna la tête.

— J'éprouve peu de sympathie envers une famille qui a jeté par les fenêtres tous les avantages que la naissance et la richesse lui avaient accordés, reprit-il. Mais vous n'avez pas connu cette opulence, n'est-ce pas ?

— Je n'ai jamais été privée de rien, objecta Hester. Je ne suis peut-être pas une héritière, mais je me considère privilégiée.

— Oui, c'est ce que je pensais, dit Jared. Allons-nous laisser ces chevaux s'amuser un peu ? Faisons la course jusqu'au lac, mais n'allons pas plus loin par mesure de sécurité. Quoique je doute que l'on essaie de me tirer dessus alors que je suis en votre compagnie.

Hester acquiesça et ils lâchèrent la bride à leurs montures, galopant côte à côte. Le temps avait été très sec dernièrement et le sol était dur sous les sabots des chevaux. La jeune femme éprouva une légère appréhension quand ils approchèrent du lac, mais rien ne se produisit alors qu'ils ralentissaient l'allure de leurs montures pour faire demi-tour et rentrer par un autre chemin. Ils avaient à peine échangé quelques mots depuis leur départ, et ne reprirent leur conversation qu'en arrivant aux écuries.

— Voulez-vous que je demande à ces deux hommes de quitter les lieux ? demanda Jared à Hester avec un air inquisiteur. Je le ferai s'ils vous importunent trop, Hester.

— Oh ! non, ne faites pas cela ! M. Knighton est le cousin de maman par alliance, et son seul parent en dehors de la famille Shelbourne, en fait. Quant à M. Grant…, il est l'invité de grand-père.

— Je pensais bien que vous feriez ce genre de réponse, dit Jared en descendant de sa monture.

Il s'approcha pour l'aider à descendre à son tour. Il lui

enserra la taille et la souleva sans effort. Elle ressentit toute sa puissance quand ils restèrent tout près l'un de l'autre un instant. Quelque chose dans son regard lui serra la gorge, et son cœur se mit à cogner dans sa poitrine. Il était si viril, si athlétique ! Elle n'avait jamais rencontré un homme qui lui fasse éprouver pareils sentiments.

— Mais si vous changez d'avis, dites-le-moi, conclut-il.

— Je m'inquiète plus de votre sécurité, avoua Hester. Si ce coup de feu était destiné à vous tuer…

— Je suis conscient des risques, ne vous inquiétez pas. Maintenant que l'effet de surprise a été gâché, je me méfierai. Je vous assure que je ne suis pas aussi insouciant là-dessus que vous pourriez le croire. J'ai la situation en main. A ce propos, il faudra que j'aille rencontrer une certaine personne très bientôt. Après cela, nous en saurons peut-être un peu plus.

— Oh…, bredouilla Hester, déroutée par cette nouvelle. Serez-vous absent longtemps ?

— Peut-être quelques heures seulement, une journée tout au plus. Ce ne sera pas long. Je serai revenu pour le bal, et avant cela je dois rencontrer les maîtres d'œuvre. Pourquoi me posez-vous la question ?

— Oh ! sans raison particulière. Je crois que je me suis habituée à votre présence, voilà tout.

En fait, elle venait de se rendre compte qu'il allait lui manquer… même s'il ne s'absentait qu'une journée. C'était ridicule !

— Eh bien, voilà qui est plaisant à apprendre, roucoula-t-il. J'apprécie qu'vous m'appréciiez, m'dame.

— Oh ! vous… vous êtes insupportable ! s'écria Hester en tournant les talons.

Cet homme était impossible ! Il se délectait à la taquiner et elle ne savait jamais quand il fallait le prendre au sérieux !

Elle bouillonnait en se dirigeant vers la maison. Sa vie avait été jusqu'ici si ordonnée, si raisonnable. Désormais, elle ne savait plus ce qu'elle faisait. C'était de sa faute s'il éveillait des sentiments, des sensations qu'elle n'avait jamais vécus ou auxquels elle avait renoncé. Avant le baiser qu'ils avaient partagé, elle avait été prête à se contenter de la vie qu'elle menait, mais depuis… des pensées impossibles et ridicules ne cessaient de l'occuper. Et l'une d'elles était qu'elle aimerait beaucoup être embrassée ainsi de nouveau.

— Ah, vous voilà, Hester ! lança M. Knighton, venant à sa rencontre dans le hall. Vous êtes allée vous promener à cheval. Si j'avais su, je serais venu avec vous, on ne sait jamais qui on peut rencontrer. J'ai entendu dire qu'un bandit de grand chemin opérait par ici. Il est réputé violent et tire sur quiconque se met en travers de sa route.

— Oh ! je doute qu'un malandrin de cette sorte rôde sur nos terres, répliqua Hester en le regardant attentivement. Il n'ignorerait pas que les gardes-chasse du duc l'abattraient ou le captureraient s'il était surpris à enfreindre la loi sur le domaine.

— S'ils ne sont pas de mèche avec lui, objecta M. Knighton. Je suis sûr qu'il a des amis qui le renseignent sur les trajets empruntés par les riches visiteurs. Obtenir des informations de l'intérieur, voilà qui est toujours utile à un homme de cette nature.

— Oui, certainement, concéda Hester, qui n'avait jamais envisagé la question sous cet angle. Cela pourrait venir de domestiques, sans doute, qui en voudraient à leur employeur. Ce n'est pas le cas ici.

— Ah bon ? Vous avez une grande confiance en vos domestiques, Hester.

— Oui. La plupart d'entre eux ont passé toute leur vie

ici, à servir le duc. Je ne les imagine pas en train de lui causer du tort.

— Ils ne sont peut-être pas ravis de leur nouveau maître, avança M. Knighton. Le trouvez-vous acceptable, Hester ? Grant dit qu'il s'exprime parfois d'une manière choquante, je dois avouer que je n'ai rien remarqué de tel hier soir.

— Il est doté d'un sens de l'humour assez particulier, coupa sèchement Hester. Parfois, il aime bien taquiner les gens. Je vous assure qu'il a toutes les manières d'un gentleman, et quelque chose de plus. Il est solide et il inspire confiance.

— On dirait que vous l'appréciez, constata M. Knighton, en haussant les sourcils. A Londres, il m'avait pourtant semblé que ce n'était pas le cas.

— C'est un goût que j'ai développé par la suite, lança Hester.

Elle avait dit cela l'air de rien, parce qu'elle n'aimait pas ce genre d'inquisition.

— Tout d'abord j'ai cru que nous ne nous entendrions pas, expliqua-t-elle, mais maintenant... je l'aime bien. Oui, je l'aime bien et je pense que sa présence sera bénéfique au domaine.

— Alors, j'en suis fort aise, approuva M. Knighton. J'avais craint que vous ne vous sentiez flouée, votre autorité étant usurpée par une personne qui n'est ici qu'en raison des tragédies ayant frappé votre famille.

Il lui sourit avec une chaleur appuyée, qui la mit aussitôt très mal à l'aise.

— Vous devez savoir que votre bien-être..., insista-t-il, votre bonheur... sont pour moi d'une importance capitale.

— Vous êtes très aimable de vous en soucier autant, répliqua Hester. Maman me dit toujours que nous pouvons compter sur vous, monsieur. Et maintenant, si vous voulez bien m'excuser, je dois monter me changer.

— Ce sera votre anniversaire une semaine après le bal, si je ne me trompe ?

— Oui. Pourquoi me posez-vous cette question ? l'interrogea-t-elle, un peu surprise.

— Oh... je pensais simplement à quelque chose... Je me demandais quel présent vous aimeriez recevoir, s'enquit-il avec un air bizarre.

— Je n'attends rien de particulier, mais n'importe quelle babiole me fera plaisir, monsieur.

— Je dois réfléchir à quelque chose de spécial, pour une occasion aussi importante.

— Importante ? Je ne crois pas. Quand j'avais dix-huit ans, cela me paraissait l'être, mais plus aujourd'hui.

— Pourtant, c'est un jour spécial, persista-t-il. Est-il possible que l'on ne vous ait rien dit, Hester ?

— Que m'aurait-on dit ?

— Vous allez avoir vingt-sept ans, c'est bien cela ?

— Oui, je le crains. Je me sens vraiment comme une vieille fille à cette idée et je ne suis pas enchantée que vous me le rappeliez ainsi, fit-elle sur le ton de la plaisanterie.

— Votre âge ne signifie rien, si ce n'est pour une chose précise.

— Quelle est-elle ?

— J'hésite à vous le révéler, puisque votre mère a jugé bon de ne pas vous en informer, mais vous devriez peut-être néanmoins le savoir. Je suis certain que Grant le sait, ce qui explique son nouvel intérêt pour vous.

— Expliquez-vous, je vous en prie, je vous en serais reconnaissante. Quel mystère !

— Votre avoué va bientôt vous contacter, Hester. La grande tante de votre père est morte deux jours après lui. Elle avait exprimé la volonté que, s'il mourait avant elle, ses biens reviennent à ses héritiers, c'est-à-dire vous, puisque vous êtes enfant unique, mais cela pas avant le jour de votre vingt-septième anniversaire. J'ignore le montant exact de votre héritage, mais je l'estime à peu près autour de vingt mille livres.

— Vingt mille livres… C'est une petite fortune ! s'exclama Hester, stupéfaite. Etes-vous certain de vos dires, monsieur ? Je n'avais pas la moindre idée qu'elle me laisserait quelque chose.

— Cela serait revenu à votre père, s'il avait vécu trois jours de plus, puis votre mère en aurait hérité de la moitié. Mais les volontés sont très claires. L'argent vous revient. Lady Sheldon m'a demandé de m'en occuper quand le moment serait venu.

— Pourquoi personne ne m'en a rien dit, c'est incompréhensible ! s'indigna Hester, sous le choc.

— Votre mère a peut-être pensé que cela ferait de vous une proie pour les coureurs de dot, Hester. J'aurais cru qu'elle vous le révélerait plus tôt. Et, comme je vous l'ai dit, je suis certain que Grant a eu vent de la chose.

Hester se renfrogna. La suggestion que M. Grant désirait l'épouser parce qu'elle serait à la tête de vingt mille livres dans quelques semaines était fort peu flatteuse, mais tout à fait plausible. Elle-même avait été stupéfiée par sa demande soudaine.

— J'aurais préféré le savoir, déplora-t-elle. J'aurais pu ainsi contracter un emprunt avec cette garantie, et arranger les choses plus tôt à Shelbourne.

— Peut-être votre mère ne vous l'a-t-elle pas révélé pour cette raison précise, avança M. Knighton. J'espère que vous ne me tenez pas rigueur de vous avoir informée ?

— Je vous en remercie, monsieur, dit Hester. Je vais

demander à maman la raison de son silence. Bien, je dois vraiment monter me changer, maintenant.

Elle ne se rendit pas compte qu'il la suivait des yeux tandis qu'elle montait rapidement les marches. Au lieu d'aller directement dans sa chambre, elle se rendit aux appartements de sa mère, où elle entra après avoir frappé. Comme elle s'y attendait, sa mère se reposait dans son lit, calée dans ses oreillers, et sirotait un cacao, sombre et amer, selon son goût, que lui avait monté sa femme de chambre.

— Hester, ma chérie ! s'exclama lady Sheldon, on dirait que tu viens de prendre un bon bol d'air ! Quelque chose ne va pas ? ajouta-t-elle en voyant l'expression de sa fille.

— Maman, pourquoi ne m'avez-vous pas dit que je dois hériter à mon prochain anniversaire ?

— Oh ! La lettre est donc arrivée ? lui demanda lady Sheldon.

— Non, c'est M. Knighton qui m'en a informée. Il voulait me prévenir parce qu'il pense que M. Grant est au courant et s'intéresse à mon argent.

— Comme c'est désobligeant de sa part, se désola lady Sheldon. Je voulais te le dire il y a un moment, mais le duc m'a demandé d'attendre. Il pensait que, si tu le savais, tu contracterais aussitôt un emprunt pour le domaine et il refusait fermement cette idée, du moins de son vivant. S'il avait pu te le léguer, comme il le désirait, cela aurait été différent.

— Mais vous deviez bien savoir que je finirais par le découvrir ?

— Eh bien, cela va garantir ton indépendance, ma chérie. Je devais redouter que tu décides de t'installer seule… ou de te marier, avoua-t-elle, l'air coupable. C'était égoïste de ma part, Hester, mais je détesterais vivre ici sans toi… et je ne peux pas abandonner le duc, tu le sais bien.

— Oh ! maman…, soupira Hester. Comme si j'allais vous abandonner, grand-père et toi, simplement parce que je vais avoir de l'argent ! J'aurais évidemment utilisé une partie de cet héritage plus tôt, si j'avais su. Je suis certaine que notre avoué aurait pu m'obtenir un prêt, d'une manière ou d'une autre.

— Alors j'aurais dû t'en informer. Pardonne-moi, Hester ! supplia lady Sheldon, de plus en plus honteuse.

— Il n'y a rien à pardonner, maman, mais j'ai reçu un choc quand M. Knighton me l'a révélé.

— Je crains moi aussi qu'il n'ait raison à propos de M. Grant. Il possède une petite propriété, et vit confortablement, mais vingt mille livres sont très tentantes pour un homme qui n'est pas fortuné. De plus, tu es un beau parti, avec ou sans argent.

— Je pense que M. Knighton va aussi me faire sa demande. Il m'a parlé de cet héritage parce qu'il voulait évincer M. Grant, à mon avis.

— Et M. Knighton aurait-il la moindre chance auprès de toi ?

— Non, pas la moindre, assura Hester, qui se mit à rire en percevant soudain le côté comique de la situation. Croyez-vous que je vais recevoir d'autres propositions, une fois que les gens sauront que je dispose de vingt mille livres ?

— Personne ne le saura, ma chérie. Il serait vulgaire de le divulguer. Si quelqu'un te fait une demande, et que cet homme est à ton goût, tu pourras alors en parler, mais sans cela je pense que nous ferions mieux de nous en abstenir.

— Eh bien, M. Grant a dû le découvrir, je ne sais comment. J'espère que cela ne nous rendra pas la vie difficile. J'en placerai une partie à votre nom dès que j'entrerai en possession de la somme, maman.

— Je ne le permettrai certainement pas, la rabroua lady Sheldon. Je suis tout à fait bien ici, ma chérie, d'autant plus que le vicomte m'a assurée que je pouvais rester même après que le duc sera… Bref, je n'ai aucun souci. Je pourrai aller à Bath aussi souvent que je voudrai, et revenir ici quand bon me semblera. Mes revenus suffisent à mes besoins. Tu dois me promettre de ne pas dépenser ton argent dans le domaine, Hester.

— Je l'aurais certainement fait avant l'arrivée de Jared, mais aujourd'hui ce n'est plus nécessaire. De plus, je crois qu'il ne le permettrait pas.

— En effet, je suis du même avis. Jared, comme tu l'appelles, est un homme très déterminé. Tout à fait différent de ce qu'il a bien voulu nous faire croire. J'ai entièrement confiance en lui, Hester.

— Oui… C'était très gentil de la part de la grande tante de mon père de penser à moi.

— L'argent aurait dû revenir à ton père, s'il avait vécu. Lady Mountblain l'aimait beaucoup, et elle n'avait pas d'enfants, ils sont tous morts en bas âge. Cela arrive bien trop souvent, hélas ! Si tu réussis à élever un ou deux enfants, qui resteront en bonne santé, tu pourras t'estimer heureuse.

— Je ne crois pas que j'aurai des enfants.

— Qui sait ? Pas avec M. Grant, bien sûr. Je ne pourrais pas approuver, mais tu trouveras peut-être quelqu'un d'autre à ton goût.

Quelque chose dans les yeux de sa mère fit comprendre à Hester ce qu'elle pensait, mais elle se refusait à rêver de châteaux en Espagne. A son âge, et même nantie de vingt mille livres, il était improbable qu'elle trouve un soupirant. Du moins, un soupirant qui lui plairait. Même si cet héritage la rendrait attirante pour bon nombre de gentlemen désargentés, si cela venait à se savoir. Elle n'avait plus qu'à espérer que cela resterait secret, car se faire courtiser pour vingt mille livres était par trop humiliant !

Hester prit congé de sa mère. Le choc de se découvrir héritière s'étant un peu atténué, elle prit conscience qu'elle avait désormais les moyens de s'établir quelque part en toute indépendance, si elle le désirait. Et elle le désirerait sans nul doute quand le vicomte Sheldon installerait sa future épouse à Shelbourne.

Cette pensée lui était d'ailleurs devenue trop douloureuse à supporter. Elle essaya de se l'ôter de l'esprit alors qu'elle allait vers sa chambre. Au moins le mystère de sa soudaine popularité venait de s'éclaircir. Un léger sourire se dessina sur sa bouche quand elle pensa à l'annoncer à Jared. Il verrait le côté comique de la chose, elle en était certaine, et elle avait besoin de lui expliquer qu'elle ignorait tout de cette histoire. Car, dans le cas contraire, elle n'aurait jamais permis que les choses se dégradent ainsi à Shelbourne. Il était important à ses yeux qu'il le sache !

Elle se changea vite avec le projet de partir à sa recherche pour lui faire part de la nouvelle avant qu'il ne l'apprenne par quelqu'un d'autre. Cependant, quand elle descendit et demanda où le trouver, on lui répondit qu'il était sorti et ne reviendrait pas de la journée.

Contrariée, Hester se rendit dans le jardin d'hiver et commença à composer de superbes bouquets. D'habitude, elle aimait beaucoup cette tâche, mais cet après-midi-là elle avait la tête ailleurs. Elle était impatiente de s'entretenir avec Jared.

Chapitre 7

— Etes-vous certain de ce que vous avancez ? demanda Jared.

Il arborait un air fermé en scrutant le visage de l'homme qu'il avait employé pour enquêter sur les circonstances entourant son agression à Londres.

— Vous êtes sûr que vous avez vu cet homme épier dans les buissons à Shelbourne ? insista-t-il.

— Oui, m'sieur. Je ne connais toujours pas son nom, mais je vous ai suivi ici comme vous l'avez ordonné, et je l'ai aperçu une fois sur la route. Il a dû me repérer et je l'ai perdu. J'ai continué à vous suivre, en m'assurant que la jeune lady ne me voie pas, et j'étais sur les lieux la soirée de votre arrivée, milord. Là je l'ai vu, pour sûr. Il surveillait la maison. Je l'ai espionné comme vous me l'avez expliqué, et cette fois il ne m'a pas vu. Il est resté là à regarder la maison jusqu'à ce que la jeune lady s'approche de sa fenêtre. Alors il a filé immédiatement. Il ne devait pas vouloir qu'elle le voie.

— Cela signifie qu'elle l'aurait sans doute reconnu, dit Jared, pensif. Tout cela correspond à…

Il se tut brusquement, car il n'était pas encore certain de pouvoir accorder toute sa confiance à l'homme qu'il avait en face de lui.

— Et l'avez-vous revu ? reprit-il.

Même si son instinct lui dictait la réponse, il préférait que l'homme continue son récit.

— Oui, m'sieur. On dirait que c'est un invité de la maison, parce que je l'ai vu parler à la jeune lady. C'est un peu bizarre, hein, milord ?

— Oui, c'est plutôt étrange. A moins que… et, bien évidemment, c'est tout à fait logique… Pouvez-vous me décrire cet homme avec précision ? demanda Jared, préférant garder ses réflexions pour lui.

— Oui, milord.

L'homme détailla alors un portrait si fidèle que Jared n'eut aucun doute sur l'identité de l'inconnu. Seule sa motivation restait mystérieuse.

— Vous avez bien travaillé, dit Jared en sortant une poignée de pièces d'or de sa poche. Voilà ce que je vous ai promis. Vous pouvez rentrer à Londres et vaquer de nouveau à vos affaires… quelles qu'elles soient.

— Vous ne voulez pas que je continue à le surveiller, milord ?

— Ce que je ne veux pas, c'est qu'il découvre qu'il est surveillé, expliqua Jared. Il renoncerait peut-être à m'éliminer et je préfère qu'il soit pris en flagrant délit. S'il vous voyait rôder, il pourrait croire que je vous ai recruté dans mon camp.

— Je pourrais lui dire que j'essaye de bien mériter l'argent qu'il m'a déjà donné, proposa Tyler. Ça m'plaît plutôt bien de travailler pour vous, milord. Je pourrais vous aider dans pas mal de domaines.

— Eh bien, si vous voulez travailler pour moi, vous pouvez continuer, décida Jared. Mais je ne veux pas que vous vous approchiez de lui. Vous pouvez faire autre chose pour moi. Ecoutez attentivement, c'est important.

*
* *

Hester faisait les comptes de la maison dans la bibliothèque de son grand-père, quand elle entendit tout un remue-ménage. Elle posa sa plume, au moment où un valet de pied faisait irruption dans la pièce.

— Oui, Briggs ? s'enquit-elle en se levant aussitôt, car l'homme avait l'air bouleversé. Que se passe-t-il ?

— C'est M. Knighton, commença-t-il. Ce sont de mauvaises nouvelles, mademoiselle Sheldon. Il était à cheval et on lui a tiré dessus. Le coup l'a manqué, mais il est tombé de cheval et a été blessé au bras. Je l'ai conduit dans sa chambre, mademoiselle, et je me demandais s'il fallait appeler le docteur. Son cheval est rentré tout seul à l'écurie. Alors un palefrenier est parti à sa recherche et l'a trouvé par terre près du lac. Il était inconscient, mais il est revenu à lui quand Ned est arrivé, et il s'est plaint d'avoir mal à l'épaule et au bras.

— On a tiré sur M. Knighton ? Et il est tombé de son cheval ! s'écria Hester, sous le choc. Il est arrivé la même mésaventure au vicomte ! Faites venir le médecin, bien sûr ! C'est terrible de penser qu'il a été attaqué sur nos terres !

Hester, en pleine confusion, emboîta le pas au valet. On avait tiré sur deux hommes, en peu de temps. Comment continuer à ignorer la situation ? Elle était pratiquement convaincue que le coup qui aurait pu tuer le vicomte Sheldon était destiné à supprimer l'héritier, mais pourquoi s'en prendre à M. Knighton, un simple invité ?

Sa première pensée fut de se rendre à son chevet pour prendre de ses nouvelles, mais elle songea aussitôt que cela aurait été des plus inconvenants. Elle alla donc chercher sa mère, qui était installée dans son salon préféré situé à l'avant de la maison.

Lady Sheldon travaillait à sa broderie, et regarda sa fille d'un air contrarié.

— Ces soies ne sont pas assorties, Hester. C'est très ennuyeux. J'avais pourtant commandé la même nuance, et la nouvelle est plus foncée. Cela ne va pas être beau, qu'en penses-tu ?

— Je ne saurais le dire, maman, mais laissez ce problème de côté pour le moment. M. Knighton vient d'avoir un accident. Il a fait une chute de cheval.

— C'est affreux ! s'écria lady Sheldon en abandonnant sa broderie immédiatement. Est-il gravement blessé ?

— On m'a rapporté qu'il se plaint de douleurs au bras et à l'épaule, expliqua Hester. On a fait quérir le docteur, et M. Knighton a été conduit dans sa chambre. Il ne serait pas convenable que je le visite, mais peut-être pourriez-vous aller vous assurer qu'il a tout ce qu'il lui faut ?

— Oui, bien sûr. Je ferai tout mon possible pour alléger ses souffrances, dit lady Sheldon. C'est extrêmement fâcheux. Je n'ai jamais aimé les chevaux… Ce sont des créatures sournoises auxquelles on ne peut pas faire confiance, si tu veux mon avis.

— Ce n'était pas la faute du cheval, en l'occurrence, rétorqua Hester. Un coup de feu aurait été tiré à proximité, peut-être par un braconnier dans les bois.

— Un braconnier ! Dieu nous garde ! s'exclama lady Sheldon, l'air encore plus affolé. Les gardes-chasse ne font pas correctement leur travail. Ton grand-père devrait être mis au courant !

— Je pense qu'il vaut mieux attendre le retour de Jared, décréta Hester. Nous ne voulons pas tracasser grand-père avec cela, maman.

— Tu as raison. Je vais tout de suite voir M. Knighton, conclut lady Sheldon en quittant la pièce.

Hester ramassa la broderie de sa mère et en examina les soies. Elle remarqua tout de suite que l'aiguillée utilisée par sa mère était bien plus foncée que ce qu'elle avait déjà brodé, et l'ôta de l'aiguille. Elle se mit à la recherche d'une couleur correcte dans sa boîte à couture très en désordre. Elle était sur le point de passer le fil adéquat par le chas de l'aiguille quand la porte s'ouvrit sur Jared, qui l'observa d'un air bizarre.

— De la broderie, Hester ? J'ignorais que vous aviez du temps à consacrer à ce genre d'activité.

Elle enfila le fil et repiqua l'aiguille sur l'ouvrage de sa mère, puis lui fit face, courroucée.

— Maman ne trouvait pas la couleur qu'elle voulait. Elle est montée voir ce qu'elle peut faire pour M. Knighton jusqu'à l'arrivée du docteur.

— Serait-il souffrant ?

— On lui a tiré dessus près du lac, alors qu'il était à cheval, et il est tombé. Il s'est blessé au bras et à l'épaule. Je crains qu'il n'ait eu raison. Et dire que je ne l'ai pas cru quand il m'en a parlé ce matin !

— Vous ne l'avez pas cru ? demanda Jared.

— Il m'a dit qu'il y avait un bandit de grand chemin qui opérait dans les environs.

— Vraiment ? Et pourquoi vous a-t-il dit cela, si je peux me permettre ?

— Il était inquiet parce qu'il pensait que j'étais allée me promener seule à cheval, et il m'a dit qu'il serait venu avec moi pour me protéger.

— Il semblerait plutôt que c'était lui qui avait besoin de protection, trancha Jared. Mais son conseil n'était pas vain, à mon avis. Je préférerais que vous preniez désormais un palefrenier avec vous quand vous montez.

— Vous ne pensez quand même pas que je puisse

être en danger ? J'ai passé toute ma vie ici, Jared, et j'ai chevauché à ma guise partout dans cette contrée, sans qu'il m'arrive quoi que ce soit.

— Je le comprends parfaitement, répliqua-t-il. Mais pour le moment, il semblerait qu'un dangereux personnage rôde dans les parages. Je ne veux pas qu'il vous arrive quoi que ce soit.

— Bien, je suppose que…

Hester se mordit la lèvre et se tut aussitôt. Elle venait de se rappeler la nouvelle surprenante qu'elle avait apprise et était sur le point de lui en faire part quand sa mère revint dans le salon.

— Je suis si heureuse que vous soyez de retour, lança lady Sheldon, de toute évidence paniquée. C'est terrible. M. Knighton est persuadé que la personne qui lui a tiré dessus l'a fait dans l'intention de le tuer. C'est par chance qu'il s'est penché en avant juste au moment où le tireur a fait feu.

— Il ne croit pas à un accident. Peut-être est-ce le fait d'un braconnier ? avança Jared.

— Je ne sais que penser, déplora lady Sheldon. M. Knighton m'a parlé d'un bandit de grand chemin. Il m'a terrifiée. Hester, ma chérie, tu dois rester à la maison jusqu'à ce que l'on attrape ce criminel.

— Maman…

— Elle prendra un palefrenier quand elle ira monter, à moins que ce ne soit en ma compagnie, lui assura Jared. Mais à votre place, madame, je ne m'inquiéterais pas trop. A mon avis, il s'agit plutôt d'un simple braconnier. Je ne vois aucune raison pour qu'un bandit de grand chemin tire sans raison sur vos invités. A moins que M. Knighton n'ait été détroussé ?

— Il n'a rien dit de la sorte, répondit lady Sheldon,

l'air soulagé. Vous pensez réellement à la balle perdue d'un braconnier ?

— Effectivement, répéta Jared. Cependant, je vais m'entretenir avec M. Roberts. Nous allons renforcer nos équipes de gardes-chasse, car je ne veux pas qu'il arrive quoi que ce soit de fâcheux, surtout à Hester, ou à vous, madame, ajouta-t-il avec un sourire chaleureux. Essayez de ne pas vous faire trop de souci, lady Sheldon, je vous promets qu'il n'arrivera rien à votre fille, je m'en occupe.

— C'est un tel soulagement d'avoir ici un gentleman sur lequel on peut s'appuyer, dit lady Sheldon. Hester, monte voir le duc, je te prie. Il a pu avoir des échos sur les événements, et il voudra certainement te parler.

— Je vais aller le rassurer, promit celle-ci. Excusez-moi, Jared, je vous verrai un peu plus tard.

— Bien sûr, acquiesça-t-il. J'ai à faire moi-même, nous nous parlerons ce soir. Peut-être après le dîner ? s'enquit-il en souriant, l'air moqueur. Je n'ai toujours pas eu mes leçons de danse.

— Vous me taquinez encore !

— Peut-être. Néanmoins, il faut que je vous parle en privé, insista-t-il, soudain sérieux.

— D'accord. Après le dîner, donc, dit Hester.

Elle avait envie de lui parler tout de suite, car ses pensées étaient confuses quant à la situation. Des coups de feu, apparemment destinés à tuer… et pourquoi ici, à Shelbourne ? Qui était derrière tout cela ? Mais Jared était occupé, et elle devait voir son grand-père sans plus tarder.

On lui ouvrit dès qu'elle eut frappé à la porte des appartements du duc. Il était installé dans un fauteuil, une couverture sur les genoux et un verre de cordial sur une petite table à côté de lui. Il gesticula en lui montrant le verre, l'air furieux.

— Enlève-moi cette cochonnerie, ma fille, et apporte-moi donc un verre de vin, je te prie.

— Le cordial vous ferait plus de bien, rétorqua Hester. Néanmoins, elle se conforma à son désir et lui apporta un verre de son madère préféré.

— Le médecin est passé me voir. Il pensait qu'il me fallait quelque chose pour me calmer les nerfs, pauvre imbécile ! pesta le duc. Il m'a dit qu'il avait été appelé pour Knighton, qui est tombé de cheval, apparemment. On lui aurait tiré dessus, cela aurait pu être sérieux. Il a juste un bobo à l'épaule si j'ai bien compris.

— Jared pense qu'il s'agit plutôt d'une balle perdue tirée par un braconnier, déclara Hester d'une voix posée. Il va déployer plus d'hommes sur les terres et découvrir le coupable, grand-père. Il n'y a pas de quoi s'inquiéter.

— C'est une bonne chose qu'il soit là. Il va tirer ça au clair, grommela le duc. C'est un type capable, il a ça pour lui. Tu l'appelles Jared maintenant ?

— Il ne voulait pas que j'utilise son titre.

— Hum… Il doit trouver ça prétentieux. Mais il s'y fera. Il a beaucoup de choses à découvrir sur nous, Hester, même si ma fille lui a appris à se comporter en gentleman. Nous faisons les choses différemment, et il faut qu'il se le mette dans le crâne s'il veut vivre ici.

— Il apprend très vite, assura Hester. Maman se repose complètement sur lui. Elle se sent beaucoup plus en sécurité, maintenant qu'il est ici.

— Ta maman est une chochotte, si tu veux que je mette les points sur les i, Hester. Charmante et d'un naturel aimable, je le lui accorde, mais elle n'a pas un sou de bon sens.

— Grand-père ! Ce n'est pas gentil ! le rabroua-t-elle. Maman est tout à fait raisonnable, même si elle a parfois ses nerfs. Après tout ce qu'elle a souffert, c'est compréhensible. Je crois que, s'il m'arrivait quoi que ce soit, elle ne le supporterait pas.

— Et pourquoi t'arriverait-il quoi que ce soit ? s'emporta-t-il. Pourquoi te voudrait-on du mal ? Tu ne me caches pas quelque chose ?

— Non, grand-père. En revanche, maman et vous l'avez fait. J'ai trouvé injuste de ne pas m'informer que j'hériterais de vingt mille livres à mon vingt-septième anniversaire.

— Tu te serais empressée de dépenser cet argent dans le domaine, grogna le duc. Je ne pouvais pas te laisser faire cela, ma fille. J'avais dit à ta mère de se taire, mais j'imagine qu'elle n'a pas su tenir sa langue ?

— Non, c'est M. Knighton. Il croyait que je le savais déjà. Et il est convaincu que M. Grant est aussi au courant.

— Tu penses que Grant t'a fait sa proposition en raison de l'argent ? s'écria le duc, furibond. Fariboles ! Il sait reconnaître une bonne chose quand il la voit, c'est tout. L'argent ne serait qu'un bonus. De plus, il n'est pas à court d'argent. Il m'a assuré pouvoir t'offrir tout ce à quoi tu étais habituée, et même plus. Quel idiot prétentieux ! Comme si tu allais l'épouser !

— Je ne l'épouserais pas, même si c'était l'homme le plus riche d'Angleterre !

— Eh bien, il ne l'est pas, c'est certain, mais mon héritier, lui, il pourrait bien l'être. J'ai reçu un nouveau rapport de M. Birch ce matin. Il a mené quelques recherches supplémentaires, et il pense que le vicomte s'est bien amusé à nos dépens. Apparemment, il roule sur l'or.

— Cousin Jared a plus d'argent qu'il ne nous l'a fait croire, c'est certain, dit Hester. Nous avons de la chance qu'il semble enclin à en dépenser pour restaurer le domaine, grand-père.

— Oui. Je ne m'y attendais pas, étant donné les circonstances. Je n'ai pas traité sa mère comme j'aurais dû.

— Il a compris que vous le regrettiez.

— Hum… Eh bien, il semble que nous ayons eu de la chance, conclut-il. Si tu l'épousais, tu pourrais rester ici le reste de ta vie, Hester. Et ta vie est ici.

— Merci, cher grand-père, mais je pense qu'il a son mot à dire en ce domaine.

— Une fille comme toi pourrait épouser n'importe qui. Si nous avions été justes avec toi, tu te serais mariée il y a longtemps déjà. Je voulais te garder ici, et ta mère aussi.

— Je voulais rester, alors ne vous sentez pas coupable. Mais j'insiste, j'aurais dû être informée de mon héritage.

— C'est ma faute. Ta mère te l'aurait dit, mais je lui ai demandé d'attendre.

— Eh bien, à présent, je le sais et je ne vais pas vous cacher mes projets. Une fois que Jared aura tout repris en main, je pourrais décider de passer du temps ailleurs qu'ici.

Voyant son grand-père se renfrogner à vue d'œil, elle se hâta d'ajouter :

— Ce ne sera que de temps à autre, pour de petits voyages, alors ne faites pas cette tête, grand-père. Je ne vais pas vous abandonner.

— Je suis un vieux fou, égoïste de surcroît, reconnut-il. Je ne te mérite pas, mais je ne pourrais pas non plus supporter de vivre longtemps sans toi.

— Ne vous mettez pas dans tous vos états ! Je n'ai pas l'intention de partir tout de suite. Ce matin, j'ai reçu quelques réponses pour le bal, de nos voisins les plus proches. Je vais bientôt en recevoir beaucoup d'autres.

— Il était temps d'ouvrir de nouveau cette maison

aux visiteurs. Je viendrai assister au bal, Hester. Je pense d'ailleurs bientôt redescendre pour le dîner. Pas ce soir, en revanche.

— Nous en serions tous ravis, se réjouit Hester en l'embrassant sur la joue. Mais ne vous fatiguez pas trop tout de même, grand-père.

— Je me sens aussi bien que possible, grommela-t-il. Allez, file, va te changer. Et ne t'inquiète pas des braconniers ou des idiots prétentieux qui présument de leurs chances. Si Grant t'ennuie, envoie-le-moi.

— Je n'y manquerai pas, dit Hester, riant intérieurement en quittant son grand-père.

Alors qu'elle s'apprêtait à rejoindre le corps principal de la maison, M. Grant s'avança vers elle et lui bloqua le passage dans le hall.

— Miss Sheldon… Hester…, commença-t-il. Qu'ai-je entendu à propos de Knighton ? Il est tombé de cheval ?

— Sa monture a été effrayée par un coup de feu, il semblerait, expliqua Hester. Il croit à la présence d'un bandit de grand chemin sur nos terres, mais le vicomte penche plutôt pour un braconnier.

— Et qui vous dit que ce n'est pas le vicomte, d'ailleurs ? demanda M. Grant. Où était-il quand le coup de feu a été tiré ? Si vous voulez mon avis, il a en lui une grande part d'ombre. Moi-même, je ne lui ferais pas confiance une minute.

— Voilà des propos très discourtois, le reprit Hester, aussitôt furieuse. Pourquoi Jared voudrait-il causer un accident à M. Knighton ?

Grant haussa les épaules.

— Je ne saurais le dire, à moins que Knighton n'aie percé son jeu. Le vicomte était en Angleterre au moment de l'incendie. Il ne vous l'a pas dit, Hester ? Il aurait pu très facilement venir ici, l'allumer et repartir aussitôt à Londres.

— C'est ridicule ! Pourquoi aurait-il voulu faire une chose pareille ?

— C'est lui le premier dans l'ordre de la succession, dit Grant. Il voulait faire main basse sur le domaine, si vous voulez mon avis.

— Jared ne s'abaisserait jamais à de tels actes ! le rabroua Hester, franchement hors d'elle. Vous devriez modérer vos propos, monsieur. Ce sont de viles calomnies.

— Mais l'homme est un menteur, insista M. Grant. Venir ici et se faire passer pour ce qu'il n'est pas !

— Il a le sens de l'humour. Ce dont vous semblez être dépourvu, monsieur.

— J'ai le sentiment de ne pas être le bienvenu ici, répliqua Grant. Je ferais aussi bien de repartir demain matin.

Hester fut tentée de lui dire que c'était tout à fait exact, mais elle tint sa langue.

— La décision vous appartient, monsieur. Je suis désolée que vous éprouviez ce sentiment, mais… sachez que vous pouvez rester aussi longtemps que vous le souhaitez.

— Donnez-moi une raison de rester, Hester ! Dites-moi que vous m'épouserez.

— Monsieur Grant ! Je suis flattée que vous désiriez m'épouser, mais je crains que ma réponse ne soit non.

— Est-ce un non définitif ? interrogea-t-il, visiblement en colère. Je suppose que Knighton vous a fait sa demande. Je savais qu'il le ferait, quand il m'a dit de me tenir à l'écart.

— Si M. Knighton a évoqué ce sujet avec vous, il n'en avait pas le moindre droit. Même le duc s'en abstiendrait, monsieur. J'ai presque vingt-sept ans et je prends seule mes décisions. Si je souhaitais me marier, cela ne regarderait que moi.

— Ce n'est pas pour l'argent, se récria Grant, agressif. Vous me plaisez, et je pensais que vous feriez une bonne épouse. Vous sembliez la personne adéquate pour devenir femme de vicaire, mais vous avez changé. Votre nouvelle fortune a dû vous monter à la tête.

— J'ignorais tout de mon héritage jusqu'à aujourd'hui, rétorqua Hester avec dignité. Je vous assure que cela n'a rien changé à ma manière de penser.

— Alors, méfiez-vous de Knighton, continua-t-il, la bouche tordue d'amertume. Et du vicomte Sheldon. Je ne ferais confiance à aucun d'eux, si j'étais vous. J'ai des affaires à régler chez moi dans le Cambridgeshire, aussi partirai-je demain matin. Mais je reviendrai pour le bal.

— Je serai heureuse de vous y voir, monsieur, répondit Hester, qui peinait à garder sa contenance. Et je dois ajouter que je fais confiance au vicomte Sheldon plus qu'à quiconque.

Elle inclina la tête et le dépassa, avant d'emprunter la volée de marches qui menait à sa chambre. Elle était furieuse des insinuations de Grant à propos du vicomte. La jalousie du vicaire envers M. Knighton et Jared était criante. Depuis l'attentat contre M. Knighton, elle avait essayé de ne pas se laisser envahir par ses soupçons, mais comment les ignorer désormais ?

M. Grant avait essayé de les tuer tous les deux, elle en était maintenant persuadée. L'attaque contre Jared avait clairement pour but de se débarrasser de son unique rival entre le titre et lui. Et il avait dû s'en prendre à M. Knighton parce qu'il lui disputait sa main. Le duc pensait que Grant était peu susceptible d'avoir tiré sur M. Knighton. Hester voulait bien croire qu'il ne l'avait pas fait en personne, mais elle avait du mal à penser qu'il n'était pas responsable.

Elle mourait d'impatience de se changer pour aller enfin

retrouver Jared. Plus vite elle l'informerait de ce qu'elle avait appris, mieux cela vaudrait !

Elle fut contrariée en découvrant M. Grant dans le salon quand elle descendit. Il se tenait près de la fenêtre et contemplait le jardin, laissant lady Sheldon s'entretenir avec Jared. Sa mère était souriante, appréciant de toute évidence la conversation de l'héritier. Quand M. Grant se retourna, elle remarqua son air boudeur et ses yeux pleins d'antipathie quand il regarda le vicomte.

— Hester, ma chérie ! lança lady Sheldon, M. Knighton a décidé de prendre son dîner dans sa chambre ce soir. Il a trop mal à l'épaule pour supporter une veste. Il espère pouvoir se joindre à nous demain. Et M. Grant nous quitte, il a des affaires à régler, mais il sera là pour le bal.

— Lady Ireland arrive demain, annonça Hester. Nous aurons au moins dix couples qui séjourneront ici pour le bal, maman. Certains d'entre eux arrivent déjà dès le milieu de la semaine prochaine.

— Ce sera si agréable d'avoir de nouveau du monde à la maison ! s'exclama lady Sheldon. Et ta marraine est toujours la bienvenue.

— Je ne suis pas certain d'avoir trouvé grâce aux yeux de lady Ireland, intervint Jared avec un regard malicieux adressé à Hester.

— Oh ! je suis sûre que cela changera quand elle vous connaîtra vraiment, assura lady Sheldon. Nous sommes des amies intimes, voyez-vous. Elle ne pourra que vous aimer quand elle verra à quel point vous avez été bon pour nous.

— Eh bien, espérons-le ! dit Jared.

— Je n'en doute pas, insista lady Sheldon.

Elle jeta un regard au gentleman qui contemplait le petit groupe d'un air mauvais.

— Monsieur Grant, me conduirez-vous pour le dîner, je vous prie ? Milord, donnez donc le bras à Hester.

Jared s'approcha d'elle quand les autres les eurent devancés et lui tendit son bras.

— Hester, quelque chose vous préoccupe. Est-ce ce qui est arrivé à M. Knighton ?

— Oui et non. Il faut que je vous parle plus tard.

— Après le dîner, comme nous en étions convenus. Je ne traînerai pas avec Grant pendant les verres d'après-dîner.

— Méfiez-vous de lui, l'avertit Hester. Il ne serait pas avisé de l'offenser.

— J'ai bien compris que ce gentleman ne m'apprécie pas.

— C'est peut-être même plus que cela, continua Hester, mais ce n'est pas le moment d'en parler, monsieur.

— Plus tard, trancha-t-il en tirant sa chaise.

Sa main effleura son cou quand il l'aida à prendre place et un délicieux petit frisson descendit le long de son dos. Troublée, elle tourna la tête et croisa son regard intense. Il lui souriait d'une manière si intime qu'elle en eut le souffle coupé. Comme elle aurait voulu qu'ils soient seuls ! Cependant, reprenant ses esprits, elle se contenta de lui adresser un petit signe de tête poli et il s'éloigna pour aller prendre sa place en bout de table.

Cette table, ridiculement longue pour quatre convives, était bien trop formelle pour autoriser les échanges personnels. Aussi la conversation tourna-t-elle autour de généralités, pimentée toutefois par des commentaires sur les petits scandales rapportés dans les pages société d'un journal de Londres.

Hester fut soulagée de voir le repas se terminer. Elle

suivit sa mère vers leur salon préféré, celui où trônait une bonne cheminée qui ne fumait pas.

— Je serai bien aise quand M. Grant sera parti, confia lady Sheldon à Hester. Sa compagnie me pèse un peu, mais bien entendu nous ne devons pas être discourtoises. C'est lui le prochain dans l'ordre de la succession et… — elle secoua vivement la tête — oh ! mais tout cela est terminé. Nous sommes sortis d'affaire, maintenant que le vicomte est là.

— Bien sûr, maman.

A ces paroles, Hester se détourna vite, pour que sa mère ne décèle pas son anxiété. Lady Sheldon était bien trop nerveuse pour supporter l'idée que quelqu'un tentait d'assassiner Jared.

Le plateau du thé avait été apporté et Hester venait d'en tendre une tasse à sa mère quand Jared arriva, suivi de près par M. Grant. Apparemment, aucun d'eux n'avait souhaité passer beaucoup de temps en tête à tête. M. Grant souhaita une tasse de thé. Jared refusa et resta près de la fenêtre, à contempler l'obscurité jusqu'à ce qu'Hester eut fini de servir.

— J'aimerais prendre un peu l'air, dit-il en se tournant vers elle. Aimeriez-vous faire une petite promenade sur la terrasse, Hester ?

— Oui, avec plaisir, répondit-elle en se levant sur-le-champ. J'ai un léger mal de tête, cela me fera du bien.

— Hester, ma chérie, pourquoi n'as-tu rien dit ? se désola lady Sheldon. J'espère que tu n'es pas souffrante ?

— Non, pas du tout. J'ai juste besoin d'un peu d'air, maman, et cela ira mieux.

— Faites-moi confiance pour veiller sur elle, madame, ajouta Jared.

— Bien sûr, dit lady Sheldon. Profitez bien de votre promenade, très chers.

Hester ne put résister à l'envie de lancer un coup d'œil vers M. Grant, mais l'air de féroce jalousie et de dépit qu'il arborait la fit frissonner. Elle se hâta de quitter la pièce. Elle conduisit Jared vers une petite porte ouvrant sur un jardin secret clos de murs, qui embaumait le jasmin et les fleurs de printemps tardives.

— Oh ! l'odeur des fleurs est divine ici ! s'extasia-t-elle, quand Jared la rejoignit alors qu'elle arrivait devant le cadran solaire placé au centre du jardin. C'est l'un de mes endroits préférés, en particulier la nuit.

— On dirait l'odeur du jasmin... ou serait-ce du chèvrefeuille ?

— Peut-être les deux, répondit Hester. Ce jardin est si abrité qu'ils fleurissent sans arrêt, du printemps à l'été.

Elle se tut un moment, puis soupira en levant les yeux vers lui.

— Je voulais vous avertir, reprit-elle. Je crois que M. Grant est celui qui se cache derrière les fameux tirs de braconnier...

— Vraiment ? Vous en doutiez un peu plus tôt. Puis-je vous demander ce qui vous a fait changer d'avis ?

Hester hésita un instant, puis se décida.

— Je pense qu'il veut le titre. Et il est jaloux de M. Knighton parce que j'ai refusé sa demande en mariage et qu'il s'imagine que je lui préfère le cousin de ma mère.

— Est-ce le cas ?

— Je préfère M. Knighton à M. Grant, mais je n'ai aucun désir de l'épouser non plus.

— Cependant, M. Grant est persuadé du contraire ?

— J'ai cru comprendre que M. Knighton avait dit à M. Grant de renoncer à ses prétentions, ce qui a dû le conduire à nourrir de telles pensées. M. Knighton est convaincu que M. Grant ne veut m'épouser que pour mon héritage.

— Votre héritage ? s'exclama Jared, surpris. Pardonnez-moi. J'ignorais que vous étiez une héritière.

— Moi aussi, jusqu'à ce matin. Si je l'avais su, je n'aurais jamais laissé les choses prendre une tournure aussi déplorable sur le domaine. Grand-père savait que j'insisterais pour contracter un prêt afin de payer les réparations dont nous avons besoin, aussi a-t-il tenu à ce que ma mère ne me dise rien. M. Knighton m'a révélé que j'allais hériter de vingt mille livres lors de mon prochain anniversaire, dans trois semaines.

— Vous allez donc vraiment avoir vingt-sept ans ? demanda Jared, les yeux taquins. Je vous croyais dans les vingt-trois ans, tout au plus.

— Vous me flattez, Jared. Mais vous ne voyez donc pas combien la situation est sérieuse ?

— Pour le moment, tout ce que je vois, c'est à quel point vous êtes jolie à la lueur du clair de lune, répliqua Jared d'une voix rauque.

Il se rapprocha d'elle, la saisit fermement par la taille et l'attira tout contre lui. Il prit son temps pour la regarder. Quand ses pupilles s'élargirent et que ses lèvres laissèrent échapper un petit cri de surprise, il pencha la tête et effleura sa bouche de la sienne en un doux baiser. Hester sentit sa tête lui tourner à ce contact. Elle gémit et se pressa contre lui, perdant tout contrôle.

A cette réaction, Jared approfondit leur étreinte et, quand elle ouvrit la bouche, il glissa sa langue entre ses lèvres afin de la goûter. Il fit glisser ses mains le long de son dos et saisit ses fesses fermes et douces pour la serrer contre lui afin qu'elle sente son ardeur à travers la soie de sa robe.

Elle avait l'impression de se fondre en lui, de devenir une partie de son corps, embrasée des pieds à la tête.

— Jared…

Hester leva les yeux vers lui quand il relâcha enfin son étreinte. Le désir la faisait flageoler, et elle était submergée par l'envie impérieuse de vivre ces sensations inconnues.

— Je… Oh, je ne sais que dire, bredouilla-t-elle.

— Alors ne dites rien, lui conseilla-t-il en souriant, après avoir laissé courir son pouce sur ses lèvres. Vous avez une jolie bouche, Hester. Une bouche faite pour embrasser. Vous êtes faite pour l'amour, faite pour aimer, et je suis surpris que personne ne vous ait ravie plus tôt.

— Je n'ai jamais rencontré celui qui m'aurait donné envie d'être embrassée, jusqu'à…

Elle s'arrêta, timide et hésitante, et chercha le regard de Jared.

— Avez-vous pris autant de plaisir que moi ?

Jared éclata franchement de rire.

— Ma douce chérie ! Croyez-vous que j'ai pour habitude d'embrasser ainsi toutes les femmes que je croise ?

— Peut-être. Je l'ignore. Je vous connais à peine, Jared.

— Mais moi, je vous connais, assura-t-il d'une voix chaude comme du miel qui aurait coulé en elle, au plus profond de ses veines, et lui serra l'estomac avec une force qu'elle comprit être celle du désir. Je veux vous faire l'amour, Hester, dit-il, souriant quand il la vit vaciller. C'est nouveau pour vous, ma douce, je le sais. Je ne suis pas pressé, aussi n'ayez pas peur de moi. Vous apprendrez à me désirer comme je vous désire. Mais, avant de nous abandonner l'un à l'autre, il nous faut résoudre cette déplaisante affaire.

— M. Grant a insinué que vous étiez en Angleterre au

moment de l'incendie. Et que vous auriez pu venir ici et mettre le feu dans l'espoir de devenir duc.

— Qu'avez-vous répondu ?

— Que c'était pure calomnie, s'emporta Hester. Vous n'auriez jamais rien fait d'aussi vil !

— Je vous remercie d'avoir confiance en moi, dit Jared, avec le sourire nonchalant qui lui faisait chavirer le cœur chaque fois. Il est exact que j'aie pu être à Londres un jour ou deux avant d'aller à Paris, mais je ne suis pas venu ici, et je n'ai pas mis le feu à cette maison.

— Evidemment ! C'était affreux de sa part d'avancer cela. Il est jaloux de vous, Jared.

— Peut-être sait-il que je vous veux pour moi.

— Jared… Je ne pense pas que cela soit la raison… mais ce qui est certain, c'est qu'il ne vous aime pas.

— Oui, il l'a fait clairement comprendre, répliqua Jared, redevenu sérieux. Il a des motifs, et il peut être impliqué dans l'attentat contre ma vie à Londres, mais… je ne suis pas sûr que M. Grant soit un assassin, ou même un assassin raté, Hester.

— Alors, si ce n'est pas lui… Au début, je ne le croyais pas capable de ce genre de choses, mais maintenant…

— L'évidence le désigne comme coupable, c'est exact, continua Jared. Peut-être est-ce là la raison même pour laquelle je ne suis pas certain qu'il soit le coupable.

— Que voulez-vous dire ?

Jared secoua la tête.

— Je vais à Londres demain après-midi après avoir discuté avec les maîtres d'œuvre pour démarrer les travaux, expliqua-t-il. Je pourrai sans doute vous en dire plus à mon retour.

— Vous partez ! déplora-t-elle, désemparée, puis inquiète. Vous ferez attention, Jared ? Vous reviendrez vite ?

— Evidemment ! Que croyez-vous ? Que ce baiser ne signifie rien pour moi ? s'indigna-t-il tout en souriant d'un air moqueur. Certes, vous n'êtes pas encore tout à fait mienne, Hester, mais j'ai bien l'intention que vous le soyez très vite. En attendant, j'ai des choses à mener à bien, et j'ai donné ma parole. Vous ne me faites donc pas encore confiance ?

— Si, bien sûr, se récria-t-elle avec un soupir, la tête contre le torse de Jared. Mais j'ai peur.

Ah, c'était si bon d'être blottie contre lui ! songea-t-elle.

— Vous craignez qu'il ne m'arrive quelque chose ?

— Oui. M. Knighton a été attaqué aussi, ajouta-t-elle, les yeux assombris par l'inquiétude.

Jared lui leva le menton du bout de son doigt.

— Ne soyez pas inquiète, mon amour. Je reviendrai sans encombre, et M. Grant part demain matin. Vous constaterez qu'il n'y aura plus d'accidents, du moins jusqu'à son retour pour le bal.

Il lui caressa les cheveux de ses doigts fins.

— Vous pensez donc qu'il est responsable ?

Jared réfléchit un moment avant de lui répondre.

— Ce dont je dispose pour le moment, c'est d'un ensemble de morceaux qui, rassemblés, formeraient peut-être la moitié du tableau que nous voulons voir. Je ne peux être sûr de rien avant d'en savoir plus, et j'espère obtenir les informations qui me manquent à Londres.

Hester plongea son regard dans le sien. Elle avait commencé à le cerner, lui et ses intentions, mais en cet instant son expression ne trahissait rien de ses pensées.

— Vous ne me dites pas tout, n'est-ce pas ? l'interrogea-t-elle.

— Je ne veux rien avancer que je ne puisse prouver, Hester. Sans preuve, on ne peut accuser personne.

— C'est exact, concéda-t-elle en le dévisageant. Promettez-moi de ne pas vous mettre en danger ! Promettez-moi de ne pas mourir !

— Je n'ai aucune intention de laisser cette personne, ou ces personnes, m'ôter la vie. Cela vous satisfait-il, Hester ?

— Je dois m'en contenter, puisque vous ne me direz rien tant que vous n'aurez pas de certitude, et que vous ne laisserez personne vous dicter votre conduite.

— Vous commencez à me comprendre, ma chérie.

— Ne me taquinez pas ! Je sais parfaitement que je suis pleine de bon sens et banale, et je ne vois pas pourquoi vous avez voulu embrasser une personne comme…

Elle ne put aller plus loin car il l'attira dans ses bras, l'embrassant cette fois avec une intensité si avide qu'elle aurait défailli, ses jambes cédant sous elle, s'il ne l'avait pas maintenue serrée contre lui. Quand il la relâcha, elle perçut l'éclat de malice dans ses yeux.

— Je vous taquine, mais je ne vous ridiculise pas, Hester. Vous êtes tout ce que je recherche chez une femme, et j'ai bien l'intention de vous faire mienne, très bientôt.

Il lui caressa le visage, envoyant de petits frissons de plaisir mélangés d'appréhension courir le long de sa colonne vertébrale.

— Et maintenant, mon Hester, nous devrions rentrer, sans cela votre maman si complaisante va commencer à croire que je vous ai enlevée.

Hester laissa échapper un petit rire nerveux, à la fois excitée et terrifiée par le discours de Jared. Comment pouvait-il penser mariage, alors que ses paroles étaient celles que les hommes réservaient à leurs maîtresses et qu'il lui avait fait intentionnellement sentir son désir comme aucun autre gentleman ne l'avait jamais osé ? Elle sentait encore la brûlure de sa virilité pressée contre elle, impérieuse et sans la moindre ambiguïté. Il la voulait entre ses bras, dans son lit. Et Dieu savait qu'elle le voulait aussi.

Hester espérait avoir repris contenance quand elle revint dans le salon. Sa mère bavardait avec M. Grant, en faisant de grands efforts pour rester polie et amicale comme elle estimait en avoir le devoir vis-à-vis du second héritier en titre. Apercevant Hester suivie de près par le vicomte, elle eut soudain l'air soulagée et se leva.

— Je vais me retirer, Hester. Montes-tu aussi ?

— Oui, maman, répondit la jeune femme. Bonne nuit, monsieur Grant, je vous souhaite un bon voyage et j'espère que vous serez de retour pour le bal.

— Soyez assurée que je serai là, miss Sheldon.

— Bonne nuit, Jared. Je vous verrai demain matin.

— Peut-être, dit Jared, tout en se tournant vers M. Grant, avec un sourire amical. Aimeriez-vous faire une partie de billard, Grant ?

— Non, merci, déclina ce dernier. Je dois partir tôt, je vais me retirer également.

— Comme il vous plaira. Bonne nuit, lady Sheldon, lança Jared.

Hester emboîta le pas à sa mère et elles empruntèrent l'escalier de concert. Arrivée en haut des marches, lady Sheldon se retourna vers sa fille, dévorée de curiosité.

— Pourquoi as-tu dit au vicomte que tu le verrais demain, ma chérie ?

— Il doit repartir pour Londres, mais il a un rendez-vous ici demain matin. Il ne s'en ira que dans l'après-midi.

— Ah, je vois..., reprit lady Sheldon, l'air inquisiteur cette fois. Et de quoi avez-vous parlé lors de votre promenade ?

— Oh ! de beaucoup de choses, répondit Hester, gênée. Rien d'important, maman.

— Je vois… Eh bien, j'ose espérer que tu m'en parleras quand tu seras prête. Bonne nuit, Hester.

Celle-ci regarda sa mère s'éloigner avant de se diriger vers sa chambre. Une fois à l'intérieur, elle resta appuyée contre la porte, un sourire sur les lèvres. Sa mère avait-elle décelé quelque chose de nouveau en elle ? Elle se sentait si différente ! Eclatant de rire, elle se précipita devant son grand miroir. Elle avait les yeux plus brillants, et l'air différent, pas de doute. Comme si elle avait évolué dans un rêve toute sa vie et venait soudain de se réveiller. Les baisers de Jared avaient révélé sa sensualité latente, lui faisant prendre conscience de sa féminité. Jusqu'à aujourd'hui elle n'avait jamais songé à ce que cela pouvait faire d'être allongée nue dans les bras d'un homme, mais désormais elle se le représentait fort bien.

Elle se détourna du miroir et serra ses bras autour d'elle en allant s'asseoir sur le bord de son lit. Des picotements la parcouraient des pieds à la tête, et elle avait l'impression de fondre au plus profond d'elle-même. Ah, comme elle avait envie de revivre ces quelques précieux instants dans le jardin, quand Jared l'avait serrée contre lui et embrassée !

Enfin, quelle idiote elle faisait ! Il n'avait parlé ni de mariage, ni d'amour ou de respect. Seulement de désir. Ses baisers en témoignaient. Et son corps de vierge qui n'avait jamais été caressé avait répondu avec sa propre ardeur. Ah, elle comprenait enfin ce qu'elle avait attendu toutes ces années ! Aucun homme n'avait jamais éveillé cela chez elle. Cette partie de son être restée en sommeil était désormais bien vivante et créait un besoin si brûlant en elle qu'elle en appréhendait l'assouvissement. Hester ne doutait pas : c'était de l'amour qu'elle éprouvait pour Jared. Pas celui qu'elle prodiguait à sa mère et à son grand-père, tendre et attentionné. Celui-ci, exigeant, insatiable, menaçait de la consumer tout entière.

— Que vais-je faire ? murmura-t-elle en se déshabillant seule, n'ayant pas envie de demander sa femme de chambre. Je le désire tant, je l'aime tant… et s'il flirtait simplement avec moi… pour se divertir, c'est tout…

Cette pensée atroce commença à la torturer car elle s'était complètement abandonnée à lui ce soir, définitivement. S'il la voulait, il n'avait qu'à claquer des doigts, elle se précipiterait. Sans la moindre honte.

Tout son monde s'écroulait face au désir que Jared faisait naître en elle. Désormais, il pouvait faire d'elle ce qu'il voudrait. S'il ne voulait pas de mariage, très bien, elle serait sa maîtresse. Mais non ! Comment pouvait-elle même envisager une chose pareille ? Elle avait toujours été raisonnable, respectable, maîtresse de ses pensées et de ses sentiments. Et voilà qu'il balayait tout avec un simple baiser ! S'il était venu la retrouver en cet instant, elle aurait cédé sur-le-champ, même s'il lui fallait ruiner sa réputation pour assouvir son envie de lui.

Malgré la passion dont elle était la proie, Hester savait qu'elle se remettrait à douter dès le lendemain. Elle ne pouvait tout de même pas tout abandonner pour un homme ! Non, elle se reprendrait pendant l'absence de Jared. Et, quand il reviendrait, elle aurait la force de résister à sa cour. Parce que, dans le cas contraire, elle serait perdue.

Dans sa chambre, à l'autre bout de la maison, un homme faisait les cent pas, sa jalousie effrénée pulsant dans ses veines comme un amer poison. Cette petite traînée l'avait trahi en se précipitant dans les bras d'un autre homme ! Il l'avait vue embrasser cet arriviste d'Américain et avait deviné le désir de celui-ci. Ce vaurien serait bien capable de la convaincre de l'épouser !

Et cela contrecarrerait tous ses plans ! Il avait été si sûr de lui concernant Hester qu'il ne s'était pas pressé. Il avait agi avec prudence et lenteur, en attendant le moment propice. Il avait allumé l'incendie sur une impulsion, mais cela avait mieux marché qu'il ne l'aurait cru : l'héritier était venu sur place. Le vieux duc n'en avait plus pour longtemps, et il savait se montrer patient. Il se serait contenté d'attendre, si d'autres éléments n'étaient entrés en jeu.

Mais on ne le flouerait pas. Il savait ce qui lui était dû, ce qui lui revenait de droit. Il avait commencé à faire des plans sur l'avenir quand le fils du vicomte Sheldon était mort. C'était un accident, mais il était le dernier de tous ceux qui étaient sur son chemin à l'époque. Aujourd'hui, il n'en restait que deux. Quand ils auraient quitté la scène, les choses se dérouleraient enfin selon sa volonté, comme il l'avait planifié depuis des années.

Alors il savourerait la vengeance dont il rêvait depuis toujours. Depuis son enfance, lorsqu'il écoutait les récits de son père, nourris de sa colère pendant de longues années. La clé de son succès était Hester. Si elle acceptait de l'épouser, la dette serait payée. Dans le cas contraire... Ses yeux étincelèrent de malveillance quand il pensa à ce qu'il ferait si elle s'obstinait à refuser. Elle était devenue fière et rebelle dernièrement, et, si elle s'opposait à ce qu'il avait préparé depuis si longtemps, il n'hésiterait pas à lui en faire subir les conséquences.

Chapitre 8

Hester n'eut pas l'occasion de voir Jared en privé dans la matinée. Occupé avec les artisans, il était parti examiner l'aile endommagée sans lui proposer de les accompagner et elle avait donc préféré rester à l'écart. Pourtant, elle brûlait d'entendre leurs conversations. Mais elle avait confiance en Jared et savait qu'elle ne serait pas déçue du résultat des travaux.

Se sentant désœuvrée, elle prit le cabriolet avec un palefrenier pour se rendre au village. En temps normal, elle y serait allée seule, mais en ces circonstances elle avait estimé que courir pareil risque serait inconsidéré. Ses visites l'occupèrent presque toute la matinée, car elle avait apporté de la nourriture, des vêtements et quelques médicaments de la réserve de sa mère. Elle fut accueillie avec force sourires, parce que tout le monde voulait lui parler du nouveau vicomte et exprimer sa reconnaissance pour son action. Hester réalisa que Jared était devenu populaire en un éclair, et qu'on ne faisait que chanter ses louanges.

Elle rentra peu après midi et se rendit directement à la salle à manger. Sa mère y était déjà, ainsi que M. Knighton, qui avait réussi à passer une veste en dépit de son bras gauche encore en écharpe.

— Je suis heureuse de vous voir debout, monsieur, lui lança Hester. J'espère que vous vous sentez mieux aujourd'hui ?

— Oui, beaucoup mieux, je vous en remercie, répondit-il avec un sourire chaleureux. Je crains qu'on n'aie fait trop de bruit autour de ce petit incident, Hester. Je suis tombé de cheval, voilà tout.

— Mais un coup de feu a effrayé votre monture, si je ne m'abuse. Et vous avez affirmé que quelqu'un vous avait tiré dessus.

— Certes, mais j'y ai bien réfléchi depuis et je pense plutôt qu'il s'agissait d'un braconnier. N'êtes-vous pas de cet avis ?

— Alors que vous pensiez qu'un dangereux bandit de grand chemin rôdait par ici ?

— Oui, j'ai entendu des rumeurs, mais pourquoi aurait-on voulu me tirer dessus ? Je n'avais pas grand-chose de valeur sur moi. A moins qu'on ne m'ait pris pour quelqu'un d'autre.

— Vous croyez qu'on vous aurait confondu avec le vicomte Sheldon ?

— Peut-être, avança M. Knighton, l'air soucieux. Je voulais lui en parler et l'avertir du danger, mais il est parti pour Londres il y a quelques minutes.

— Jared est déjà parti ? s'exclama Hester, incapable de dissimuler sa déception. J'avais espéré le voir avant son départ.

— Il t'a demandée, ma chérie, intervint lady Sheldon. Je lui ai expliqué que tu étais allée au village. Il m'a dit qu'il te verrait à son retour. Il pense en avoir pour quelques jours seulement. Il sera là pour le bal.

— Oui, bien sûr, dit Hester. Il reviendra vite, et ma marraine va arriver.

— En effet. Pour le thé, d'après le message qu'elle m'a fait parvenir. Elle a envoyé un de ses valets pour nous avertir de son arrivée.

— C'est très prévenant de sa part, apprécia Hester. Je n'ai pas faim, maman. Je vais monter voir si sa chambre a été correctement préparée, et y disposer quelques fleurs.

— Tu devrais manger, Hester.

— Merci, maman. Je prendrai le thé avec toi et lady Ireland.

Hester monta dans la chambre réservée à sa marraine. Elle vérifiait toujours les chambres de leurs invités avant leur arrivée.

Elle ajouta un bouquet de fleurs, puis alla se changer pour accueillir sa marraine à son avantage.

Quand elle redescendit, M. Knighton était dans le hall. Il lui sourit en l'apercevant.

— Vous êtes délicieuse, Hester. De plus en plus belle chaque jour.

— Je ne me trouve pas belle, monsieur.

— La beauté est dans l'œil de celui qui regarde, et à mes yeux vous avez toujours été belle.

— Vous êtes trop bon, monsieur, marmonna Hester, mal à l'aise, parce qu'elle sentait qu'il tournait autour de sa demande en mariage.

— Hester, voudriez-vous faire une promenade au jardin avec moi un petit moment ? Je voudrais vous dire quelque chose depuis un certain temps.

— Monsieur Knighton, je …

Hester fut sauvée par des coups frappés à la porte.

Le valet se précipita pour ouvrir et lady Ireland fit son entrée. Elle lui fit un signe de tête pour le remercier puis se précipita vers Hester pour la serrer dans ses bras avec effusion.

— Ma chère Hester ! Tu es superbe ! Je me demandais comment cela se passerait pour toi maintenant que l'héritier est là, mais je vois que tu n'as pas l'air perturbée. Ce serait même le contraire. Ou est-ce l'air de la campagne ?

— L'air de la campagne me fait certainement le plus grand bien, répondit Hester en riant tout en l'embrassant. Je suis si heureuse de vous voir, marraine ! J'ai l'impression que cela fait une éternité que nous nous sommes vues, alors que c'était il y a quelques jours à peine !

— C'est la nouvelle influence du vicomte, intervint lady Sheldon. Il a insufflé une bouffée d'air frais à cet endroit, Sarah. Il nous a débarrassées de tous nos soucis et je lui en suis tellement reconnaissante ! Et puis, il me plaît. Il est d'une compagnie agréable. Il me fait rire.

Lady Ireland la considéra un moment avec perplexité.

— Ne trouves-tu pas qu'il s'exprime un peu… bizarrement ?

— Oh ! ne fais pas attention à ses taquineries ! répliqua lady Sheldon. C'est un grand plaisantin, n'est-ce pas, Hester ?

— Oui, maman. Jared aime beaucoup nous taquiner, tous autant que nous sommes. Laissez-moi vous conduire à l'étage, marraine. Vous devez sûrement vouloir vous rafraîchir après votre voyage.

— Comme c'est attentionné de ta part, ma chérie, fit remarquer lady Ireland en scrutant sa filleule avec attention. Monte donc avec moi, Hester. Tu pourras me raconter ce qu'a fait le vicomte Sheldon pour mériter tant de louanges de la part de ta maman.

— Il a été des plus généreux, commença Hester en prenant le bras de sa marraine alors qu'elles se dirigeaient vers l'escalier. Il va faire reconstruire le village cottage par cottage, et il a promis que les dégâts de l'incendie seraient réparés.

Lady Ireland eut l'air étonnée.

— Je croyais qu'il avait perdu tout son argent ! N'est-ce

pas ce que M. Birch avait écrit ? Et le vicomte nous avait bien fait comprendre lui-même qu'il n'avait plus grand-chose.

— Il se jouait de nous, marraine. J'imagine qu'il estimait que nous le méritions bien, pour nous être convaincus qu'il avait besoin de leçons de savoir-vivre.

— Oh..., lâcha lady Ireland, soudain très attentive. Je vois... Donc, cet accent...

— Une petite duperie qui m'était destinée. Voyez-vous, on lui avait dit que je serais son professeur de bonnes manières.

— Et quel est l'idiot qui lui a présenté les choses de cette manière ? Sa mère était une lady, je ne suis pas surprise qu'il ait été offensé.

— Il était aussi en colère parce qu'à ses yeux, le duc s'était mal comporté avec sa mère.

— Eh bien, dans un sens, c'est exact. J'ai toujours trouvé qu'il avait été trop dur avec elle. Mais c'était sa préférée, et il était très exigeant à son égard.

— A mon avis, elle lui a brisé le cœur en s'enfuyant, se désola Hester. Il était furieux, mais il aurait dû répondre à ses lettres. Le jour où il s'en est rendu compte, il était trop tard.

— Quand nous réfléchissons après coup, nous savons toujours ce que nous aurions dû faire, conclut lady Ireland avec sagesse. Où est le vicomte à présent ?

— Il est parti à Londres pour affaires, expliqua Hester. Il a promis de revenir à temps pour le bal.

Sa marraine hocha la tête, puis sursauta en entendant un grand « bang » venu du fond de la maison.

— Dieu du ciel ! s'écria-t-elle, qu'est-ce que cela ?

— Les maçons, je pense. J'espère qu'ils ne vont pas faire ce tintamarre en permanence !

— Ces gens sont toujours bruyants, déclara lady Ireland. Espérons qu'ils seront rapides et efficaces.

— Je vais leur demander de faire moins de bruit si c'est possible, promit Hester en ouvrant la porte de la chambre de sa marraine. C'est la chambre que vous occupez d'habitude. J'espère que vous y serez à votre aise.

— Mais je le suis toujours, ma chérie, assura lady Ireland, jetant un coup d'œil sur le bouquet de fleurs posé sur un petit bureau près de la fenêtre. C'est ton œuvre, Hester ? Il est ravissant ! apprécia-t-elle avec un sourire. Tu peux me laisser m'installer, je suis sûre que tu as à faire.

— Je vais aller voir le travail de ces maçons, dit Hester. Maman a préparé des rafraîchissements en bas. Venez quand vous serez prête, marraine.

Pensive, Hester se dirigea vers l'aile en restauration. Qu'avait donc demandé Jared à ces hommes ?

Alors qu'elle pénétrait dans le premier salon, endommagé par la fumée mais épargné par les flammes, elle entendit des bruits dans la pièce attenante, qui conduisirent ses pas. Elle fut abasourdie par la vision qui s'offrit à elle. La plus grande partie du plafond avait été dénudée jusqu'aux poutres.

— Oh ! Que se passe-t-il ici ? s'écria-t-elle devant l'ampleur du désastre.

— Mademoiselle, vous ne devriez pas être ici ! la héla un homme en se précipitant vers elle. Ce plafond a été fragilisé par l'incendie. Le vicomte Sheldon nous a dit de tout démolir et de tout replâtrer.

— Je ne me rendais pas compte, dit Hester. Je pensais qu'il fallait seulement redécorer et nettoyer.

— Cela n'aurait pas été prudent, mademoiselle. C'était trop endommagé.

— Avez-vous encore beaucoup de travail ? Les appartements du duc sont situés juste au-dessus…

— Oh ! la sécurité est assurée, mademoiselle, il ne passera pas à travers ! lui assura l'homme en souriant. Heureusement, les poutres maîtresses n'ont pas brûlé. Mais je suis désolé pour le bruit. Nous n'avons plus qu'un morceau à démolir, celui que vous voyez au-dessus de la porte par laquelle vous êtes entrée. Vous feriez mieux de repartir par la porte du fond, mademoiselle, afin de ne rien recevoir sur la tête.

— Merci pour l'avertissement, dit Hester. Dites-moi, y a-t-il d'autres plafonds à démolir ?

— Non, mademoiselle, mais au niveau du toit il y a des pierres qui se fendillent, à l'extrémité de cette aile. Je l'ai remarqué lors de mon inspection. Je n'en ai pas encore fait part au vicomte, mais je n'y manquerai pas dès son retour. Des fragments pourraient se détacher de la corniche et blesser quelqu'un.

— Je vais prévenir tout le monde du danger, décréta Hester. Merci pour cette information, monsieur.

— J'ai fait venir tous mes ouvriers et embauché des extra au village pour le gros œuvre, ajouta l'homme. J'ai promis au vicomte de faire aussi vite que possible.

— Alors je vous laisse travailler. Au revoir.

— Ne vous inquiétez pas, mademoiselle. Dans quelques jours, vous aurez oublié que cette pièce était un vrai chantier.

Hester hocha la tête et sortit par la porte du fond, puis emprunta l'escalier du bout de l'aile pour se rendre chez son grand-père. Il lui cria d'entrer, aussitôt qu'elle eut frappé, et la foudroya d'un regard excédé.

— Quel est cet infernal vacarme en bas ?

— Je suis venue vous l'expliquer, lui assura Hester. Je suis désolée si le bruit vous a importuné. Il a fallu démolir le plafond du salon vert parce qu'il a été terriblement endommagé.

— Quelle horreur, ce tapage ! continua le duc sur un ton plus apaisé. Bah, je suppose qu'on n'y peut rien ! Le vicomte Sheldon m'avait prévenu.

— C'est un chantier impressionnant, ajouta Hester, surprise par l'attitude conciliante du duc. Ils m'ont dit qu'ils avaient presque terminé la partie bruyante du travail. J'imagine qu'il faudra plusieurs semaines pour que tout soit remis en état.

— C'est ce que j'aurais cru, mais Sheldon a une autre vision des choses. Il m'a dit que ce serait prêt dans une semaine tout au plus, même si nous allons avoir besoin de nouveaux meubles, apparemment.

— Oui, il a dit quelque chose…

Hester attendit l'explosion de colère du duc, mais en vain. Aussi continua-t-elle.

— … sur son intention de faire venir ses propres meubles d'Amérique pour ses appartements.

— Eh bien, voilà au moins une chose dont tu n'auras pas à t'occuper. Je lui ai suggéré de te laisser choisir le nouveau mobilier, mais il a assuré qu'il s'occuperait de tout. J'espère qu'il ne va pas nous faire un beau gâchis, même si nous n'avons pas notre mot à dire. C'est son argent, ne l'oublions pas.

— Oui, dit Hester. Essayez de ne pas être amer, grand-père. Je sais que cela doit être difficile d'accepter d'être dépendant du bon vouloir de M. Clinton, mais nous devons être reconnaissants qu'il soit prêt à faire tout cela pour nous. Après tout, il aurait pu se contenter de venir jeter un coup d'œil et de repartir chez lui.

— Je ne suis pas amer en ce qui me concerne, se récria le duc en plongeant son regard dans les yeux d'Hester. Je t'ai toujours aimée, tu le sais, ma fille, et j'espère que le vicomte ne te donne pas l'impression d'être poussée dehors.

— Grand-père ! s'exclama Hester en riant doucement. J'apprécie Jared et je ne suis pas vexée le moins du monde qu'il ait décidé de faire tout cela sans me consulter. Quoi qu'il fasse, cela ne m'empêchera pas de vivre. Après tout, j'ai mes propres appartements.

— Tu es une bonne fille, Hester, la complimenta le duc. Si j'avais mon mot à dire, il t'épouserait et tu pourrais vivre ici dans cette maison qui est la tienne, mais je ne peux pas lui ordonner de te demander ta main.

— Si vous faisiez cela, je m'en irais et ne vous adresserais plus jamais la parole ! s'exclama Hester, choquée par cette déclaration. Vous devez me promettre de ne jamais lui suggérer ce genre de chose !

— Il te plaît, ma fille. Je l'ai vu dans tes yeux quand tu parles de lui. Et tu lui plais aussi. Ce serait un arrangement idéal pour nous tous.

— Et ai-je mon mot à dire dans votre petit complot ? s'indigna Hester en lui lançant un regard noir. Certes, j'aime beaucoup Jared, mais ce n'est pas pour autant que je l'épouserai, simplement pour satisfaire votre caprice.

— Tu as ton caractère, n'est-ce pas, ma fille ? reprit le duc en s'esclaffant. Ah, par Dieu, à vous deux vous fabriqueriez de splendides héritiers pour cette famille !

— Et voilà que maintenant je suis une pouliche d'élevage ! cria Hester, partagée entre amusement et contrariété. Vous avez un esprit tordu, grand-père. Je vais m'en aller et vous laisser à vos chimères.

— Non, reste ici et bavarde un peu avec moi. J'adore ta compagnie, ma fille, et je promets de ne plus te taquiner.

— Très bien, concéda Hester en souriant, car elle

l'aimait trop pour rester longtemps fâchée. Voulez-vous que je vous fasse la lecture ?

— Oui, s'il te plaît. Rien n'est plus apaisant que le son de ta voix quand tu me lis de la poésie, Hester. Oublie ma malice. J'imagine que le vicomte a ses propres idées.

— J'en suis certaine, répondit-elle en arborant un air serein.

Hester se sentait pourtant tout sauf sereine en allant chercher le livre préféré de son grand-père et en commençant à le feuilleter. Combien de temps Jared resterait-il absent ? Pas trop longtemps, voilà ce qu'elle espérait de tout son être. Parti depuis quelques heures à peine, il lui manquait déjà.

Jared scruta l'agent que ses avoués avaient engagé pour mener l'enquête qu'il avait demandée. Songeur, il tentait de digérer l'information surprenante que l'on venait de lui fournir.

— Etes-vous certain de ce que vous avancez, monsieur Morrison ?

— Tout à fait, monsieur. La famille est des plus respectables, mais il y a un lien… avec un bâtard.

— Ah, je vois…, murmura Jared. Cela ne se sait donc pas… Voilà qui éclaircit un point pour moi. Cela semble tiré par les cheveux, mais c'est peut-être une raison pour qu'il veuille ma mort.

— Il ne deviendrait pas l'héritier direct pour autant, monsieur. Etant illégitime, il ne pourrait pas hériter.

— Non, mais je ne suis pas sûr que cela soit son but, dit Jared, pensif. Je crois que ma mort est accessoire, dans son plan.

— Je ne suis pas sûr de vous comprendre, monsieur.

— Je pense que le motif serait plutôt la vengeance que l'appât du gain.

— La vengeance ? s'exclama l'agent, surpris. Pardonnez-moi si je suis obtus, mais je ne vois toujours pas…

— Ce mystère concerne surtout une autre personne, à mon avis, avança Jared. Pour le moment, je préfère garder mes conclusions pour moi, mais je vous suis reconnaissant de votre aide. J'avais du mal à comprendre la raison de l'attentat contre M. Knighton, mais désormais tout est clair.

— Qu'allez-vous faire, monsieur ?

— Je dois rentrer à Shelbourne aussi vite que possible, dit Jared. Personne ne court de grand danger jusqu'au retour de M. Grant pour le bal, à mon avis, mais je peux me tromper. J'ai laissé des instructions à mes avoués ici. Toutes mes affaires courantes peuvent passer par leur intermédiaire.

— Voulez-vous que je continue à enquêter pour vous, monsieur ?

— Oui. Je vais avoir besoin d'un agent, puisque je compte m'installer en Angleterre, expliqua Jared. Mais l'enquête que je voudrais vous voir mener désormais est d'un genre différent.

Il sourit devant l'expression de surprise de l'agent quand il lui révéla la nature du travail qu'il souhaitait lui voir entreprendre. Ils s'entretinrent encore quelques minutes, puis Morrison prit congé.

Jared sortit quelques instants plus tard. Il avait décidé de faire encore quelques magasins avant de rentrer à Shelbourne. Il était à Mayfair devant un établissement très chic quand il entendit qu'on l'appelait. Il se retourna et se retrouva face à deux femmes.

— Jared ! Jared Clinton ! s'exclama la première, le visage illuminé de plaisir. J'étais sûre que c'était toi !

— Selina ! dit Jared en lui souriant. Je croyais que tu ne quittais plus Paris ces derniers temps ?

— Je suis venue pour le mariage de ma nièce, Annabel, expliqua lady Selina Mallard en lui lançant une œillade à travers ses cils fournis.

Dans sa jeunesse, elle avait été considérée comme l'une des plus belles femmes d'Angleterre, se souvint Jared, et elle avait fait un beau mariage. Son mari, plus âgé qu'elle, était mort en lui laissant une fortune, trois années seulement après leur union. Elle ne s'était jamais remariée et avait choisi de vivre à Paris, où la rumeur disait qu'elle prenait une foule d'amants, qu'elle abandonnait aussi vite qu'elle les avait conquis.

— Voici ma sœur, lady Raven. Comme tous les plaisirs que nous a procurés ce mariage sont passés, nous avons pensé à nous consoler en achetant de jolies choses. Etais-tu sur le point d'acheter un cadeau galant, Jared ? Aurais-tu une nouvelle maîtresse ?

— Tu es incorrigible, comme toujours ! la rabroua gentiment Jared.

Il se remémora leur brève romance à Paris quelques années plus tôt, avant qu'ils ne se quittent bons amis d'un commun accord.

— Je songeais à un cadeau pour une amie, avoua-t-il.

— N'ai-je pas entendu votre nom récemment ? intervint lady Raven en le regardant d'un air intrigué, car elle ne l'avait jamais vu. Clinton…, ah, oui ! Vous êtes l'héritier américain de Shelbourne. On ne parle que de vous, monsieur, affirma-t-elle avec un regard aguicheur.

— Vous me flattez, madame. Je ne connais pourtant presque personne à Londres.

— Mais le duc donne un bal pour fêter votre arrivée, insista lady Raven. Je n'étais pas sûre d'y aller, alors que j'ai reçu l'invitation hier. Maintenant que je vous ai vu, je vais certainement venir.

— Je vais peut-être retarder mon retour à Paris… si tu m'invites ? le provoqua Selina. En souvenir du bon vieux temps, Jared ?

— Pourquoi pas ? Tu es bien entendu conviée à accompagner lady Raven, dit Jared. Si vous voulez bien m'excuser, mesdames, j'ai des affaires à terminer avant de retourner à la campagne.

Il leur sourit et pénétra dans la bijouterie, laissant les deux femmes se perdre en conjectures.

— Il est exactement ce qu'il te faut pour te remonter le moral après le départ d'Annabel, assura Selina à sa sœur. Tu verras, c'est un amant merveilleux, Maggie. Crois-moi, il en vaut la peine.

— Tu ne le veux pas pour toi ?

— Oh ! un moment d'intimité ne me dérangerait pas, mais je dois bientôt rentrer à Paris, et Pierre est très jaloux. Non, ma chère sœur, je te le laisse, cette fois. Tu as besoin de te divertir…

Elles s'éloignèrent en riant, complotant sur la meilleure façon dont lady Raven pourrait attirer le nouveau vicomte dans son lit pendant son séjour à Shelbourne.

Jared prit le paquet élégamment enveloppé par le bijoutier et le glissa dans la poche intérieure de sa jaquette. C'était un présent volontairement modeste, car il voulait être sûr qu'Hester l'accepterait. Il aurait voulu lui acheter autre chose, mais il préférait attendre. Si ses soupçons étaient avérés, ses attentions pourraient mettre Hester en danger.

***

Hester fut agréablement surprise par la rapidité de l'avancée des travaux. Elle se rendait dans l'aile en restauration tous les matins. Le plafond était désormais totalement replâtré. Toutes les pièces avaient été nettoyées de fond en comble et la décoration avait commencé. Elle avait douté au début que tout serait terminé à temps pour le bal, mais elle commençait à penser que Jared avait réussi l'impossible.

C'était évidemment parce qu'il avait demandé à l'entrepreneur d'engager des extra. Il y avait tant d'hommes à l'intérieur et à l'extérieur de la maison qu'Hester avait l'impression d'être au cœur d'une fourmilière. Cependant, ils ne pénétraient pas dans le corps principal, et, après le premier jour, le vacarme cessa. On n'entendait plus que des coups de marteau et le bourdonnement d'ouvriers en activité.

— Comment cela avance-t-il, ma chérie ? s'enquit lady Sheldon alors qu'elle prenait le thé avec Hester trois jours avant le bal. Est-ce possible que cela soit terminé avant l'arrivée de nos invités ?

— Les premiers sont attendus demain, l'informa Hester. Je doute que les travaux soient déjà finis, mais nous les installerons dans l'aile est. Nous devrions pouvoir ouvrir toute la maison le jour du bal, même si elle sera un peu nue, car la plupart du mobilier ont dû être enlevés. Tout était trop abîmé. On pourra restaurer quelques meubles, mais cela prendra du temps, c'est plus long à faire que la décoration.

— C'est vrai, la restauration de meubles est une tâche délicate. Mais je pense que le vicomte a son idée là-dessus.

— Vous lui faites une confiance aveugle, maman, remarqua Hester, amusée. J'espère qu'il ne vous décevra pas.

— Le vicomte Sheldon est un homme remarquable,

assura lady Sheldon. Je ne m'inquiète pas, Hester. Je suis sûre qu'il a pensé à tout.

— Certainement…

Hester avait envie d'en dire plus, mais à cet instant la porte s'ouvrit et quelqu'un fit son entrée. Sans se retourner, elle devina à l'expression de sa mère qu'il s'agissait de Jared, et son cœur fit un grand bond dans sa poitrine.

— Lady Sheldon, Hester, commença-t-il.

Un long frisson parcourut sa peau au son de la voix sensuelle de Jared. Elle brûlait de le voir revenir, et, maintenant qu'il était là, elle se sentait paralysée de timidité.

— J'ose espérer que vous me pardonnerez de faire ainsi irruption en tenue de voyage, mais je voulais vous informer de mon retour au plus vite.

— Nous sommes si contentes que vous soyez rentré, monsieur ! lança lady Sheldon. L'odeur d'écurie ne m'incommode pas. Feu mon mari venait souvent dans mon salon sans s'être changé, car il était passionné d'équitation. Je vous en prie, prenez une tasse de thé avec nous tel que vous êtes.

— Vous êtes trop bonne, madame, dit Jared. Mais je reviendrai quand je serai changé.

— Bienvenue Jared, balbutia Hester en se levant pour l'accueillir.

Son cœur battit la chamade quand elle remarqua à quel point il était superbe. Pourquoi ne l'avait-elle pas trouvé séduisant au premier abord ? Mystère. Après quelques jours d'absence, il lui apparut indubitablement comme le plus attirant des hommes qu'elle avait jamais rencontrés.

— Je suis contente que vous soyez rentré. Avez-vous vu l'aile ouest ? Je crois que vous serez content de l'avancée des travaux.

— Non, pas encore. Le nouveau plafond est-il terminé ?

— Oui, et le nettoyage est fait. Il ne reste que la décoration.

— Parfait. J'ai organisé la livraison des nouveaux meubles pour la veille du bal. Tout sera terminé à temps, je l'espère.

— Vous avez engagé une véritable armée pour en être sûr, fit remarquer Hester en souriant. Voudriez-vous venir voir ce qui a été réalisé en votre absence ?

— Si vous voulez me faire visiter, demanda Jared en la dévisageant. J'espère que vous n'avez pas trop été importunées, ainsi que le duc ?

— Il était un peu grognon le premier jour, pendant la démolition du plafond, mais c'est tout, je vous remercie.

— Tant mieux. Je suis désolé d'avoir été si long, ajouta-t-il en lui cédant le pas, j'espérais revenir plus tôt mais j'ai été retardé.

— Oh ! je ne m'attendais pas à ce que vous vous dépêchiez, répliqua Hester en essayant de garder un ton calme alors que son cœur tambourinait dans sa poitrine. Vous aviez fort à faire, j'imagine ?

— C'est exact, répondit Jared. Des choses concernant Shelbourne, mais aussi des affaires personnelles.

Il avait dû régler certains problèmes en rapport avec sa propriété de Paris, mais, comme elle ignorait tout de son empire, il garda ces détails pour lui.

— Bref, je suis là maintenant, conclut-il, et je n'ai pas l'intention de repartir avant un bon moment.

— Je vois…

Le cœur d'Hester battait toujours aussi vite, mais elle garda sa réserve.

— Grand-père en sera content, même s'il ne s'attend pas à ce que vous passiez tout votre temps ici. Vous vous ferez des amis, et souhaiterez passer du temps avec eux, ou vous rendre à votre club de Londres quand vous en aurez choisi un.

— Des amis…, hésita Jared, se souvenant de sa rencontre à Londres. J'ai invité une dame de plus au bal, Hester. J'espère que cela ne vous ennuie pas. C'est la sœur de lady Raven, je les ai rencontrées toutes deux en ville.

— Vous connaissez lady Raven ? s'exclama Hester, étonnée.

— Non, c'est sa sœur, lady Selina Mallard, qui est une de mes connaissances. Lady Raven m'a dit qu'elle était invitée, et Selina a demandé si elle pouvait l'accompagner.

— Oui, bien sûr. Voulez-vous inviter quelqu'un d'autre ?

— Non, lady Mallard, c'est tout, répondit Jared, toujours hésitant.

Pourvu qu'Hester ne s'imagine rien, songea-t-il. Il s'était senti obligé d'inviter Selina par amitié. Par la suite, il s'était demandé s'il n'aurait pas mieux fait de s'en abstenir, mais cela aurait été difficile de le faire sans l'offenser.

— Je l'ai rencontrée à Paris, ajouta-t-il.

— Ah oui, c'est vrai ! Vous aviez dit y être allé l'année dernière.

Hester faisait tout son possible pour rester imperturbable. Mais elle connaissait la réputation de cette lady Selina, et elle avait beaucoup de mal à cacher sa désapprobation.

— Nous avons de nombreuses chambres d'amis, Jared. Cela ne pose aucun problème d'en préparer une de plus.

— J'aurais peut-être dû vous écrire, insista Jared, sentant qu'elle n'était pas ravie.

— Pas du tout, se récria Hester en relevant la tête d'une manière qu'elle espéra très digne. En tant qu'héritier, vous avez tout à fait le droit d'inviter qui vous voulez, monsieur.

— Mais je ne voudrais pas vous offenser, Hester.

— Et pourquoi le serais-je ? répliqua-t-elle en évitant

de le regarder, avant de vite changer de sujet. Je suis heureuse que vous ayez dit aux entrepreneurs de conserver les couleurs d'origine. Cette pièce était très belle avant l'incendie.

— Oui, certainement, acquiesça Jared, en la suivant sur le même thème. Elle le sera de nouveau, j'en suis sûr. Ce bleu pâle dont a parlé l'entrepreneur… Comment l'appelez-vous, déjà ?

— Certaines personnes disent « bleu coquille d'œuf de canard », mais c'est un bleu-vert pâle quand il vient d'être appliqué, comme vous le verrez.

Ils étaient sur le point d'arriver à l'aile ouest. Le premier petit salon, celui qui avait été le moins atteint par l'incendie, était déjà terminé. Il sentait le neuf, la soie tendue sur les murs venait d'être posée, et le plafond lessivé.

— C'est de nouveau une pièce délicieuse, surtout avec le soleil du matin.

Jared s'avança au centre de la pièce vide et regarda autour de lui.

— C'est réussi, Hester. J'espère que vous êtes contente ?

— Oui, fit-elle avec un sourire, sentant fondre sa réserve face à l'expression anxieuse de Jared, en quête de son approbation. En fait, je l'adore, Jared. Je ne sais pas ce que vous avez dans l'idée pour la meubler.

— Du mobilier français. Louis XIV, mais pas trop extravagant. De petites pièces, avec dorures et tapisserie en satin rose pâle et crème.

— Cela semble ravissant. Mais où avez-vous trouvé cela en si peu de temps ? ajouta-t-elle, surprise.

— Lorsque j'ai embarqué pour l'Angleterre, j'en ai profité pour faire expédier quelques meubles que je prévoyais d'installer dans l'une de mes propriétés à Paris. Comme la situation a changé, j'ai demandé qu'on les livre ici, avec d'autres choses…

Jared hésita. L'air sérieux, il regarda longuement Hester avant de continuer.

— J'ai procédé à ces arrangements pour que tout soit convenable pour le bal, mais si cela vous déplaît, vous me direz ce que vous voulez que l'on change ensuite, Hester.

— Oh ! non ! se récria-t-elle. Ce n'est pas à moi de vous dicter vos actes, Jared. Je suis sûre d'aimer ce que vous avez choisi.

— Vous aurez carte blanche pour le reste de la maison, promit Jared. J'ai l'habitude de faire les choses à ma guise, sans me soucier de l'avis des autres. Je ne voulais pas vous froisser.

— Comment le pourriez-vous ? rétorqua Hester. Vous avez fait revivre cette maison. Je ne peux que vous en remercier.

— Mais c'est votre maison. Je ne veux pas que vous ayez le sentiment que je me suis débarrassé de tout ce que vous aimiez et avez connu.

— C'est le feu qui s'en est chargé ici. De plus, si j'avais eu l'argent, j'aurais changé les choses plus tôt.

— Vous n'êtes donc pas fâchée contre moi ? insista-t-il en s'approchant d'elle. Hester, je…

Il fut interrompu par l'irruption d'un homme dans la pièce.

— Monsieur Knighton…

— J'ai entendu des voix, alors je suis venu voir ce qui se passait, car les entrepreneurs viennent de quitter les lieux, expliqua celui-ci. Ils avaient dit qu'ils viendraient très tôt ce matin pour les dernières finitions. Je dois reconnaître qu'ils ont très bien travaillé. Mes félicitations, Sheldon. Je n'aurais pas cru que cela aurait pu être terminé à temps. J'imagine que ça a dû vous coûter un joli paquet.

— Pas tant que ça, répondit Jared d'un ton insouciant. Je suis heureux que cela vous plaise.

— Oh ! oui ! Mais vous devriez leur demander d'aller inspecter l'arrière de la maison. Il y a des pierres branlantes, qui pourraient causer un vilain accident en tombant.

— C'est exact, intervint Hester. Votre entrepreneur me l'a dit le jour de votre départ. Il voulait votre accord pour réparer.

— Je lui avais pourtant dit de faire tout le nécessaire, dit Jared. Ça ne peut pas rester comme ça pour le bal. Voudriez-vous me montrer l'endroit, Knighton ?

— Mais certainement. Voulez-vous y aller maintenant ?

— Pourquoi pas ? Hester, je ne voudrais pas vous retenir. J'irai me changer après avoir examiné ces pierres. Je vous verrai ce soir.

— Oh… oui…, bien sûr, bégaya-t-elle.

Préoccupée, elle retourna dans le salon retrouver sa mère.

— Te voilà déjà ? s'enquit lady Sheldon. Je pensais que tu mettrais plus longtemps. Le vicomte vient-il prendre le thé ?

— Non. Il est allé voir des pierres qui s'abîment à l'arrière de la maison.

Hester se sentit soudain glacée.

— Excusez-moi, maman, il faut que j'y aille, lança-t-elle en se précipitant hors de la pièce en direction de l'aile ouest.

Son cœur cognait dans sa poitrine, alors qu'elle ignorait pourquoi elle était si effrayée. Elle vit les deux hommes devant elle, en train d'examiner le toit.

— Jared !

L'appel d'Hester le fit hésiter. Il se détourna et fit un

pas vers elle. A ce moment précis, un gros morceau de pierre dégringola du toit. S'il n'avait pas bougé, il se serait retrouvé juste en dessous.

— Attention ! hurla Knighton. Mon Dieu !

La pierre s'était brisée en miettes derrière Jared. Il y prêta à peine attention alors qu'il se précipitait vers Hester qui courait vers lui, de toute évidence affolée.

— Qu'y a-t-il ?

— Je ne sais pas… J'ai senti qu'il allait se passer quelque chose… Cette pierre n'est pas passée loin de vous.

— Elle devait être vraiment descellée, déclara Jared, très calme. Knighton a raison : c'est dangereux. Tout va bien, Hester, ajouta-t-il en la sentant trembler. Elle ne m'a pas touché, et je ne suis pas blessé.

— Mais vous auriez pu être tué, se lamenta-t-elle, les yeux assombris de désespoir.

— Hester a raison, renchérit Knighton en les rejoignant. L'entrepreneur est monté examiner l'état du toit. Il a dû desceller la pierre sur son passage, et elle est tombée. Heureusement que vous avez crié, Hester ! Qu'est-ce qui vous a incitée à venir ici ?

— L'instinct, expliqua-t-elle. J'ai senti qu'il allait arriver quelque chose d'épouvantable.

— Nous avons de la chance, l'un de nous aurait pu être tué, dit Knighton. L'entrepreneur a dit que les pierres étaient branlantes, mais je ne pensais pas que c'était aussi dangereux.

— Il aurait dû s'assurer qu'elles ne puissent pas tomber, observa Jared. Vous n'êtes pas monté vous-même ?

— Non, mais j'ai vu M. Grant descendre l'escalier qui mène au toit juste avant de vous rejoindre. Je l'ai prévenu que ce n'était pas sûr de monter là-haut, et il m'a regardé d'un air bizarre…, d'un air très bizarre, quand j'y repense.

— M. Grant ?

— Oui, confirma Knighton, il est arrivé cet après-midi, Hester. Vous le saviez, n'est-ce pas ?

— Non, répondit la jeune femme. Et il me semble bien que maman non plus.

— Votre maman n'en a pas parlé ? Comme c'est étrange...

— Etes-vous certain que c'était lui ? insista Jared, préoccupé.

— Oui, tout à fait certain. Les domestiques ont dû le voir arriver, mais il est étrange que lady Sheldon ne soit pas au courant.

— Je vais aller le lui demander, décida Hester. Rentrez à la maison, Jared, je vous en prie. Vous aussi, monsieur Knighton, je ne voudrais pas que vous vous fassiez tuer tous les deux.

Elle avait cessé de trembler et s'éloigna tête basse. Son cœur battait toujours la chamade, car l'expression dans les yeux de Jared avait été des plus étranges, comme s'il voulait l'avertir de quelque chose.

Hester retourna dans le salon, où lady Ireland s'était jointe à sa mère pour le thé. Elle respira un grand coup, déterminée à ne pas laisser transparaître combien elle avait eu peur.

— Maman, saviez-vous que M. Grant est arrivé ?

— Non, se récria lady Sheldon, stupéfaite. Depuis quand est-il là ?

— Depuis le début de l'après-midi d'après M. Knighton.

— Voudrais-tu sonner Mme Mills, je te prie, ma chérie ? Il aurait dû être annoncé. Je ne voudrais pas qu'il pense que nous le négligeons. J'ignorais sa venue.

— Oui, maman.

Hester tira le cordon de la sonnette. L'intendante arriva dix minutes plus tard, l'air gêné.

— Pardonnez-moi, madame, j'étais très occupée, avec tous ces invités qui arrivent demain. Y a-t-il un problème ?

— M. Grant est-il arrivé cet après-midi ?

— Non, madame. Pas à ma connaissance. Je serais venue vous en informer sur-le-champ.

— Merci. Veuillez m'excuser de vous avoir dérangée, madame Mills, dit lady Sheldon.

Elle attendit que l'intendante ait quitté la pièce et regarda sa fille.

— Qui t'a dit que M. Grant était arrivé, ma chérie ?

— M. Knighton a cru le voir, répondit Hester. Il a dû se tromper.

— Oh ! Cela n'a pas d'importance. Je suis sûre qu'il sera là pour le bal. A moins qu'il n'ait changé d'avis…

— Il viendra, maman, j'en suis sûre.

Hester accepta la tasse de thé que lui tendait sa mère et s'installa sur l'un des petits sofas élégants placés devant la cheminée en marbre. Elle ruminait ses pensées, prêtant une oreille distraite au bavardage futile de sa mère et de sa marraine, consacré aux nouvelles frasques du prince régent.

On avait descellé ce gros bloc de pierre, dans l'espoir qu'il tomberait et blesserait quelqu'un, mais comment cette personne avait-elle pu savoir qui se trouverait en dessous ? A moins d'être restée sur le toit en attendant le moment propice pour la tentative…

M. Knighton avait cru voir M. Grant près de l'escalier, mais l'intendante ignorait qu'il était arrivé. S'il était entré dans la maison, c'était donc secrètement, ce qui signifiait qu'il nourrissait de mauvaises intentions. Tous les indices pointaient vers M. Grant, mais il ne fallait pas exclure la possibilité que cette pierre soit tombée par hasard. Personne ne savait que Jared serait à cet endroit précis, à ce moment précis. Sauf M. Knighton, bien sûr, mais il l'accompagnait, et ils étaient pratiquement côte à côte. La pierre aurait pu tout aussi bien l'atteindre que Jared. De plus, il n'avait rien à gagner avec la mort de l'héritier, contrairement à M. Grant.

Oh ! comment avait-il pu faire cela ? Hester bouillonnait de rage. Elle avait du mal à croire que M. Grant, un homme d'église, ait pu commettre un acte aussi vil. Mais il était le seul suspect !

Il lui faudrait s'entretenir seule avec Jared ce soir. Ils devaient absolument découvrir ce qui se tramait avant que quelqu'un ne soit tué !

Chapitre 9

Hester revêtit une robe de soie gris pâle, à peine décolletée, avec des manches courtes bouffantes. Elle attacha un rang de perles autour de son cou et passa le bracelet offert par sa marraine. Pensive, elle descendit un peu plus tôt que de coutume, espérant trouver Jared seul. Il n'était pas dans le salon, mais son instinct la conduisit vers la bibliothèque. Il y était en effet, un livre ouvert sur la table devant lui. Il leva la tête à son arrivée, mais ne fit aucun geste pour cacher ce qu'il lisait.

— Le journal de votre arrière-grand-père, dit-elle, surprise. Je ne l'ai pas lu, celui-ci.

— Il parle de la malédiction, expliqua Jared. Je cherchais quelque chose, mais on dirait que ce n'est pas dans ce volume.

— Peut-être est-ce dans un autre, suggéra Hester. Que vouliez-vous savoir ?

— Je cherchais plutôt une confirmation, précisa Jared. J'ai récemment obtenu une information qui pourrait expliquer ce qui se passe ici.

— Vous pensez que les accidents ont un rapport avec la malédiction ?

— Pas exactement. Et je ne crois pas non plus que ce soient des accidents, Hester. Quelqu'un a descellé cette pierre afin de la rendre assez branlante pour tomber. Je suis monté jeter un coup d'œil moi-même, et j'ai vu nettement les marques prouvant qu'on avait utilisé un outil pour la détacher !

— Mais personne ne pouvait savoir que vous seriez en dessous au moment où elle est tombée, Jared.

— Non, c'est vrai, sans doute. Peut-être était-ce simplement un avertissement...

— Vous pensez que M. Grant est le coupable ? Si M. Knighton l'a vu près de l'escalier...

— S'il ne s'est pas trompé... Ne trouvez-vous pas curieux que M. Knighton soit le seul à avoir aperçu M. Grant ?

Hester resta pensive.

— Il n'est pas dans la maison, dit-elle. Mme Mills est allée dans sa chambre pour s'en assurer, mais ses affaires n'y étaient pas. J'ai pensé qu'il était venu secrètement, afin de nuire.

— C'est une explication, concéda Jared. Tout indique que c'est lui, j'en conviens. Il est le seul qui tirerait bénéfice de ma mort. Il a pu avoir accès à la maison le jour de l'incendie, et il aurait pu aussi tirer sur moi.

— Mais vous avez un autre avis ? l'interrogea-t-elle avant de comprendre. Vous ne pouvez pas croire que... M. Knighton ? Mais pourquoi ? Il ne retirerait rien de votre mort.

— Pas directement, non, même s'il est un lointain parent.

— De ma mère, en effet, mais pas de la famille Shelbourne.

— Si mon information est exacte, il pourrait être apparenté à mon arrière-grand-père, par le biais de cet enfant illégitime abandonné sur les marches devant la maison. J'ai appris que ce bébé, qui était censé être mort peu de temps après sa naissance, avait en fait survécu et été élevé en secret. Devenu adulte, il a pris le nom de Knighton et a épousé quelqu'un de la famille de votre mère. L'homme que vous connaissez sous ce nom est son fils.

— Mais il ne pourrait pas hériter du titre, même si c'était vrai, rétorqua Hester, abasourdie par cette nouvelle. De plus, on lui a tiré dessus, objecta-t-elle après être restée un moment silencieuse.

— Il n'y a aucun témoin, ce qui est bien commode, fit remarquer Jared. Nous n'avons que sa propre version des faits, Hester. Le médecin m'a confié que sa commotion était bénigne. Il aurait pu tomber de manière délibérée et chasser son cheval, affolé par la chute de son cavalier.

— Afin de nous faire croire qu'il était lui aussi une victime, conclut Hester. Non, c'est impossible. Il a été si affecté par tous ces événements. Je ne peux y croire. Et pourquoi voudrait-il vous tuer et faire accuser M. Grant ?

— Un homme accusé de meurtre ne pourrait pas hériter. Le duc aurait alors latitude pour modifier les clauses de la succession sans frais, et vous laisser le domaine, comme il le désirait.

— Et si je me mariais..., dit Hester en frissonnant. Oh ! c'est trop horrible ! Personne ne peut aller aussi loin dans l'abjection !

— Je le juge peut-être mal, bien sûr, s'empressa d'ajouter Jared. L'agent que j'ai employé m'a rapporté des faits, mais cela ne prouve rien. Je cherchais des écrits de mon arrière-grand-père qui auraient montré qu'il savait que l'enfant avait survécu, mais je n'ai encore rien trouvé.

— Qu'est-ce qui vous a incité à le soupçonner ?

— Vous vous souvenez que je vous ai dit avoir été agressé à Londres ?

— Bien sûr. Mais pas par M. Knighton !

— C'est lui qui aurait pu payer le gredin qui m'a attaqué, expliqua Jared. J'ai tenu mon agresseur en respect, et l'ai convaincu de m'avouer qui l'avait payé. Il ne connaissait pas le nom de son commanditaire, mais m'a dit qu'il savait où il était allé après lui avoir dicté sa mission. Il m'y a conduit pour me montrer l'endroit. Et c'était la maison de lady Ireland. Je vous ai demandé qui était venu ce soir-là, et vous m'avez répondu que M. Grant avait laissé sa carte. Il est possible également que M. Knighton soit passé, à votre insu.

Hester le regarda fixement, tout en fouillant dans sa mémoire.

— Mais il est venu, effectivement, dit-elle après un moment. Je n'ai trouvé son mot que plus tard, après que vous m'eûtes posé cette question. J'aurais dû vous le dire, mais j'ai oublié. Je pensais que ce n'était pas important.

— Vous ne pouviez pas savoir, Hester, lui assura Jared. Le malandrin qui m'a attaqué travaille depuis pour moi. Il m'a dit que l'homme qui l'a payé était ici à Shelbourne, ce qui signifie que c'est soit Knighton, soit Grant. Cependant, mon instinct me dit qu'il est peu probable que ce soit Grant. Et, quand j'ai été informé du lien ténu entre Knighton et la famille Shelbourne…

— Oui, je comprends pourquoi vous pensez que c'est lui, mais… c'est trop terrible à accepter. Le cousin de maman par alliance ! Elle serait tellement bouleversée, si c'était vrai.

— En effet, elle semble avoir de l'affection pour lui, fit remarquer Jared. Vous aussi, peut-être, Hester ? ajouta-t-il en lui lançant un regard étrange.

— J'ai toujours pensé qu'on pouvait compter sur lui, dit Hester. Mais en tant que mari, non, je n'accepterais jamais de l'épouser. Vous devriez savoir que c'est impossible !

Jared lui adressa son sourire nonchalant, se leva et fit

le tour de la table pour s'approcher d'elle et l'attirer à lui. Il contempla son visage inquiet.

— Je vous ai troublée, Hester. Pardonnez-moi. J'aurais dû garder mes réflexions pour moi, jusqu'à avoir des certitudes.

— Non. Je préfère connaître vos pensées, rétorqua-t-elle. S'il a payé quelqu'un pour vous attaquer et vous assassiner…, bredouilla-t-elle, prise de frissons. Comment a-t-il pu ? Quel être malfaisant ! Oh ! comment vais-je pouvoir encore le côtoyer ?

— Mais il le faut, ma chérie, lui enjoignit Jared en se penchant pour effleurer ses lèvres des siennes. Ce que je viens de vous dire n'est que suppositions. Je ne peux rien prouver. Je n'ai aucun document, rien à part les propos d'un hors-la-loi, qui ne serait pas entendu dans une cour de justice.

— Maman devrait lui demander de partir ! Si elle savait que vous le soupçonnez, elle ne voudrait plus jamais le revoir.

— Elle ne doit rien savoir, insista Jared. J'aime beaucoup votre maman, Hester, mais elle serait incapable de garder un secret. Vous, en revanche, savez merveilleusement maîtriser vos émotions. Vous montrez rarement ce que vous pensez, sauf quand vous êtes submergée par l'inquiétude ou la colère, et j'espère que vous m'aiderez en jouant encore votre rôle un petit moment.

— Qu'allez-vous faire ?

— Je dois trouver un moyen de le provoquer afin qu'il m'agresse, expliqua Jared. J'avais cru que les choses seraient calmes en l'absence de M. Grant, mais après ce qui s'est passé cet après-midi… Soyez prudente, Hester, ajouta-t-il, inquiet.

— Pourquoi ? Si je fais partie de son plan…

Soudain, ses yeux s'agrandirent, car elle venait de comprendre.

— Je vois ! Vous pensez qu'il pourrait s'en prendre à moi si je refuse sa demande en mariage ?

— Quel genre d'esprit doit posséder un homme pour tuer des gens afin de se venger d'un drame qui s'est passé il y a si longtemps ? Oui, je pense qu'il s'en prendrait à vous si vous le contrariez, et je ne pourrais pas le supporter, ma très chère Hester.

— Oh..., gémit-elle, avec un sourire hésitant. Je comprends. Merci.

Son cœur battait à tout rompre, car elle lisait une foule de promesses dans le regard de Jared.

— Pour le moment, gardons nos sentiments pour nous, lui enjoignit-il. Si Knighton suspectait quelque chose entre nous...

— En effet, assura Hester. Vous pouvez compter sur moi. Je me comporterai comme d'habitude envers lui.

— Bien. Je peux me tromper, mais nous verrons, conclut Jared en lui effleurant la joue. Nous ferions mieux de rejoindre les autres, sans cela notre absence sera remarquée. Partez avant moi, je vous en prie, Hester. Je vous suis dans quelques minutes.

— D'accord.

Hester quitta la bibliothèque. En s'approchant du salon où ils se réunissaient avant le dîner, elle aperçut M. Knighton qui s'y dirigeait également. Sa gorge se serra dans un sursaut de dégoût qu'elle eut peine à combattre.

— Hester ! la héla-t-il. Je suis si heureux de pouvoir vous parler seul à seul ! C'est là une vilaine affaire, savez-vous ? L'entrepreneur m'a assuré qu'il n'y avait aucun danger que des pierres tombent pour le moment, et que les réparations étaient plutôt à effectuer par précaution et non pas en raison d'une véritable urgence. Ce qui signifie qu'on a dû les trafiquer.

La jeune femme le regarda, atterrée. Comme il était faux ! s'offusqua-t-elle. Si Jared ne lui avait pas fait part de ses soupçons, elle n'aurait rien remarqué, mais les signes ne mentaient pas : son air soucieux n'était que de la simulation.

— Etes-vous sérieux ? s'exclama Hester. Qui ferait une chose aussi horrible ? Quelqu'un aurait pu être grièvement blessé.

— Cela doit être Grant, continua Knighton avec la même expression. C'est dur à croire, mais si le vicomte était mort dans un accident…

— M. Grant aurait hérité du titre et du domaine, termina Hester. Mais vous l'estimez donc capable de ce genre d'agissements, monsieur ? En tant qu'homme d'église, n'est-il pas au-dessus des considérations matérielles ?

— Sa vocation n'est peut-être pas sincère, supposa Knighton. Cela semble improbable, j'en suis conscient, mais qui d'autre aurait pu le faire, et pourquoi ? M. Grant est le seul à qui profiterait la mort du vicomte Sheldon.

— C'est exact, réitéra Hester.

L'attitude de Knighton avait beau sembler normale, Hester sentait qu'il dissimulait quelque chose. Avait-il toujours été ainsi, ou s'en rendait-elle compte aujourd'hui seulement, maintenant qu'on lui avait ouvert les yeux ?

— Que devrions-nous faire à votre avis, monsieur ? reprit-elle.

— Le vicomte devrait lui signifier qu'il n'est pas le bienvenu ici.

— Peut-être. Mais nous n'avons aucune preuve, à moins que vous ne soyez prêt à témoigner devant une cour que vous l'avez vu près de l'escalier avant la chute de la pierre ?

— Oui, si c'est nécessaire, je suis prêt à le faire, répondit Knighton, une lueur rageuse dans les yeux. On a tiré sur le vicomte, sur moi également. Je ne vois d'ailleurs pas ce que ma mort lui apporterait. A moins qu'il n'ait craint que vous décliniez sa demande en mariage en ma faveur.

— Monsieur Knighton ! s'écria Hester, stupéfaite. Vous ne m'avez fait aucune déclaration.

— Mais vous saviez bien que j'en avais l'intention ? Vous deviez le savoir !

La jeune femme combattait sa révulsion en essayant de respirer calmement.

— Peut-être cela m'a-t-il effleurée, et je suis flattée, évidemment, mais vous devez me laisser du temps, monsieur. Tant de choses se bousculent en ce moment ! Attendrez-vous que le bal soit passé pour me parler ?

Knighton eut l'air contrarié, puis la couva d'un regard affectueux.

— Bien sûr. Vous avez subi un choc aujourd'hui, et vous avez tant à faire. Cependant, puisque vous connaissez désormais mes intentions, promettez-moi d'y réfléchir et de me donner une réponse après le bal, Hester.

— Je le ferai, acquiesça-t-elle en se forçant à sourire. Nous devrions y aller, maman va attendre. Et voici le vicomte.

Elle pénétra dans la pièce sans attendre Knighton.

— J'allais te faire quérir, Hester. Où étais-tu ? lui demanda sa mère.

— Je parlais avec M. Knighton, répondit-elle en embrassant lady Sheldon sur la joue.

— Comme c'est étrange que M. Knighton affirme avoir vu M. Grant cet après-midi, dit lady Sheldon. Il n'est pas dans la maison et je n'ai aucunes nouvelles de lui. Je pensais qu'il écrirait pour me prévenir de son arrivée. C'est un manque de courtoisie qui ne lui ressemble pas.

— Il viendra sans doute demain, avança Hester. N'est-il pas venu de manière impromptue, la dernière fois ?

— Oui, c'est vrai, concéda lady Sheldon, l'air contrarié. C'est très désinvolte, Hester. La maison sera bientôt remplie d'invités et, s'il ne vient pas, sa chambre pourrait être utile à quelqu'un d'autre.

— Nous avons bien assez de chambres, maman, objecta Hester, ne vous inquiétez pas.

Elle coupa court à la discussion quand Jared et M. Knighton pénétrèrent dans la pièce, mais évita de les regarder ostensiblement.

— Prenons place, annonça lady Sheldon, la cuisinière a annoncé qu'elle était prête à servir il y a dix minutes.

Hester avait espéré une nouvelle occasion de se retrouver en tête à tête avec Jared dans la soirée, mais il s'attarda au moment du porto, et les deux hommes entamèrent une partie de billard. Les dames décidèrent de se retirer tôt, car les journées seraient longues quand les invités seraient là. Hester avait l'esprit en effervescence au moment de se coucher et craignit de ne jamais trouver le sommeil. Mais, après s'être tournée et retournée pendant des heures, elle finit par s'endormir.

Hester fut réveillée tôt par le chant des oiseaux. Elle revêtit sa tenue d'équitation, sortit de la maison et se dirigea vers les écuries. Elle avait décidé de ne pas rester confinée à l'intérieur, mais elle prendrait néanmoins la précaution de demander à un palefrenier de l'accompagner.

Sa promenade se déroula sans événement notable, et

fut très vivifiante. Elle avait de jolies couleurs aux joues quand elle rentra prendre son petit déjeuner.

M. Knighton était seul dans la salle à manger.

— Vous êtes allée monter, lui dit Knighton. J'espère que vous avez pris un palefrenier avec vous, Hester ? On n'est jamais trop prudent, dans ces circonstances, quoique, à la lumière de ce que m'a révélé le vicomte Sheldon hier soir, les choses ont changé.

— Oh..., commença Hester en prenant la précaution de ne pas le regarder, tout en se servant du bacon et des œufs brouillés. Et que vous a-t-il donc révélé, monsieur ?

— Vous a-t-il dit qu'il avait un fils ? Un bâtard, il semblerait, mais il a l'intention de le reconnaître afin qu'il puisse hériter du titre, s'il venait à avoir un accident.

Abasourdie, Hester resta la main suspendue en l'air.

— Jared a un fils ? Je n'en ai jamais entendu parler.

— Il pensait que ce genre d'information n'était pas approprié à l'oreille d'une dame, Hester, si je peux me permettre. Il l'a dissimulé jusqu'ici, mais aujourd'hui il a l'intention de le légitimer. C'est du moins ce qu'il m'a confié hier soir, quoique, étant donné qu'il avait un peu trop bu, je ne puisse l'affirmer avec certitude.

Hester sentit sa gorge se serrer. Cette nouvelle était choquante. Certes, il n'était pas inhabituel qu'un gentleman procède ainsi, mais cela signifiait certainement que Jared éprouvait de l'affection pour ce garçon. Et elle fut peinée qu'il ne lui ait pas fait part de ses intentions. Néanmoins, elle prit garde à rester impassible.

— Et pourquoi cela change-t-il les choses ? demanda-t-elle.

— Si M. Grant s'imagine que tuer le vicomte lui assurera l'héritage, il sera déçu. A moins qu'il ne réussisse à parvenir à ses fins avant que la formalité ne soit accomplie, bien sûr.

— Je vois, dit Hester. C'est une bonne chose que M. Grant n'ait pas été là hier soir. Il l'aurait appris.

— C'est exact, mais il pourra le savoir autrement, Hester. Ce genre de nouvelle se répand vite, vous savez. Si l'un des domestiques l'a entendu hier soir, n'en doutez pas, toute la maison doit déjà être au courant.

— Effectivement, s'il a été entendu.

Elle se leva pour aller se servir une tassé de thé et poursuivit, le dos tourné.

— Mais s'il vous l'a dit sur le ton de la confidence…

— Oh ! il était loin d'être discret ! assura Knighton. N'importe qui aurait pu l'entendre dans la pièce à côté, et un valet était présent. J'ai été obligé d'en appeler un pour qu'il m'aide à reconduire le vicomte dans sa chambre.

— Je vois…, dit Hester, préoccupée. C'est étrange, je n'ai jamais vu Jared boire avec excès.

— Si j'ose dire, il y a beaucoup de choses que vous n'avez pas vues en lui, lâcha Knighton sur un ton sarcastique. Il s'est bien tenu jusqu'à maintenant pour faire bonne impression, j'en suis sûr.

Hester retint la réplique cinglante qu'elle avait sur le bout de la langue. Il fallait être prudente ! De plus, Knighton n'avait pas tout à fait tort : elle ne connaissait pas Jared si bien que cela. Son instinct lui dictait néanmoins qu'il devait y avoir une raison à son comportement de la veille. Elle ne leva pas les yeux quand M. Knighton s'excusa puis quitta la table.

De toute évidence, il était contrarié par ce qu'il avait appris, et par les intentions de Jared si celui-ci s'y tenait. Un enfant légitimé serait un autre obstacle à surmonter, un autre accident à comploter. Toutefois, l'enfant n'hériterait pas si les documents n'étaient pas signés.

Hester était toujours perplexe en quittant la pièce. Dieu

du ciel, pourquoi Jared avait-il bu au point de révéler pareil secret à un homme qu'il considérait comme son ennemi ? C'était bien la dernière chose qu'il aurait fallu que Knighton sache, puisque cela mettait l'enfant en danger.

Elle était à mi-chemin dans l'escalier, avec l'intention d'aller passer une robe de jour, quand elle eut la réponse à ses interrogations. Evidemment ! Il n'était pas ivre ! Cela faisait partie de son plan ! Jared voulait forcer Knighton à se dévoiler le plus vite possible.

Elle sourit et hocha la tête. D'ailleurs, elle n'était même pas convaincue de l'existence de ce fils illégitime. C'était peut-être un mensonge pour provoquer M. Knighton…

Hester revêtit une jolie robe verte. Elle avait décidé de recommencer à porter des vêtements de couleur, et appliqua un peu de parfum sur ses poignets. Elle redescendait au moment où la porte de l'entrée principale s'ouvrit sur deux ladies vêtues à la dernière mode. L'une d'elles était lady Raven. L'autre était donc lady Mallard, l'invitée de Jared. Elle devait être à peine plus âgée qu'Hester. Elle n'était plus dans l'éclat de la première jeunesse mais encore très séduisante, avec des cheveux blond clair qui apparaissaient sous son élégant chapeau. Elle ôtait sa pelisse pour la tendre à une bonne quand Hester arriva au bas de l'escalier, et elle se tourna vers elle pour la jauger sans la moindre gêne.

— Miss Sheldon ! lança lady Raven, puis-je vous présenter ma sœur, lady Selina Mallard ?

— Lady Mallard, dit Hester en inclinant légèrement la tête. Je suis heureuse de faire votre connaissance. Le vicomte Sheldon m'a fait part de son invitation.

— Ah ! Tu vois bien ! s'exclama lady Raven en souriant à sa sœur. Je t'avais dit qu'il n'oublierait pas. Elle avait peur de ne pas être attendue, miss Sheldon, et elle a failli ne pas venir.

— Mais vous étiez attendue, bien sûr, la détrompa Hester. Votre chambre sera prête dans un instant. Voulez-vous que je vous envoie l'intendante, ou que je vous y conduise moi-même ?

— Nous devrions peut-être présenter d'abord nos hommages à lady Sheldon ? suggéra lady Raven. Je suis certaine qu'elle tient à savoir immédiatement quand ses invités arrivent.

— Maman n'est pas encore descendue, l'excusa Hester. Elle est toujours dans ses appartements, mais elle sera là dans une heure environ. Je vais l'informer de votre arrivée. Si vous souhaitez vous rafraîchir dans vos chambres, je vais faire ensuite demander des boissons dans le salon vert, à l'arrière de la maison. Je vous envoie Mme Mills sur-le-champ, pour qu'elle s'assure que vous avez tout ce qu'il vous faut, puis elle vous conduira dans le salon quand vous le souhaiterez. Si vous voulez bien me suivre, mesdames ?

Elle emprunta l'escalier et tourna vers l'aile est, où étaient situées les plus belles chambres d'amis. Ces invitées étaient arrivées avec un jour d'avance, et lady Sheldon serait fâchée de ne pas avoir été là pour les accueillir. Mais c'était trop tard pour y remédier.

Après leur avoir montré leurs chambres, qui étaient contiguës, Hester retourna dans le corps principal pour informer sa mère. Lady Sheldon, encore au lit, fut immédiatement dans tous ses états et rejeta ses couvertures avec affolement.

— Oh ! Hester ! s'alarma-t-elle, je n'attendais personne avant cet après-midi !

— Ce qui aurait été beaucoup mieux pour tout le monde !

acquiesça Hester. Je leur ai dit que vous descendriez dans une heure, maman, et que je ferais servir des rafraîchissements dans le salon vert. Je suis certaine qu'elles voudront se changer, ce qui vous laisse le temps.

— Que ferais-je sans ton bon sens ? soupira lady Sheldon en sonnant sa femme de chambre. Tu m'as dit qu'il s'agissait de lady Raven et de lady Mallard. Je la connais à peine. Elle vit à Paris, il me semble ?

— C'est l'invitée de Jared, expliqua Hester.

Elle ressentit un petit pincement au cœur à ces mots, car cette femme était époustouflante, mais elle chassa ces pensées. La veille, Jared lui avait dit qu'elle comptait pour lui, et elle ne laisserait pas la jalousie obscurcir son jugement. Cependant, comment s'empêcher de se demander si lady Mallard était la mère de l'enfant illégitime ? S'il en existait un, bien sûr.

— Il l'a rencontrée à Paris, je crois, reprit-elle.

— En effet, je crois qu'il a une maison là-bas, dit lady Sheldon. Ainsi que des affaires, mais je n'en suis pas certaine... Il doit bien avoir une activité, pour se permettre toutes ces réparations, tu ne crois pas, ma chérie ?

— Jared est très aisé, maman. Mais je ne lui ai pas demandé d'où vient son argent, cela ne me regarde pas.

— Tu as tout à fait raison, assura lady Sheldon. Je suis heureuse qu'il ait décidé de rester ici, et qu'il ait réalisé tous nos désirs.

— Le nouveau mobilier pour l'aile ouest arrive aujourd'hui, ajouta Hester. Je vais essayer de le trouver pour l'informer que son invitée est là.

Hester laissa sa mère entre les mains attentionnées de sa femme de chambre et partit à la recherche de Jared. En pénétrant dans l'aile ouest, elle se rendit compte d'après l'activité qui y régnait que les meubles devaient avoir été livrés. Les pièces bourdonnaient de monde : on briquait les sols, on déroulait des tapis, on accrochait des rideaux. Les meubles arrivèrent peu à peu, portés par une armée de domestiques. Certains visages lui étaient inconnus, aussi en conclut-elle que Jared les avait engagés à Londres spécialement pour préparer le bal.

Elle le trouva dans une pièce en train de diriger l'installation de magnifiques meubles français. Hester en eut le souffle coupé. Elle n'avait jamais rien vu d'aussi somptueux que les deux vitrines en marqueterie que des domestiques étaient en train de disposer de part et d'autre de la cheminée.

— Elles vous plaisent ? s'enquit Jared en la voyant les contempler d'un air fasciné.

— Elles sont magnifiques, s'extasia-t-elle. Il n'y en a jamais eu de pareilles ici. D'où proviennent-elles ?

— Du palais de l'une des maîtresses du Roi-Soleil, expliqua-t-il. Mais je les ai achetées il y a quelques années pour mon château dans la vallée de la Loire. Je les ai fait expédier ici parce que je me suis dit qu'elles seraient parfaites à cet emplacement. Et puis, j'ai décidé de vendre le château. Je garderai peut-être la maison de Paris si les choses vont comme je l'entends.

Si sa maîtresse acceptait de l'épouser quand leur enfant serait légitimé ? se tortura Hester, sentant de nouveau un douloureux pincement au cœur. Mais elle resta imperturbable.

— Oh ! Je suis venue vous dire que lady Mallard est arrivée. J'ai fait demander des rafraîchissements dans le salon vert, et maman va descendre leur tenir compagnie. Mais peut-être souhaiteriez-vous vous joindre à elles ?

— Oui, je vais faire une apparition, dit Jared. Dans une demi-heure, quand j'en aurai terminé ici.

— Y a-t-il encore beaucoup de choses à faire ?

— La plupart des meubles ont été déballés, mais il reste des objets d'art à disposer dans ces vitrines, dit-il en indiquant une grosse caisse près de lui. Feriez-vous cela pour moi, Hester ? Certaines de ces pièces sont rares et fragiles. Je préférerais des mains délicates, si ce n'est pas trop vous demander.

— Non, pas du tout ! Je reviendrai après m'être occupée de nos invitées.

— Je suis désolé qu'elles soient arrivées plus tôt, s'excusa Jared.

— Ce n'est pas un problème, lui assura Hester. D'autres personnes vont arriver plus tard dans la journée.

— Oui, bien sûr, dit Jared en lui lançant un regard bizarre. Cela doit représenter beaucoup de travail pour vous, ce bal ?

— Ça me plaît, avoua-t-elle. La maison est restée vide trop longtemps. Et puis, les pièces sont si jolies maintenant que ce serait désolant de ne pas les montrer !

Sur cette note enthousiaste, Hester retourna vers le corps principal. Les invitées descendraient bientôt et il était temps de demander les boissons. Elle était heureuse d'être occupée car cela l'empêcherait de ruminer des pensées qui l'auraient attristée. Jared vendait sa demeure dans la vallée de la Loire parce qu'il avait désormais ici un vaste domaine, mais il gardait sa maison de Paris. Etait-ce parce que lady Mallard préférait y vivre ? Hester chassa cette idée. La jalousie était une chose horrible, elle ne se laisserait pas envahir. Elle avait trop à faire avec tous ces invités, et la peur de voir l'homme qu'elle aimait se faire tuer pesait en permanence sur ses épaules.

*
* *

Hester ne resta pas longtemps seule avec les invitées car lady Sheldon fit son entrée au moment où elle commençait à servir du vin doux et de petits biscuits aux amandes. Elle apportait avec elle des bouffées fleuries de son parfum, et son air fragile et éthéré charma immédiatement les deux femmes. Elle leur sourit et s'excusa de ne pas avoir été présente pour les accueillir.

— Nous sommes un peu en avance, reconnut lady Raven. Mais Selina mourait d'impatience de voir la maison. Elle a connu lord Sheldon quand il ne s'appelait encore que M. Clinton. N'étant jamais venue ici, elle brûlait de curiosité.

— Oh ! demandez-lui de vous faire visiter l'aile ouest un peu plus tard ! recommanda lady Sheldon. Elle vient d'être entièrement rénovée, et c'est ravissant. Tu peux nous laisser, Hester, ma chérie, ajouta-t-elle en se tournant vers sa fille, je suis sûre que tu as fort à faire.

— Merci, maman. Lady Mallard, lady Raven, à tout à l'heure.

Hester fut soulagée d'être libérée car elle ne s'était pas encore occupée des fleurs, et il fallait aussi qu'elle installe les précieux objets que Jared lui avait demandé de disposer dans les magnifiques vitrines françaises en marqueterie. D'ailleurs, elle était très curieuse de découvrir le contenu de la caisse qu'il lui avait désignée… Si curieuse en fait qu'elle décida de s'occuper des fleurs plus tard et se dirigea vers l'aile ouest.

Une fois dans le salon rénové, elle découvrit que la caisse avait été ouverte, bien que son contenu n'ait pas encore été déballé. En quelques heures, on avait agrémenté la pièce d'un élégant sofa et de fauteuils assortis, ainsi que de charmantes dessertes et d'une torchère, une statue en bronze tenant un candélabre doré à la feuille.

C'était une pièce pour recevoir, conçue pour le palais d'où ce mobilier provenait, et Hester réalisa avec quelque amertume que le reste de la maison semblait bien terne par contraste. Elle n'aurait pas voulu y passer ses matinées seule, mais elle devait reconnaître que c'était idéal pour accueillir des invités.

Elle se pencha pour commencer à déballer les trésors de la caisse, découvrant tout d'abord des boîtes dorées avec des couvercles gravés, certaines enchâssées de pierres précieuses. Suivirent quelques pièces de porcelaine de Sèvres, des figurines raffinées et de petits bibelots. Chaque objet semblait plus précieux que le précédent, et Hester resta pensive au-dessus de la caisse, manipulant ces trésors avec un luxe de précautions. Elle venait de mettre en place une superbe boîte émaillée quand elle entendit des voix dans la pièce adjacente.

— Ah, voilà qui te ressemble plus, Jared, mon chéri ! railla une voix moqueuse. J'avais commencé à me demander ce que tu faisais dans ce mausolée sinistre, mais je vois que tu y as enfin mis ta patte. Oh ! Certaines choses ne me sont pas inconnues ! N'étaient-elles pas dans ta demeure de la vallée de la Loire ?

— C'est exact, Selina. Quelle sagacité de ta part ! Certes, tu as toujours eu bon goût.

— C'est pour cela que nous nous sommes trouvés, le taquina Selina, avec un éclat de rire. Nous voulions tous les deux la même table, tu ne t'en souviens pas ? Quand tu as découvert que je la convoitais, tu l'as achetée et me l'as offerte.

— Je ne l'avais pas oublié.

La gorge nouée, Hester verrouilla la porte de la vitrine et sortit de la pièce par la porte du fond, avant que lady Mallard et Jared n'entrent et ne l'y découvrent. Des larmes brûlantes lui montaient aux yeux, mais elle releva la tête dans un sursaut de fierté. Ce serait trop ridicule d'éclater en sanglots !

Jared était un homme. Il avait eu des maîtresses par le passé, évidemment. Mais c'était tellement douloureux qu'il ait invité sa dernière conquête ! Certes, il avait tout à fait le droit d'agir à sa guise, mais pourquoi avait-il fait en sorte qu'elle tombe amoureuse de lui ? Ah, si seulement il ne l'avait pas embrassée, révélant ainsi le feu qui couvait en elle, suscitant l'espoir insensé qu'il voudrait faire d'elle son épouse !

Comme s'il pouvait envisager de faire d'elle sa femme ! Pour quelle raison la choisirait-il alors que lady Mallard était splendide ?

Elle secoua la tête. Personne ne devrait savoir à quel point elle souffrait. De plus, elle avait trop à faire pour s'arrêter à ces fadaises ! Il fallait s'occuper des arrangements floraux pour toutes les pièces de réception, disposer également des bouquets dans les chambres d'amis, puis prévoir les bouquets suivants avec les jardiniers, en fonction de ce qui était prêt à être cueilli. Il fallait aussi apporter une dernière touche aux menus. Elle les avait déjà planifiés avec Mme Mills, mais mieux valait y jeter encore un coup d'œil. Et elle n'avait pas rendu visite à son grand-père ce matin…

Alors… elle n'avait absolument pas le temps de se livrer à des spéculations aussi ridicules !

Hester réussit à mener à bien toutes ces tâches sans se laisser submerger par le chagrin qui l'envahissait peu à peu. Lors du dîner, elle fit de son mieux pour que ses sourires aient l'air sincères et compensa en riant un peu plus qu'à son habitude. Elle s'aperçut un instant que Jared la regardait d'un air bizarre, mais c'était à un moment où il était accaparé par lady Raven et lady Mallard, qui semblaient rivaliser pour obtenir son attention. Si elle n'avait pas été si préoccupée, elle l'aurait remarqué : il était évident que lady Raven était gênée que sa sœur accapare autant Jared.

Elle fut aux petits soins pour sa marraine et M. Knighton, qui semblait ne pas beaucoup apprécier les autres invités.

La soirée s'étira en longueur et Hester ne put s'empêcher d'être soulagée quand lady Ireland annonça qu'elle était fatiguée et souhaitait se retirer. Cela lui procura un petit intermède pour lui souhaiter une bonne nuit en aparté.

— Ne te laisse pas perturber par le comportement de certaines femmes, Hester, recommanda-t-elle. Les femmes mariées d'un certain style se comportent ainsi, et le vicomte est bien trop sensé pour se laisser embobiner. Il s'en amuse, c'est tout.

— Je ne suis pas contrariée, répliqua Hester. J'ai simplement un peu mal à la tête.

— Oh ! je vois, répondit lady Ireland avec un air sceptique. Pourquoi ne te retires-tu pas, ma chérie ? Personne ne t'en voudra, j'en suis certaine.

— Je vais aller dire bonne nuit à maman et à nos invités, marraine.

— Bien sûr, ma chérie.

Hester l'embrassa et redescendit. Elle hésita devant la porte du salon, puis se dirigea vers la bibliothèque. Elle avait envie de prendre un livre, car elle avait peur de ne pas pouvoir dormir. Elle y découvrit M. Knighton, en train de parcourir les rayonnages.

— Hester ! s'exclama-t-il. Je cherchais de la lecture. Je crois que je vais monter. Je ne suis pas très amateur du genre d'ambiance qui règne pendant ces fêtes à la campagne. Surtout quand on ne montre aucune discrétion, ajouta-t-il d'un air entendu. Le vicomte nous dévoile enfin sa vraie nature. C'est regrettable, mais j'imagine qu'il fallait nous y attendre, étant donné le milieu dans lequel il a grandi.

— Je vous trouve injuste, monsieur, répliqua Hester.

Ses nerfs ayant été mis à rude épreuve, elle en oublia toute prudence en prenant la défense de Jared.

— Ce sont les femmes qui lui tournent autour ! Vous ne devriez pas le juger à l'aune de leur comportement.

— Je vous ai pourtant bien dit qu'il y avait un bâtard, n'est-ce pas ? insista Knighton. Et je vous précise qu'elle a réussi à lui faire promettre de le légitimer.

Hester tourna les talons et quitta la pièce après avoir attrapé un livre au hasard sur un rayonnage. Furieuse et désemparée, elle savait que, si elle était restée plus longtemps, elle se serait trahie. Comment M. Knighton osait-il affirmer ce genre de choses ? Jared n'avait rien fait pour mériter ce jugement. Il avait été courtois et attentionné avec ces dames, c'était exact, mais elles étaient des invitées. Puisqu'elles réclamaient son attention, il n'avait pu faire autrement que de la leur accorder, sous peine de les offenser. Il s'était en fait comporté en vrai gentleman et elle n'y voyait rien à redire.

Après ce qu'elle avait entendu dans l'aile ouest, Hester ne doutait plus que lady Mallard avait été — et pouvait encore l'être — la maîtresse de Jared, mais elle se refusait à le soupçonner comme M. Knighton.

Et pourquoi ce dernier se donnait-il tant de peine pour inciter Hester à nourrir ce genre de pensées ? En tant que gentleman, il n'aurait jamais dû répéter ce que Jared avait avoué en état d'ébriété, tout comme il n'aurait jamais dû s'appesantir sur les événements de la soirée. Les deux femmes nourrissaient peut-être certains espoirs pour la nuit à venir, mais un homme tel que M. Knighton n'avait pas à l'évoquer devant une jeune fille. Cela ne pouvait que faire partie de son plan pour discréditer Jared.

Elle était tentée de monter directement dans sa chambre, mais ses bonnes manières l'en empêchèrent. Elle retourna donc dans le salon, où elle découvrit Jared, seul, en train de terminer un verre de brandy.

— Oh ! Tout le monde est monté ? s'exclama-t-elle. J'étais venue dire bonne nuit.

— Lady Sheldon ne s'attendait pas à ce que vous reveniez, il me semble. Les autres sont partis il y a un moment.

— J'étais allée prendre un livre, expliqua Hester. Bonne nuit, monsieur.

— Vous aurais-je contrariée, Hester ? lui demanda Jared. Pardonnez-moi si c'est le cas, mais…

Il s'interrompit lorsque M. Knighton fit son entrée dans la pièce.

— Bonne nuit, Hester, reprit-il. Knighton, seriez-vous tenté par une autre partie de billard ?

— Je ne crois pas, monsieur. Je vais me coucher tôt. Le bal a lieu demain, et je compte bien être en forme.

Hester quitta la pièce sans attendre. Elle refusait de condamner Jared avant d'avoir entendu sa version des faits. D'ailleurs, comme elle l'avait dit à M. Knighton, c'étaient les dames qui avaient papillonné autour de lui.

En repensant à la situation sous cet angle, cela devenait presque amusant, et Hester sentit sa tension s'atténuer quand elle entra dans sa chambre. Pas question de se tourmenter avec des histoires de cœur en ce moment ! décréta-t-elle, fidèle à son bon sens. Un peu calmée, elle se rendit compte alors qu'elle avait pris par hasard l'un des journaux de l'arrière-grand-père de Jared.

Ce serait intéressant de le lire, songea-t-elle en le posant sur sa table de chevet. Elle regarda par la fenêtre. La nuit était très claire, baignée de la lueur de la pleine lune. Elle tira les rideaux avec soin, se déshabilla, se brossa les cheveux et se mit au lit.

Elle prit ensuite le journal et commença à le feuilleter. Les dates correspondaient à la fin de la vie du second duc de Shelbourne. Elle tourna les pages jusqu'à un passage qui la fit se redresser instantanément dans son lit.

Jared avait raison ! Elle relut le passage relatant les sentiments du vieil homme quand il avait découvert que l'enfant illégitime de son fils était toujours vivant.

« Je regrette la naissance de cet enfant, mais puisqu'il est bien en vie, je sens qu'il est de mon devoir de faire quelque chose pour lui. Il a reçu une éducation rudimentaire. J'assurerai son avancement dans une profession, peut-être l'armée, car je doute que l'église voudrait de lui… »

L'enfant n'était pas mort peu après sa naissance comme elle l'avait cru. Le second duc l'avait su, mais avait gardé le secret, refusant de reconnaître l'enfant. Toutefois, le passage qu'elle venait de lire prouvait qu'il avait eu l'intention de lui venir en aide. C'était la preuve que Jared avait cherchée en vain ! Avec cela, il pouvait affronter M. Knighton et peut-être le forcer à se confesser.

Si elle avait su où le trouver, elle serait immédiatement allée à sa recherche, mais elle ne pouvait pas errer dans la maison à pareille heure, avec tous ces invités de surcroît. Elle quitta son lit et dissimula le journal dans le tiroir du bas d'une commode puis le recouvrit de vêtements. Il y serait en sécurité jusqu'à ce qu'elle puisse faire part à Jared de sa découverte.

Elle se recoucha, souffla sa bougie, puis s'enfonça dans la douceur de ses édredons. Des pensées importunes vagabondaient encore dans son esprit, mais elle fit de son mieux pour s'en abstraire et elle plongea dans un sommeil paisible.

Le lendemain, Hester laissa le journal dans sa cachette et descendit prendre son petit déjeuner. Elle s'était dispensée de sa séance d'équitation habituelle parce qu'une journée chargée s'annonçait. Elle avait demandé que les fleurs soient apportées très tôt afin de préparer les vases pour les chambres d'amis et les pièces de réception. Ensuite, les femmes de chambre les monteraient dans les chambres appropriées, selon ses indications. Cette tâche terminée, elle vérifierait toutes les pièces avec Mme Mills.

La matinée fila à grande vitesse et ce fut bientôt l'heure de rejoindre sa mère et les autres invités pour le déjeuner. Cinq dames et quatre gentlemen étaient déjà là. On attendait encore une quinzaine d'invités dans l'après-midi.

Hester chercha M. Grant, mais il n'était pas à table. Elle prit sa mère en aparté.

— N'avez-vous aucunes nouvelles de M. Grant, maman ?

— Non, ma chérie, répondit lady Sheldon en fronçant les sourcils. J'étais certaine qu'il viendrait pour le bal. Il était si catégorique quand il est parti.

— Peut-être va-t-il arriver plus tard, supposa Hester. Avez-vous vu Jared ou M. Knighton ce matin, maman ?

— J'ai vu le vicomte juste avant le déjeuner, dit lady

Sheldon. Il m'a dit qu'il avait reçu un message l'obligeant à sortir un moment, mais je n'ai pas vu M. Knighton.

— Je vois…

Hester quitta sa mère, pensive. Il fallait encore qu'elle vérifie que tout se déroulait bien en cuisine et que la salle de bal était prête pour la soirée.

Ensuite, elle pourrait monter passer une jolie robe. Pourvu qu'elle plaise à Jared !

Chapitre 10

L'atmosphère d'excitation qui régnait déjà s'amplifia durant la journée avec l'arrivée incessante de nouveaux invités. La maison bourdonnait de conversations et d'éclats de rire.

Jared était rentré juste avant l'heure du thé, et M. Knighton l'avait rejoint dans le salon.

— Merci, dit Knighton en prenant la tasse délicate qu'Hester venait de lui servir. Vous avez dû être très occupée aujourd'hui, Hester. Tout a l'air parfait.

— Merci, répondit-elle. Les jardiniers ont beaucoup travaillé pour fournir toutes ces fleurs.

— C'est votre touche personnelle qui apporte cette sérénité à la maison, la complimenta-t-il en souriant. J'espère que vous me réserverez une danse ce soir.

— Bien sûr, promit Hester. Inscrivez-vous pour une des danses folkloriques, monsieur.

Du coin de l'œil, elle aperçut Jared qui la regardait depuis l'autre bout de la pièce. Il haussa les sourcils, mais n'esquissa aucun mouvement vers elle et se retourna promptement pour écouter ce que lui disait lady Raven. Il lui répondit quelque chose qui la fit rire. Mutine, elle le tapa sur le bras d'un coup d'éventail, apparemment enchantée de son empressement à son égard. Hester se détourna, s'exhortant à ne pas se sentir blessée ou négligée. Jared remplissait son devoir d'hôte, à la perfection d'ailleurs. Ses bonnes manières étaient exceptionnelles, et il était évident qu'il avait déjà un grand succès auprès de ces dames.

Ce serait ridicule d'être jalouse ! Hester releva la tête, déterminée à rester aussi posée qu'à son habitude.

Un peu plus tard dans la journée, elle s'excusa afin de monter se changer. Dans ses appartements, elle trouva sa femme de chambre qui l'attendait. Elle fit aussi vite que possible pour enfiler l'élégante robe de soie jaune qu'elle avait fait réaliser spécialement pour la soirée, puis se rendit dans les appartements du duc dès qu'elle fut prête. Il était déjà en habit de soirée et les valets de pied s'apprêtaient à l'aider à descendre.

— Etes-vous prêt, grand-père ? s'enquit-elle. Tout le monde vous demande. C'est un événement que vous descendiez dîner et vos amis s'en réjouissent !

— Précède-moi, Hester, la pria-t-il. On va me voir, ne t'inquiète pas. Mais tu ne peux rien faire pour moi pour le moment, vas-y donc.

Il la détailla avec un air approbateur.

— Tu es jolie dans cette tenue, ma fille, reprit-il. A mon avis, tu n'auras rien à envier aux autres lors de cette soirée.

La majorité des invités étant des amis du duc, et donc d'un âge similaire, Hester fut amusée du compliment. Elle avait convié quelques amies personnelles, bien sûr. Il y aurait des filles, des petites-filles, mais la majorité des invités était bel et bien d'un âge avancé.

— Vous n'êtes qu'un vil flatteur, grand-père ! s'exclama-t-elle en riant.

Hester l'embrassa sur la joue et le laissa entre les mains de ses valets. Elle était un peu en avance, mais voulait s'assurer que le couvert avait été correctement dressé. Elle alla donc d'abord vérifier la grande salle à manger, une vaste pièce du bâtiment principal, très haute de plafond.

On s'en servait très rarement d'ordinaire, car on lui préférait une pièce plus confortable et plus intime dans l'aile est. Mme Mills effectuait une dernière inspection quand elle entra.

— Cela conviendra-t-il, mademoiselle Hester ?

La jeune femme balaya du regard l'argenterie parfaitement polie, la porcelaine fine et les verres en cristal taillé avant de hocher la tête de satisfaction.

— C'est parfait, affirma-t-elle. Exprimez toute ma gratitude au personnel pour ses efforts.

— C'était un plaisir de le faire pour vous, mademoiselle, assura l'intendante. Oh ! Le vicomte m'a demandé de vous dire qu'il était dans la bibliothèque, si par hasard vous descendiez avant les autres.

— Merci, dit Hester.

Elle quitta la salle à manger pour se diriger vers la bibliothèque. Jared était de dos, un livre ouvert à la main. Il se tourna vers elle et la détailla ostensiblement des pieds à la tête, en prenant son temps. L'expression de ses yeux lui fit monter le rouge aux joues et elle sentit un petit picotement naître à la naissance de sa nuque. Avant de se sentir fondre complètement sous son regard toujours braqué sur elle. Elle baissa les yeux, sous peine de défaillir, submergée par ses sentiments.

— Vous êtes belle, Hester. Cette nuance de jaune vous va à ravir. Vous devriez la porter plus souvent.

— Merci. Mais je ne suis pas belle.

— C'est peut-être ce que vous croyez. Mais moi, je vous trouve belle.

Elle sourit à ce compliment, et décida de changer de sujet.

— Vous m'avez fait demander ?

— Oui. Je voulais vous donner cette babiole, expliqua-t-il en sortant une petite boîte de sa poche avant de la lui tendre.

C'était un petit écrin en cuir. Elle le prit en silence, l'ouvrit et y découvrit une jolie bague sertie d'un mélange de pierres semi-précieuses.

— Oh ! c'est ravissant ! C'est très gentil de votre part, Jared. Qu'ai-je fait pour la mériter ?

— Avez-vous besoin de faire quoi que ce soit ? roucoula-t-il, l'air amusé. Le joaillier a appelé cela une bague de l'amitié, si ma mémoire est bonne, comme l'épelle la première lettre du nom de chaque pierre.

— Oui, j'en ai déjà vu de pareilles, dit Hester.

Elle prit la bague et l'enfila sur le majeur de sa main droite, où elle s'ajusta parfaitement.

— Je l'adore, et elle me sera toujours précieuse, ajouta-t-elle.

Elle déposa la boîte sur la table, en se disant qu'elle reviendrait la chercher à la fin de la soirée, avant de monter se coucher.

— C'est une babiole, rien de plus. Peut-être un jour…

Il s'arrêta et resta silencieux un moment.

— Il m'est difficile de m'exprimer comme je le désirerais en ce moment, Hester, reprit-il. Je ne voudrais pas vous mettre en danger.

— Cela me rappelle ce que je voulais vous dire, enchaîna vivement la jeune femme. J'ai trouvé ce que vous cherchiez, Jared, le journal que vous espériez retrouver.

— Vraiment ? s'exclama-t-il en relevant la tête. Cela confirme-t-il mes soupçons ?

— L'enfant n'est pas mentionné par son nom, mais il est écrit que le second duc avait découvert son existence et avait l'intention de l'aider à faire carrière dans l'armée.

Jared secoua la tête, plongé dans ses réflexions.

— Alors nous avons peut-être trouvé notre chaînon manquant. Le père de Knighton a passé du temps dans l'armée, même si je crois qu'il l'a quittée à la suite de fâcheuses circonstances. Je suppose que vous l'avez rangé en lieu sûr ?

— Oui, bien sûr. J'ai tout de suite compris que vous deviez avoir raison.

— Soyez prudente, Hester. Il vaut mieux ne pas parler de ces choses. On pourrait vous entendre.

Hester acquiesça d'un signe de tête.

— Cela vous semble-t-il étrange que M. Grant ne soit pas venu pour le bal ? l'interrogea-t-elle.

— Peut-être a-t-il eu le sentiment de ne pas être le bienvenu, supposa Jared d'un air si dégagé qu'elle le soupçonna immédiatement. Non, ne me regardez pas ainsi, Hester ! Je ne vous dirai pas pourquoi, mais croyez-moi sur parole, il vaut mieux que M. Grant reste à l'écart.

— Vous mijotez quelque chose ?

— Quoi qu'il arrive, M. Grant ne pourra pas être accusé s'il n'est pas ici.

— Je vois..., dit-elle en plissant les yeux. Je croyais, quand M. Knighton m'a révélé..., bredouilla-t-elle, les joues brûlantes. Mais cela ne me regarde pas.

— Ah, qu'il soit donc maudit pour ne pas savoir tenir sa langue, celui-là ! s'écria Jared, une lueur dangereuse dans les yeux. Je savais bien que quelque chose n'allait pas. Un gentleman ne vous aurait rien dit. Il vous a parlé de l'enfant illégitime, évidemment.

— Je n'ai rien à dire, insista Hester. Vous êtes un homme séduisant, dans la force de l'âge. Personne ne s'attend à ce que vous viviez comme un moine.

Jared la scruta un instant en silence avant d'éclater d'un rire tonitruant, les yeux pétillants.

— Vous êtes impayable, ma très chère Hester ! Croyez-moi, tout vous sera expliqué en temps et en heure.

— Je n'en doute pas, rétorqua-t-elle. De plus, vous ne me devez pas particulièrement d'explications.

— Certes, mais je vous raconterai tout quand même. Mais pas maintenant. Notre homme ne doit pas douter de mes dires, ou de ce que je fais… Me comprenez-vous ?

— Oui, bien sûr, acquiesça-t-elle en souriant.

Une vague de bonheur qui la réchauffait tout entière avait commencé à l'envahir. Comme elle s'en était doutée, cette histoire d'enfant illégitime faisait partie de son plan pour piéger M. Knighton !

— Je vais aller dans le salon, continua-t-elle. Ne tardez pas trop à vous y rendre aussi. Je dois y être pour accueillir grand-père.

— Oui, allez-y. Réservez-moi une danse, je vous prie. Une valse, la première de la soirée.

— Certainement.

Elle avait les joues rosies en quittant la pièce. L'idée de danser dans les bras de Jared la submergeait de joie et d'excitation.

Elle aperçut M. Knighton dans l'escalier au moment où elle arrivait dans le salon. Il l'appela et elle se tourna vers lui, un sourire poli sur les lèvres.

— Hester ! Je vous cherchais. Avez-vous reçu mon cadeau ?

— Oh…

Elle hésita, car elle ne voulait rien accepter de sa part, mais il était difficile de refuser sans l'offenser.

— Vraiment, vous n'auriez pas dû, monsieur.

— Ce ne sont que quelques fleurs. J'ai demandé qu'on les porte dans votre chambre.

— Comme c'est attentionné de votre part ! le remercia

Hester. Malheureusement, je suis sortie avant qu'elles n'arrivent. J'espère qu'elles ont été mises dans l'eau afin que je puisse les admirer. Je crains de ne pas avoir le temps de remonter maintenant. Entrons-nous ? Je ne voudrais pas faire attendre grand-père.

Elle le précéda dans le salon. Le duc était assis dans un imposant fauteuil auquel avaient été fixées des roues, afin de le déplacer facilement d'une pièce à une autre sans qu'il ait à souffrir l'humiliation d'être porté. Sa mère était à son côté, ainsi que quelques invités. Il était entouré de ses plus vieux amis, qui semblaient tous ravis de le voir descendu de ses appartements, et cet endroit de la pièce bourdonnait d'animation joyeuse.

— Avez-vous vu le vicomte Sheldon ? demanda lady Raven en s'approchant d'Hester. Je lui ai réservé une danse, comme il me l'a demandé, et je voulais le lui rappeler.

— Je suis certain qu'il ne l'oubliera pas, assura Hester.

Le sourire narquois sur la bouche de lady Raven l'irritait, et elle dut faire appel à toute la force de sa volonté pour rester flegmatique.

— Le vicomte Sheldon est quelqu'un sur qui l'on peut compter, ajouta-t-elle.

— Oh ! ma chère ! croassa lady Raven, une lueur de mépris dans les yeux. Vous parlez de lui d'une façon si banale ! Il est bien plus que cela, je vous l'assure. Il est difficile de trouver un homme tel que lui. Oh ! le voilà ! Il faut absolument que je lui parle, conclut-elle en se précipitant vers Jared.

Hester la regarda naviguer avec majesté dans la pièce pour fondre sur sa proie. Elle allait rejoindre sa mère et son grand-père quand M. Knighton l'arrêta en chemin.

— Ne trouvez-vous pas étrange que M. Grant ne soit

pas là ? lui demanda-t-il. Il m'avait dit avec insistance qu'il avait l'intention d'être présent au bal.

Il lança un regard vers l'endroit de la pièce où se trouvait Jared, désormais entouré de lady Raven, de lady Mallard et de deux autres dames.

— Avez-vous la preuve irréfutable que cet homme est ce qu'il prétend ? l'interrogea-t-il.

— Que voulez-vous dire ? s'exclama Hester, stupéfaite de cette question. Jared n'a jamais revendiqué son titre, mais il ressemble beaucoup à sa mère, et c'est l'avoué de grand-père qui l'a contacté.

— Certes, mais vous ne savez rien de lui, Hester. Il pourrait être n'importe qui… Un joueur…, un hors-la-loi…

— Vous devriez mesurer vos propos, répliqua-t-elle.

Afin de s'empêcher d'exploser de colère, elle serrait tant ses poings que ses ongles lui rentraient dans la chair.

— Le vicomte Sheldon en a déjà fait plus pour cette famille que tout ce que nous aurions pu espérer, continua-t-elle. Je dois vous informer que tout ce qu'il retirera de cette situation sera bien inférieur à ce qu'il a donné.

— C'est fort possible, mais je pense néanmoins qu'il est très étrange que M. Grant ne soit pas venu, concéda Knighton, l'air furibond.

Visiblement hors de lui, il avait oublié d'être prudent quand il parlait de Jared, remarqua Hester.

— M. Grant serait l'héritier, s'il était prouvé que l'Américain était un imposteur, insista-t-il.

— Etant donné qu'il n'en est pas un, il me semble que cette conversation est déjà allée assez loin comme cela, le rabroua Hester. Excusez-moi, je souhaiterais parler à maman.

Elle s'était contenue du mieux qu'elle le pouvait, mais sa colère avait néanmoins dû être perceptible. S'ils avaient été seuls, elle n'aurait peut-être pas été capable de se contrôler, car les paroles de Knighton avaient été insidieuses, et elle aurait voulu défendre Jared avec plus de conviction. Seules les recommandations de prudence de ce dernier l'avaient incitée à tenir sa langue, mais c'était vraiment trop ! Knighton insinuait trop ouvertement qu'il était arrivé quelque chose à M. Grant, et que le vicomte en était responsable. Si elle avait encore douté de Jared, elle aurait pu en arriver à penser des choses épouvantables !

— Ah, te voilà, ma chérie ! l'accueillit lady Sheldon. Ton grand-père vient de demander M. Grant. Je lui ai dit que je n'avais pas la moindre idée sur la raison de son absence. C'est un peu étrange, ne trouves-tu pas ?

— Oh ! peut-être a-t-il une autre obligation, ou est-il souffrant, avança Hester. Il nous contactera bientôt, j'en suis sûre, conclut-elle, soulagée que l'intendante vienne annoncer que le dîner était servi.

— Oui, tu as sans doute raison.

Hester sourit et salua l'un des plus vieux amis de son grand-père. Elle l'écouta avec obligeance et une grande patience lui narrer en détail l'incursion d'un renard dans son poulailler.

Le dîner fut léger ce soir-là, personne ne souhaitant trop manger avant le bal, et, après que trois plats ainsi qu'un choix de consommés eurent été servis, lady Sheldon libéra les convives. Les dames montèrent se préparer, pour redescendre au moment où les invités du bal, qui ne séjournaient pas à Shelbourne, arriveraient.

La grande galerie avait été débarrassée de ses meubles pour laisser place à la danse, et trois pièces de réception avaient été ouvertes, leurs doubles portes repoussées contre le mur afin que les invités aient toute latitude pour se déplacer. Les valets de pied circulaient avec de lourds plateaux en argent chargés de coupes de champagne. La musique commença, dans un brouhaha de voix excitées et de rires un peu trop aigus en raison de l'euphorie générale.

Jared pria lady Sheldon d'ouvrir le bal avec lui. Ravie d'avoir été choisie, elle se récria. Elle qui n'avait pas dansé depuis si longtemps, elle lui marcherait sur les pieds ! Ce n'était cependant que pure coquetterie, et ils évoluèrent gracieusement seuls quelques minutes, avant d'être rejoints par d'autres couples.

Hester se retrouva cernée par des gentlemen réclamant des danses et son carnet ne mit pas longtemps à se remplir. Bon nombre d'entre eux étaient assez âgés pour être son père, mais elle appréciait autant de danser avec eux qu'avec des hommes plus jeunes, tant ils étaient charmants avec elle.

Par chance, elle accorda une danse folklorique à M. Knighton. Elle ne se retrouva donc pas obligée d'être serrée contre lui et changea souvent de partenaire. Elle fut soulagée quand la musique s'arrêta, car elle craignait que sa réticence n'ait été criante. En effet, lorsqu'elle lui jeta un coup d'œil un peu plus tard, elle remarqua qu'il l'observait d'un air boudeur.

Elle chassa cependant ce sentiment d'anxiété quand Jared vint réclamer la première valse de la soirée, comme il l'avait demandé. Il lui sourit en posant sa main gantée au creux de ses reins et l'emporta dans le tourbillon des danseurs, lui prouvant ainsi qu'il n'avait pas non plus besoin de la moindre leçon de danse. En fait, il maîtrisait à la perfection tout ce qui lui incombait pour remplir ses devoirs d'héritier, et s'était déjà attiré la sympathie des dames comme des gentlemen.

— Vous amusez-vous, Hester ?

— Oui, beaucoup. Cela fait longtemps que je n'ai pas

passé si agréable soirée. J'adore voir grand-père aussi en forme.

— J'aime vous voir heureuse, et vous entendre rire.

— Oh..., bégaya Hester en s'empourprant, car son cœur commençait à s'emballer. Je suis heureuse, et c'est en bonne partie grâce à vous, Jared. Passez-vous une bonne soirée ?

— Recevoir est toujours agréable, répondit Jared. Mais je préfère certaines personnes à d'autres.

Elle le regarda d'un air interrogateur, mais secoua la tête alors qu'il allait prendre la parole.

— Non, ne dites rien. Je crois que je vois ce que vous voulez dire, assura-t-elle.

— Mais certainement. Vous êtes tellement intuitive et intelligente, Hester.

— J'espère que c'est positif à vos yeux ?

— Oh ! oui ! assura-t-il avec un air machiavélique. J'ai remarqué que M. Knighton ne semble pas dans son assiette ce soir. Savez-vous pourquoi ?

— Je crois qu'il est désorienté parce que M. Grant n'est pas venu. Il a aussi fait des réflexions déplacées tout à l'heure, et je ne les ai pas prises comme il l'aurait espéré.

— Ah... voilà peut-être pourquoi..., dit Jared, pensif.

— Il a essayé de vous dénigrer, Jared.

— C'est logique. Il a de moins en moins de marge de manœuvre.

— Que voulez-vous dire ? demanda Hester au moment où cessait la musique.

Elle le scruta attentivement pour essayer de lire dans ses pensées, mais, comme d'habitude, il était impénétrable.

— Nous en reparlerons demain. Veillez bien à ne pas vous retrouver seule avec lui, Hester, je vous en prie, faites-le pour moi.

Elle eut le souffle coupé face à l'intensité de son regard.

Mais elle eut à peine le temps de reprendre ses esprits que, déjà, un autre cavalier venait réclamer sa danse.

La soirée s'écoula agréablement tandis qu'Hester passait des bras d'un danseur à un autre. Elle discuta longuement avec son grand-père et quelques-uns de ses amis, riant sans cesse alors qu'ils l'inondaient de compliments extravagants, la taquinaient gentiment et la plaçaient au centre de toutes les attentions. Elle ne s'était pas mariée à la suite de sa première saison, certes, mais elle ne manquait pas d'admirateurs ce soir-là, et plus d'un gentleman tournait la tête pour la regarder alors qu'elle flirtait d'une manière charmante avec les amis de son grand-père.

— Eh bien, ma fille, je crois que c'est un succès, constata son grand-père. Je vais demander à monter dans quelques minutes. Je suis content, il a été accepté. Il se débrouillera très bien. Si je meurs ce soir, c'est en sachant que la famille est entre de bonnes mains.

— Oh ! grand-père ! s'écria Hester. Ne dites pas des choses pareilles ! Vous allez vivre encore longtemps.

— Je ne suis pas prêt à partir tout de suite, ma fille, se récria-t-il avec un sourire triste. Mais vous vous en sortirez bien, je le sais. Il prendra soin de toi, de ta mère, et c'est tout ce qui compte. Quand j'étais plus jeune, j'étais fier et je ne pensais qu'à la bonne réputation de la famille. Aujourd'hui, j'ai compris que seuls importent l'amour et le bonheur des gens que l'on aime.

Hester l'embrassa sur la joue et lui souhaita bonne nuit avant de retourner dans la grande galerie où la danse avait repris. Il y avait encore bon nombre d'amateurs, mais certains commençaient à prendre congé. La jeune femme aida sa mère au moment de leur départ, faisant apporter les manteaux des invités et quérir leurs voitures. Elle revint ensuite dans la salle de bal. Seuls quelques couples évoluaient encore, et des dames et des gentlemen sirotaient une dernière coupe de champagne avant de se retirer. Elle ne vit ni sa mère ni sa marraine, qui avaient déjà dû monter. Jared bavardait avec trois gentlemen. Elle balaya la pièce du regard, et ne vit pas non plus M. Knighton. D'ailleurs, elle ne l'avait pas vu depuis bien longtemps.

Elle se dirigea vers Jared et sourit aux gentlemen qui l'accueillirent chaleureusement.

— Puis-je encore faire quelque chose pour quelqu'un ? s'enquit-elle.

On lui répondit aimablement à la ronde par la négative.

— Jared, si vous n'avez plus besoin de moi, je crois que je vais me retirer.

— Allez-y, Hester, vous semblez fatiguée, répondit-il avec un geste vers elle. Miss Sheldon a travaillé sans relâche ces derniers jours pour faire de cette soirée un succès, messieurs.

— Bravo, miss Sheldon ! Vous avez ramené cet endroit à la vie. Il était trop triste, depuis trop longtemps, déclara l'un des invités.

— Vous devez remercier lord Sheldon pour cela, dit-elle.

— Vous faites une bonne équipe, miss Sheldon, assura un autre gentleman.

— C'est exact, renchérit Jared en lui coulant un regard qui l'obligea à baisser les yeux.

Elle avait les joues en feu en quittant le petit groupe. Jared avait récemment dit des choses qui l'incitaient à croire qu'il s'intéressait réellement à elle. Elle regarda la bague à son doigt et se sourit à elle-même. Elle était sur le point de monter dans sa chambre, mais, se rappelant l'écrin qu'elle voulait reprendre, elle se dirigea vers la bibliothèque.

Quand elle y pénétra, Knighton était au fond de la pièce.

Il parcourait les rayonnages où étaient rangés les journaux et archives de la famille, dénués d'intérêt pour quiconque n'en était pas membre.

— Hester ? dit-il, sourcils froncés. Le bal est terminé ?

— Oui, monsieur Knighton. Cherchez-vous quelque chose en particulier ? Je crains que vous ne trouviez pas grand-chose d'intéressant dans cette section, ce sont les journaux de la famille.

— Je feuilletais simplement, répondit-il. Vous êtes une grande lectrice, je crois ? Avez-vous lu toutes les histoires de la famille ?

— Non, pas toutes, dit Hester. Désiriez-vous savoir quelque chose ?

— Oh ! non, assura-t-il d'un ton faussement dégagé. Mais ces histoires me fascinent. On y découvre tant de secrets ! Des squelettes dans le placard, pour ainsi dire. Une famille comme celle-ci doit en avoir de nombreux... Enfants illégitimes, morts tragiques... Ne croyez-vous pas ?

— Peut-être, concéda Hester. Excusez-moi, je suis venue chercher une petite boîte. Bonne nuit, monsieur, dit-elle en prenant l'écrin.

Knighton la regarda fixement.

— J'imagine qu'elle contenait la bague que vous portez. Je ne l'ai jamais vue sur vous auparavant, Hester.

— C'est un cadeau... en remerciement du travail que j'ai effectué pour organiser le bal.

— De sa part, je suppose ? insista-t-il, l'air soudain franchement inquiétant. Vous devriez être prudente, Hester. Il n'épousera sans doute pas une jeune fille comme vous, maintenant qu'il a l'embarras du choix. En tant qu'héritier du duc, il visera plus haut.

— Vous avez certainement raison, assura Hester, très

digne, en le fusillant d'un regard hautain. Bonne nuit, monsieur.

— Vous n'auriez pas autant fait la fière il y a quelques mois, cingla Knighton, tout à coup très agressif. Faites attention de ne pas tomber dans son piège, Hester.

Elle était si furieuse qu'elle ne daigna pas répondre, et sortit de la pièce la tête haute. Elle avait essayé de ne pas trahir sa répulsion, mais apparemment elle avait échoué. Il s'était rendu compte de sa préférence pour Jared, et cela l'avait courroucé.

Hester réalisa qu'elle était épuisée en se déshabillant avant de se mettre au lit. La journée avait été très longue, et elle avait dansé une bonne partie de la soirée. Elle était sur le point de s'endormir quand elle repensa au journal dans la commode. Elle se releva et alla verrouiller la porte de sa chambre. Elle n'aurait su dire pourquoi, mais son instinct l'avait avertie que, si M. Knighton était bien l'homme qu'imaginait Jared, elle pouvait être en danger.

Hester passa une bonne nuit en dépit de ses inquiétudes. Elle s'éveilla plus tard qu'à son habitude, mais, comme les femmes de chambre avaient reçu l'instruction de la laisser se reposer, personne n'avait découvert que sa porte était fermée à clé, et elle eut le temps de la déverrouiller avant que sa femme de chambre ne lui apporte un plateau avec du chocolat chaud et des croissants au miel.

— Le vicomte a dit que vous prendriez votre petit déjeuner au lit aujourd'hui, mademoiselle.

— Oh ! merci ! dit Hester en se redressant sur ses oreillers. Je suis une vraie paresseuse ce matin !

— Cela vous fera du bien, mademoiselle, assura la femme de chambre en souriant. La plupart des dames ont dormi tard. Quelques messieurs sont partis à cheval.

— Le vicomte est allé avec eux ?

— Oui, mademoiselle, avec quelques-uns de vos voisins. Il a dit vouloir des conseils pour les terres. Oh ! je n'écoutais pas ! ajouta-t-elle en rougissant, mais c'est moi qui ai apporté les toasts.

— Vous ne pouviez pas faire autrement qu'entendre, Maisie, assura Hester. Savez-vous si M. Knighton est sorti ?

— Pas avec les autres, c'est sûr, mademoiselle. Je ne l'ai pas vu ce matin, je ne saurais dire où il est.

— Merci. Pourriez-vous préparer la robe grise avec les incrustations de dentelle pour ce matin, je vous prie ?

— Certainement, mademoiselle. Je l'aime beaucoup, elle est très jolie.

Hester but son chocolat pendant que la femme de chambre s'affairait à ranger, avant de la laisser terminer son petit déjeuner. Elle mangea un croissant, puis alla faire sa toilette et s'habilla. La robe grise se fermant par devant, elle n'avait pas besoin d'aide. Ensuite, elle se brossa les cheveux et se fit une tresse double. Elle dégagea quelques mèches autour de son visage, puis se regarda dans le miroir avant de quitter la pièce. Elle aurait aimé pratiquer sa séance d'équitation, mais il y avait toujours des invités, ce qui signifiait qu'elle devait rester disponible.

Les rangements avaient commencé au rez-de-chaussée. Les domestiques remettaient les meubles en place, et faisaient la chasse aux coupes en cristal abandonnées un peu n'importe où la veille. Hester alla jeter un coup d'œil à ses arrangements floraux. Certains commençaient à faner, aussi en prit-elle quelques-uns pour aller les rafraîchir dans le jardin d'hiver. Alors qu'elle s'était chargée d'un gros vase, elle se heurta contre une jeune bonne qui portait un pot de produit pour nettoyer l'argenterie. Il s'en répandit sur sa robe, faisant une grosse tâche grasse sur la jupe.

— Oh ! mademoiselle ! s'écria la jeune fille, horrifiée.

Je suis tellement désolée ! J'ai gâché votre robe ! Ce produit ne partira jamais !

Hester était un peu contrariée, car c'était l'une de ses robes préférées, mais devant l'affolement de la jeune fille elle lui sourit gentiment.

— Ne faites pas cette tête, Susie ! lança-t-elle. C'est autant de ma faute que de la vôtre. Allez demander à Mme Mills si elle sait comment remédier au mieux à cela, je vous prie. Je vais aller me changer.

— Oui, mademoiselle. Je suis tellement confuse !

La bonne s'éclipsa en toute hâte et Hester remonta dans sa chambre.

La porte était entrebâillée. Entendant un bruit à l'intérieur, elle s'arrêta un instant avant d'entrer. Puis, pénétrant dans la pièce, elle vit Knighton près de son lit, un livre à la main. C'était le journal qu'elle avait dissimulé dans un tiroir. De toute évidence, il l'avait cherché, car les affaires d'Hester étaient répandues en désordre sur le sol.

— Que faites-vous ici, monsieur ? l'interrogea-t-elle avec froideur. Je ne vous ai pas donné la permission de pénétrer dans ma chambre, et ce livre appartient à la famille Shelbourne. Il ne regarde qu'elle. Rendez-le-moi, je vous prie.

Elle tendit la main, mais il n'obtempéra pas.

— Vous savez ce qui y est écrit, n'est-ce pas ? s'écria Knighton en se tournant vers elle, une inquiétante lueur dans les yeux. Vous savez que mon père était un bâtard…, l'enfant d'un homme qui aurait été le maître de ces lieux s'il n'était pas mort avant son heure.

— J'en avais le soupçon, reconnut Hester, car le temps n'était plus aux sous-entendus. Je n'en étais pas sûre, jusqu'à ce que vous le disiez vous-même, monsieur. Vous savez très bien que vous n'avez aucun droit sur Shelbourne, car votre grand-père n'a pas épousé votre grand-mère.

— C'est faux ! cingla Knighton, furibond. Mon père m'a dit qu'ils s'étaient mariés en secret. Les deux familles ne l'ont pas reconnu, parce qu'elles se disputaient, mais c'est ainsi. On a refusé à mon père les droits qu'il avait de par sa naissance. Il en était amer, et s'est mis à boire. Il a fait de la vie de ma mère et de la mienne un enfer.

— Je suis désolée, dit Hester. Mais, si ce qu'il vous a révélé était exact, il y aurait eu des preuves écrites, des actes, un contrat..., ne croyez-vous pas ? Si vous avez des documents prouvant ce mariage, vous devriez les présenter.

— La preuve a été perdue, continua Knighton. Voilà pourquoi je la cherchais ici. Mon aïeul connaissait la vérité. Sans cela, pourquoi aurait-il essayé de se débarrasser de mon père en l'aidant à faire carrière dans l'armée, s'il ne se sentait pas responsable de lui ? De plus, ce n'est pas le titre que je veux. Je ne serais pas capable d'assumer une maison telle que celle-ci, ajouta-t-il, fou de rage. Alors que lui, il a de l'argent..., cet arriviste d'Américain !

Hester sentit un frisson parcourir sa nuque : elle était désormais certaine de ce qu'avait fait Knighton.

— Qu'espériez-vous obtenir en essayant de tuer le vicomte Sheldon ? Vous n'imaginiez quand même pas hériter de sa fortune ?

— Maudite créature ! Vous êtes tombée sous son charme, j'en étais sûr ! éructa Knighton en s'avançant vers elle, menaçant. Je pensais que vous alliez m'épouser. Si Grant et l'Américain étaient morts, le vieux vous aurait laissé le domaine. Et j'aurais enfin eu ma revanche. J'aurais attendu que vous me donniez un enfant. Imaginez sa tête quand j'aurais dit au duc qui j'étais, Hester, ajouta-t-il, la bouche tordue d'amertume. S'il avait surmonté le choc, il aurait dû vivre avec la conscience de n'avoir eu aucun droit à tout cela… Sa vie a été un mensonge. Mon père aurait dû hériter du titre quand son père est mort, et mon enfant aurait été un jour le maître ici. La vengeance parfaite, ne trouvez-vous pas ?

— Grand-père ne vous aurait pas trompé, se récria Hester, trop furieuse désormais pour contrôler ses propos. Je ne crois pas que vos grands-parents aient été mariés. On vous a nourri de mensonges et d'allégations sans fondement. Votre père n'avait aucun droit au titre, pas plus que vous.

— Maudite créature ! répéta Knighton, serrant le poing tout en avançant vers elle. J'attendais que Stephen Grant arrive pour me débarrasser de lui, mais il a changé d'avis ! Je vais me venger quand même, ici même ! Votre mort les fera souffrir tous les deux plus que tout.

Il avança encore, pour tenter de saisir Hester à la gorge.

— Quand vous serez morte, le vieux n'aura plus la force de continuer à vivre ! exulta-t-il.

— Non !

Hester essaya de le repousser, bras tendus. Il avait l'air complètement égaré, incapable de la moindre pensée rationnelle.

— Non ! Ne m'approchez pas ! hurla-t-elle. Ne me touchez pas ! Au secours !

Hester se débattit mais il lui serra la gorge avec hargne et elle sentit qu'elle n'aurait pas la force de lui résister.

— Au secours ! hurla-t-elle encore.

Quelqu'un allait l'entendre, c'était impossible !

— Mademoiselle Hester ?

Hester reconnut le cri de Mme Mills, montée se rendre compte par elle-même des dégâts infligés à la robe.

— Que faites-vous donc, monsieur ? Lâchez mademoiselle Hester !

Celle-ci cria de nouveau et continua à se débattre, alors que son agresseur ne semblait même pas réaliser la présence de l'intendante. Hester doutait qu'il savait encore ce qu'il faisait. Elle ne voyait pas ce qui se passait dans la pièce, jusqu'à ce qu'elle aperçoive Mme Mills derrière Knighton, armée d'un lourd chandelier en bronze qu'elle avait pris sur le bureau près de la fenêtre. Elle se jeta sur lui et lui infligea un coup sévère sur la tempe. Cela ne suffit pas à le mettre à terre, mais il fut déséquilibré et Hester put se libérer. Elle s'écarta de lui et se rangea à côté de Mme Mills qui brandissait toujours son chandelier. Il se tint la tête un moment, comme s'il était surpris, puis considéra l'intendante, ivre de rage.

— Ne faites plus un geste, monsieur, l'avertit Mme Mills. J'ai vu ce que vous faisiez à mademoiselle, et je le répéterai sous serment dans un tribunal. Vous serez pendu, ça ne fait pas de doute. Ou pour le moins déporté en Australie.

— Sale bonne femme ! cria Knighton, en considérant de nouveau Hester avec agressivité. Je n'en ai pas fini avec vous, ni avec cette famille maudite…

Hester poussa un soupir de soulagement quand il s'enfuit brusquement de la pièce. Elle s'écroula sur son lit et se mit à trembler en réalisant l'horreur de ce qui aurait pu lui arriver. L'intendante lâcha le chandelier et la rejoignit.

— Vous allez bien, mademoiselle ? s'enquit-elle. Que lui est-il arrivé ? Ce n'est pourtant pas le genre d'homme à se livrer à des excès de boisson. Vous a-t-il fait mal ?

— Non, pas trop. Vous êtes arrivée à temps. Sans cela… Merci beaucoup, murmura Hester en réprimant un sanglot.

— C'est une chance que Susie ait renversé ce produit sur votre robe, se réjouit Mme Mills. Ce qui n'excuse pas sa maladresse pour autant. Et dire que c'est l'une de vos robes préférées !

— Cela a très peu d'importance étant donné les circonstances, madame Mills, assura Hester avec un faible sourire. M. Knighton a tenté de tuer lord Sheldon à deux reprises, et il m'aurait tuée aussi si ma robe endommagée ne vous avait pas fait monter.

— Oh ! Seigneur ! hurla l'intendante, horrifiée. Je n'ai jamais entendu une chose pareille ! Quel monstre ! Alors qu'il était invité dans cette maison !

— Il n'a pas toute sa tête, c'est évident. Je ne vous remercierai jamais assez de m'avoir porté secours avec autant de bravoure. J'ai eu de la chance que vous arriviez.

— J'étais contrariée par Susie, reconnut l'intendante. Je suis montée voir ce que je pouvais faire, mademoiselle Hester. Et je dois avouer que j'ai peu d'espoir de récupérer la robe.

— Peu importe, je vous l'assure. De toute façon, je vais sans doute en faire faire une semblable, mais d'une couleur différente, plus gaie, lui confia Hester, en prenant la main de l'intendante dans la sienne. Je vous suis très reconnaissante de ce que vous avez fait, mais pourriez-vous le garder pour vous pour le moment, je vous prie ? Maman sera très bouleversée quand elle apprendra ce qu'a fait Knighton. C'est son cousin par alliance. Elle qui pensait pouvoir compter sur lui dans l'adversité !

— Elle sera désemparée, mademoiselle, c'est inévitable. Je n'ose même pas imaginer ce que va dire le maître, déplora Mme Mills. S'il vous était arrivé quoi que ce soit…

— Il ne faut surtout rien dire à Sa Grâce, madame Mills, exigea Hester.

— Je parlais du vicomte, mademoiselle, précisa l'intendante, un peu confuse. Sa Grâce est le maître ici, effectivement, mais le vicomte en a tant fait ici que nous avons commencé à le considérer comme tel.

— Oui, bien sûr, acquiesça Hester, réalisant la justesse des propos de son intendante.

Le duc lui-même l'avait d'ailleurs reconnu la veille, se remémora-t-elle.

— Il est sorti, reprit Hester. Je lui raconterai tout à son retour. D'ici là, gardez le silence.

— D'accord, mais racontez-lui en détail ce qui s'est passé. Je suis sûre qu'il saura faire au mieux.

— Je n'en doute pas, affirma Hester en souriant intérieurement.

— Pourquoi ne pas vous aliter un peu, mademoiselle ? Je vais vous envoyer une femme de chambre qui vous apportera une boisson adoucissante pour votre pauvre gorge.

Hester s'approcha de sa table de toilette et s'examina dans le miroir.

— J'ai des contusions au cou, à part cela je vais très bien, dit-elle. Je vais me changer et descendre dans quelques instants.

— Verrouillez bien votre porte, mademoiselle, recommanda Mme Mills. Il n'osera pas revenir, j'en suis sûre, mais mieux vaut ne pas prendre de risque. Préférez-vous que je reste ici pendant que vous vous changez ?

— Je vais ôter ma robe, dit Hester en passant derrière son paravent.

Elle posa son vêtement sur le rebord, et Mme Mills le récupéra. Quand elle revint dans la pièce, elle découvrit que l'intendante, pleine de préventions, lui avait préparé une robe similaire. Après l'avoir passée, elle constata avec satisfaction que son col montant dissimulait les marques de son cou. Il lui faudrait réfléchir à ce qu'elle porterait pendant un jour ou deux, car elle ne voulait alarmer ni sa mère ni le duc.

Après s'être recoiffée, elle sortit de sa chambre et

s'apprêtait à redescendre quand elle vit Jared qui montait l'escalier quatre à quatre, le visage fermé. Il la scruta avec une intensité qui ne laissa aucun doute à Hester : Mme Mills lui avait tout dit de l'incident.

— Hester ! Vous allez bien, ma chérie ?

La jeune femme sourit à cette marque d'affection.

— Oui, tout à fait, Jared. Mme Mills est arrivée à temps. Elle l'a bravement attaqué avec un chandelier et il s'est enfui.

— Qu'il aille au diable ! rugit Jared. J'ai fait tout mon possible pour l'inciter à s'en prendre à moi, je l'ai provoqué plusieurs fois. Malheureusement, c'est vous qu'il a choisie. Ce n'était pas ce que je prévoyais, même si je me doutais qu'il réagirait violemment lorsqu'il comprendrait que vous ne l'épouseriez jamais.

— Ce ne sont ni le titre ni le domaine qu'il veut, expliqua Hester. Même s'il les aurait pris si son plan avait marché. Il était ivre de vengeance. Exactement comme vous le pensiez. Il affirme que son grand-père avait épousé sa grand-mère, et que son père aurait dû hériter du titre. Il voulait se venger parce que la famille a refusé d'admettre ce mariage.

— Je doute qu'il ait jamais eu lieu, dit Jared. Il était obsédé par cette idée fixe, Hester. Il n'est pas fou, mais parfois son comportement véhément me laisse à croire qu'il n'est pas maître de lui-même.

Il se pencha pour lui caresser la joue du bout des doigts.

— J'ai essayé de dissimuler mes sentiments pour vous, et je vous ai recommandé d'être prudente parce que je craignais qu'il ne se déchaîne s'il réalisait que ses plans étaient voués à l'échec… et on dirait bien que c'est ce qui s'est passé, ma pauvre chérie.

Ces dernières paroles apaisèrent instantanément Hester,

plus efficaces que le meilleur des baumes. Elle sourit à Jared, rassurée par sa présence. C'était un homme si fort, à la fois physiquement et de caractère… Jamais il ne manquerait à ses devoirs envers elle, songea-t-elle.

— Je crains que tout n'ait été de ma faute, avoua Hester. Quand je suis allée chercher l'écrin hier soir, je l'ai trouvé en train de feuilleter un journal de la famille. J'ai dû dire quelque chose qui l'a rendu fou de rage. Il est venu fouiller ma chambre en quête du journal que j'avais caché, dans l'espoir d'y trouver la preuve qu'il recherchait. Son père l'avait abreuvé de fariboles sur son droit à hériter de Shelbourne.

— C'est exact, confirma Jared. J'ai fait effectuer des vérifications minutieuses dans les archives, et je peux vous assurer qu'il n'existe aucune trace de ce supposé mariage. S'il y en a eu un, il était clandestin et n'aurait donc aucune valeur légale.

— Je l'ai accusé d'avoir tenté de vous tuer, et il n'a pas nié. Quand il a compris que ses plans avaient échoué, il a tenté de me tuer pour se venger quand même.

— Il aurait réussi, si Mme Mills n'était pas arrivée, observa Jared. Vous êtes très aimée de nous tous, Hester. S'il vous avait assassinée, cela aurait achevé votre grand-père et détruit cette famille.

— Oh…, bredouilla-t-elle en rougissant avant de baisser la tête. Je sais que grand-père et maman…

Jared l'interrompit en lui relevant le menton avec douceur, pour qu'elle le regarde dans les yeux.

— Vous vous doutez bien que j'aurais été autant bouleversé qu'eux ?

— J'avais pensé… mais je n'étais pas vraiment sûre…, bégaya-t-elle, les yeux brillants.

— Ah, vous êtes vraiment stupéfiante, Hester ! Parfois si sage, et parfois si insensée…

Il se pencha et l'embrassa doucement sur la bouche. Hester gémit quand elle se retrouva serrée contre lui. Une vague de désir l'envahit soudain, irrépressible.

— Vous avez quand même dû comprendre ce que je ressentais quand nous nous embrassions ? insista-t-il.

— Je savais ce que moi, j'éprouvais, répondit-elle en souriant. Je voulais que ça continue, que vous n'arrêtiez jamais. Je voulais… tellement plus…

Elle s'empourpra sous le regard brûlant de Jared.

— C'est sans doute très indécent de ma part de dire cela, Jared, ajouta-t-elle, mais, si vous me l'aviez demandé, je me serais donnée à vous depuis longtemps.

— Vous imaginiez-vous donc que je vous voulais comme maîtresse ? Oh ! Hester ! Vous me choquez, vraiment ! Alors que je vous prenais pour le parfait exemple de la jeune lady anglaise aux manières irréprochables…

— Arrêtez ! le coupa-t-elle en cachant son visage dans ses mains. Je sais, c'est impudique, tout à fait impudique…

— C'est adorable, et c'est exactement ce que j'espérais, se récria-t-il. Je vous aurais demandé de m'épouser même si vous n'aviez pas répondu à mes baisers d'une manière aussi délicieuse, ma chérie. Et savoir que vous recelez tant de passion en vous me laisse à croire que nous serons très heureux ensemble.

— Jared…, voulez-vous réellement m'épouser ?

— Bien sûr ! s'exclama-t-il en prenant son visage entre ses mains pour la scruter au fond des yeux. Vous avez pu croire que je m'intéressais à d'autres femmes, Hester, mais j'essayais de leurrer Knighton. Je pensais que s'il était convaincu que j'allais épouser la mère de mon fils illégitime et reconnaître celui-ci, cela le forcerait à se dévoiler. Il fallait qu'il s'en prenne à moi directement, pour que je puisse le traîner en justice. Par malheur, mon plan a raté : cela lui a fait comprendre que les siens ne réussiraient jamais. Il s'est donc reporté sur vous. Je n'arrive pas encore à croire que vous avez frôlé la mort, ajouta-t-il avec un frisson.

— Mme Mills et son chandelier sont venus à la rescousse, dit Hester d'un ton malicieux. Je suis en sécurité pour le moment, car il a dû s'enfuir, mais nous devons être sur nos gardes, Jared. Jusqu'à ce qu'il soit rattrapé et arrêté, il reste un danger pour nous tous. Il n'hésiterait pas à tuer les membres de cette famille. Grand-père ! s'écria-t-elle soudain. Nous sommes persuadés qu'il s'est enfui, mais c'est grand-père qu'il hait le plus !

Elle se mit à courir sur le palier, folle d'angoisse. Quand Knighton avait pris la fuite, elle s'était convaincue qu'il avait quitté la maison sur-le-champ, mais son intuition lui dicta qu'il saisirait sans doute une dernière occasion de se venger de la famille qu'il haïssait par-dessus tout.

— Hester, revenez ! cria Jared en essayant de la rattraper. Laissez-moi m'occuper de ça. S'il est effectivement là, il sera dangereux.

— Grand-père pourrait être blessé, s'obstina-t-elle, refusant de céder. Vous ne m'arrêterez pas Jared, il faut que j'y aille.

— Alors, laissez-moi faire si Knighton est là, lui intima Jared en sortant un petit pistolet de sa poche. Ne vous approchez pas de lui. Je ne voudrais pas qu'il se serve de vous comme bouclier pour s'échapper si…

Hester lui lança un regard désespéré et redoubla son allure. Pourvu qu'ils n'arrivent pas trop tard ! Le duc était si vulnérable ! Il n'était pas de taille à se mesurer à un homme dévoré d'amertume et consumé par une telle soif de vengeance.

Jared rattrapa Hester devant la porte des appartements du duc. Il lui saisit le bras et la protégea derrière lui quand ils pénétrèrent dans le salon. Il poussa un juron étouffé devant le tableau qui s'offrait à eux. Le duc, dans son fauteuil roulant, un petit pistolet à la main, tenait en joue l'homme devant lui.

Knighton tourna la tête quand Jared entra suivi d'Hester, et fusilla celle-ci d'un regard fanatique.

— Maintenant que vous êtes là, lui dit-il, demandez-lui la vérité, Hester. Faites-le avouer ce qu'il sait avant qu'il ne me tue. Je sais que c'est ce qu'il veut, ce que la famille a toujours voulu..., se débarrasser de la preuve du scandale !

Hester se rapprocha de son grand-père, car elle avait remarqué que sa main commençait à trembler, puis toisa Knighton avec mépris.

— Je n'ai pas besoin de poser la question. Sa Grâce n'aurait jamais privé votre père de ses droits, si celui-ci avait eu matière à réclamer le titre et le domaine d'une manière légitime.

— Merci, Hester, dit le duc, qui avait le teint gris et l'air épuisé. Je savais que mon frère aîné avait un fils. On disait que cet enfant était mort peu après sa naissance, mais mon père avait découvert la vérité peu avant de décéder, et il m'en avait informé. J'ai fait effectuer des recherches approfondies après la mort de mon frère, mais on n'a jamais trouvé trace d'un mariage. S'il y en a eu un, c'était sans doute une simple parodie, pour calmer la maîtresse de mon frère. Et celui-ci n'en a jamais parlé à sa famille. Votre père a changé de nom quand il a été chassé de l'armée, Knighton. Je savais qui vous étiez la première fois que vous êtes venu ici, mais pour le bien d'Hester et de sa mère je vous ai reçu sans rien révéler.

— Menteur ! éructa Knighton en se précipitant vers lui.

Le duc leva le bras mais hésita et, avant qu'il n'ait pu tirer, Jared avait ceinturé Knighton par-derrière et l'avait déséquilibré.

Il s'ensuivit une lutte violente mais brève. Knighton se retrouva immobilisé face contre terre. Un valet de pied appelé en hâte tendit à Jared une corde improvisée avec une embrasse de rideau et il lia les mains de Knighton derrière son dos.

Puis il se releva et le remit debout, toujours jurant, se débattant et hurlant qu'on l'avait floué de ses droits. Deux valets de bonne corpulence avaient rejoint le premier et l'encadrèrent fermement, attendant les ordres de Jared.

— Que voulez-vous que l'on fasse de lui, monsieur ? demanda Jared au duc.

— Dites-le-moi vous-même, car Dieu sait que je n'en ai pas la moindre idée.

— Cela créera un scandale, mais à mon avis il devrait être jugé pour ses crimes, monsieur. Il a essayé par deux fois de me tuer, mais le pire, c'est qu'il a tenté d'étrangler Hester il y a une demi-heure.

— Qu'il soit maudit ! s'écria le duc. Si je l'avais su, je l'aurais abattu comme un chien ! Tu vas bien, ma fille ? s'enquit-il avec inquiétude.

— Oui, grand-père, dit-elle en se penchant pour l'embrasser sur la joue. Ne vous tourmentez pas, je vous en prie. Mais je suis d'accord avec Jared. Nous n'avons pas d'autre solution que de le faire arrêter et juger pour ses crimes.

— Emmenez-le, demanda le duc d'un ton las. Faites comme bon vous semble. Je ne veux plus jamais le voir.

— Restez avec le duc, dit Jared à Hester. Nous devrions faire appeler le médecin de Sa Grâce.

Jared avait employé un ton sans appel, et il était désormais si évident qu'il dirigeait la maison qu'un valet se précipita immédiatement pour s'acquitter de la tâche.

— Henderson, Briggs, descendez-le par l'escalier de service, je vous prie, continua-t-il. Nous l'enfermerons dans une dépendance jusqu'à ce que le constable vienne le chercher. Je vous rejoins dans un moment.

Il attendit qu'ils aient quitté la pièce puis regarda le majordome du duc, qui fit un signe de tête à sa question muette.

— Vous pouvez me confier mademoiselle Hester et Sa Grâce, monsieur, dit-il. Sa Grâce a reçu un choc, et va s'aliter un moment.

— A tout à l'heure, dit Jared à Hester. Excusez-moi, je dois aller voir ce qui se passe.

Soudain, ils entendirent des hurlements et Hester lança à Jared un regard affolé.

— Partez vite, il est arrivé quelque chose ! s'écria-t-elle.

Jared sortit en trombe de la pièce. Il eut le temps d'apercevoir les deux valets grimper l'escalier au fond du couloir. Il comprit sur-le-champ que Knighton avait réussi à leur fausser compagnie et se dirigeait vers le toit. Devinant ses intentions, il s'engouffra aussi dans l'escalier et arriva sur le toit quelques instants après les valets, qui observaient Knighton s'avancer périlleusement sur la corniche entre l'aile ouest et le corps principal. Il avait du mal à garder son équilibre car il avait toujours les mains liées derrière le dos, et il vacillait au bord du vide.

— Arrêtez ! cria Jared alors qu'un des hommes s'apprêtait à suivre Knighton. Vous êtes trop lourd, Briggs. Certaines pierres se descellent. Les maçons m'ont dit que le problème était bien plus important que ce qu'ils avaient évalué au départ. Laissez-moi y aller. Je sais où se trouvent les pierres dangereuses.

— Soyez prudent, milord, recommanda Briggs. C'est très friable, ça s'écroule. Mieux vaut le laisser. Nous le rattraperons quand il voudra redescendre.

— Mais il risque de tomber, objecta Jared. Il ne se rend peut-être pas compte du danger.

L'expression des valets en disait long. La meilleure solution était effectivement de le laisser, Jared s'en rendait compte, mais il devait au moins essayer de sauver Knighton de sa folie. Il s'avança sur la corniche, progressant avec lenteur et précaution. Il semblait hébété, comme s'il ne savait pas ce qu'il était venu faire sur le toit.

— Revenez ! le héla Jared. C'est très dangereux. Ces pierres ne tiennent pas. Si vous continuez, elles risquent de céder et de vous emporter dans leur chute.

Knighton le regarda, ses yeux animés d'une lueur démente.

— Ne vous approchez pas de moi ! hurla-t-il. Vous voulez ma mort. Vous êtes comme tous les autres, des menteurs, des tricheurs, qui refusez de me donner ce qui m'appartient !

— C'est un mensonge, vous le savez très bien, dit Jared. Pour l'amour de dieu, mon vieux, je n'ai jamais voulu ça ! J'avais ma vie, avant. Si vous étiez l'héritier en titre, Shelbourne vous l'aurait dit. Il est dur, mais juste.

— Ne vous approchez pas ! répéta Knighton, à l'extrémité de la corniche. Vous êtes comme tous les autres. Vous êtes maudit…, maudit…, vous m'entendez ?

— Revenez, pauvre fou ! cria Jared, qui avait déjà compris ce que voulait faire Knighton.

Il resta pétrifié alors que celui-ci faisait un pas en avant et se laissait choir dans le vide. Un morceau de la corniche se détacha en même temps et explosa en miettes tout près de son corps. Personne n'aurait pu survivre à pareille chute ; l'angle anormal du cou de Knighton prouvait qu'il était mort instantanément.

Jared le regarda, paralysé. L'homme avait clairement perdu l'esprit à la suite de ses divagations. Cependant, cela n'atténuait pas la violence désespérée d'un acte pareil. Il existait sans doute d'autres manières de résoudre cette situation ! Jared fut écœuré par ce gâchis. Pourquoi Knighton ne l'avait-il pas écouté ? Il l'aurait sauvé, s'il en avait eu le temps.

— Revenez, milord, implora Briggs, le sortant ainsi de ses pensées macabres. N'allez pas plus loin ! Tout est fissuré, revenez tout de suite ! Le toit peut céder d'un instant à l'autre.

Jared fit demi-tour. Il sentait sous ses pieds les pierres de plus en plus branlantes, et il avançait avec circonspection. Il pouvait à tout instant basculer dans le vide. Il revint très lentement vers la porte où l'attendaient les deux hommes, désespérés de ne pouvoir intervenir, car le moindre poids supplémentaire risquait de tout faire s'écrouler. Deux mains puissantes se tendirent pour le tirer vers la sécurité de la cage d'escalier.

— Nous avons tout vu, monsieur. Knighton s'est jeté dans le vide délibérément.

— Pauvre fou, soupira Jared. Il n'a tué personne, et il aurait pu purger sa peine dans les colonies s'il avait été jugé. Il aurait pu refaire sa vie.

— Peut-être a-t-il préféré la mort, suggéra Briggs. Il n'avait pas l'air bien, monsieur, si vous voulez mon avis. Quelque chose a dû lui tournebouler la tête, ne croyez-vous pas ? C'est un accident tragique. Ce pauvre M. Knighton n'était plus lui-même, c'est évident. Nous pourrions prétendre qu'il a voulu monter sur le toit pour voir l'état des travaux et qu'il a été pris de vertige.

— Suggérez-vous que nous taisions l'événement ? lui demanda Jared, dubitatif. Si quelqu'un avait révélé ces secrets de famille il y a des années, cela ne serait jamais arrivé… mais vous avez peut-être raison. Knighton était malade, de toute évidence.

— Oui, monsieur, c'est exactement ce que nous avons tous pensé.

Jared scruta le valet avec attention.

— Vous êtes un homme bon, dit-il. Qu'est-ce qui vous rend si dévoués à une famille comme celle-ci, vous et tous les autres ?

— Nous en faisons partie, milord. Vous y avez votre place et nous la nôtre, mais nous faisons partie de la même famille.

— Oui, c'est exact, reconnut Jared en souriant.

Il comprit soudain ce que l'avoué avait essayé de lui dire lors de leur première rencontre. Il avait un devoir à remplir ici, pas seulement envers ses parents par le sang, mais aussi envers les gens qui étaient liés au domaine.

— Merci, Briggs. Sa Grâce a de la chance d'être entourée de personnes telles que vous.

— C'est un plaisir de servir cette famille, monsieur. Je suis ici depuis ma première jeunesse, et j'espère y rester jusqu'à ce que vous m'accordiez ma pension de retraite.

— Ah, c'est ainsi ? s'exclama Jared, franchement amusé. Cela veut donc dire que je vais être obligé de rester ici jusqu'au moment où je récompenserai votre loyauté, n'est-ce pas ?

— Exactement, monsieur. Et c'est ce que voudrait Mlle Hester, je pense.

— Oui, j'ose dire que vous avez raison, acquiesça

Jared. Bien, allons nous occuper de régler cette situation, qu'en pensez-vous ?

— Certainement, monsieur. Si vous me permettez, j'ajouterai que vous avez été très brave de risquer votre vie pour M. Knighton. Tout le monde pensera comme moi.

— Moins cela se saura, mieux cela vaudra, se récria Jared. Je ferais mieux d'aller rassurer ces dames.

Chapitre 11

— Hester, ma chérie ! lança lady Ireland en la voyant descendre l'escalier, plus tard dans l'après-midi. Ta maman est partie s'allonger un moment, c'est une affaire épouvantable ! J'avais toujours trouvé M. Knighton un peu excessif, surtout lorsqu'il s'agissait de tout ce qui te concernait, mais il devait être terriblement malade pour monter ainsi sur le toit. Mme Mills m'a dit que le vicomte a essayé de le rattraper et de le sauver, en vain. Il était déterminé à sauter. Le pauvre homme devait avoir perdu la tête.

— Oui, je suis certaine qu'il était souffrant, dit prudemment Hester.

Elle avait été informée de la version officielle donnée aux invités qui restaient, alors que, bien entendu, tous les domestiques connaissaient la vérité, abondamment commentée dans leurs quartiers.

— Il devait être très perturbé depuis un moment, ajouta-t-elle.

— C'est aussi bien que tu ne l'aies pas épousé, décréta lady Ireland. Cela bouleverse terriblement tout le monde. Dire que le bal a été une telle réussite ! Je crains que tous les invités ne soient repartis, ma chérie. On leur a dit que Sa Grâce était souffrante, et ils n'ont pas voulu occasionner la moindre gêne. Comment va Shelbourne ? s'enquit-elle.

— Son médecin dit que ce n'est qu'un petit malaise. Il n'est ni mieux ni moins bien qu'avant cet événement.

— A mon avis, c'est toute l'excitation autour du bal, conclut lady Ireland, à qui l'on n'avait rien dit de l'agression sur Hester ou de la scène dans les appartements du duc. Il ira mieux après un ou deux jours de repos.

— C'est exactement ce qu'il m'a dit, renchérit Hester en souriant. Ainsi tout le monde est parti ?

— A part moi, bien sûr ! Je suis restée pour voir si je pouvais t'être d'une aide quelconque, ma chérie, ainsi qu'à ta pauvre maman. Elle est sens dessus dessous, comme tu t'en doutes.

— Evidemment. Merci de rester, je vous considère comme faisant partie de la famille, bien sûr. Je vais prendre des nouvelles de maman, puis il nous faudra nous changer pour le dîner. Je n'ai pas vu passer la journée.

Lady Ireland s'apprêtait à donner un baiser à la jeune femme quand la porte s'ouvrit sur un homme qu'elle regarda d'un air désapprobateur à travers son lorgnon.

— Monsieur Grant… Nous vous attendions hier pour le bal !

— Et j'aurais dû être là, madame ! grommela M. Grant, indigné. Mais j'ai reçu un message urgent selon lequel mon avoué voulait me voir pour une affaire de vie ou de mort ! Et, quand je suis arrivé, ce n'était rien de tel. J'ai fait tout le voyage pour rien ! Je n'ai jamais été aussi contrarié de ma vie. Le message était un faux, il ne m'avait jamais rien envoyé !

— Oh…, bredouilla Hester.

Devant l'expression outragée de Stephen Grant, elle fut prise d'une violente envie d'éclater de rire en réalisant ce qu'avait fait Jared pour le mettre à l'écart quelques jours.

— C'est vraiment fâcheux, monsieur, ajouta-t-elle.

— Certes, renchérit M. Grant. Quelqu'un m'a envoyé ce message délibérément, et je crois bien savoir qui c'est, déclara-t-il, furibond. Knighton est-il encore ici ? J'ai deux mots à lui dire.

— M. Knighton a eu un terrible accident, monsieur, expliqua Hester, qui n'avait plus du tout envie de rire. Il était souffrant... De l'anxiété, je crois. Il est monté sur le toit je ne sais pour quelle raison, et s'est jeté dans le vide.

— Il est tombé du toit ? s'exclama M. Grant, stupéfait. Bonté divine ! Qu'est-il donc allé fabriquer là-haut ?

— C'est là toute la question, répondit Jared.

Il se tenait sur le seuil et regardait M. Grant avec une expression qui ne laissait transparaître qu'un intérêt poli.

— Je suis heureux de vous revoir, monsieur, continua-t-il. Nous sommes désolés de ne pas vous avoir eu pour le bal. Hester, votre mère vous réclame. Grant, venez donc prendre un verre avec moi dans la bibliothèque. Vous devez savoir certaines choses... qui seraient inconvenantes aux oreilles des dames.

— Oh ! bien...

Grant eut tout d'abord l'air surpris, puis flatté d'avoir été invité à partager des confidences.

— Certainement, accepta-t-il. Je vous verrai au dîner, mesdames. Veuillez nous excuser. Je suis à votre disposition, milord.

Hester croisa brièvement le regard de Jared et sourit. Il montrait désormais sa vraie nature, avec une autorité incontestable que même M. Grant respectait tacitement. Elle réalisa que très vite tout le monde lui obéirait au doigt et à l'œil, et cette pensée l'amusa beaucoup. C'était si différent de ce à quoi ils s'étaient attendus !

— Je monte voir maman, messieurs. A ce soir, dit-elle en s'éloignant, suivie de lady Ireland.

*
* *

Hester passa une demi-heure en compagnie de sa mère. Lady Sheldon sanglotait, car, ignorante de toute l'histoire, elle déplorait la perte de son cousin. Calée dans ses oreillers, elle triturait un mouchoir en dentelle. Néanmoins, elle se reprit un peu après qu'Hester lui eut servi une tisane préparée par l'intendante, et sourit à sa fille d'un air las.

— Jared a été un vrai héros, sais-tu, ma chérie ? Mme Mills m'a confié qu'il ne voulait pas qu'on en parle, mais apparemment il a essayé de ramener M. Knighton au péril de sa vie. Le pauvre homme, il devait être bien malade pour avoir fait une chose aussi insensée. J'avais remarqué qu'il avait plutôt mauvaise mine, ces derniers temps.

— Il devait avoir de gros soucis, dit Hester.

— Peut-être des dettes, supposa lady Sheldon. Je ne crois pas qu'il avait d'autres parents que nous. Je ne sais quelles dispositions prendre pour l'enterrement et le reste.

— Soyez tranquille, vous pouvez laisser Jared s'en occuper, assura Hester. Il fera tout le nécessaire.

— Oui, bien sûr, acquiesça-t-elle avec un soupir de satisfaction. Dieu merci, il est là maintenant, Hester. Comment avons-nous réussi à nous passer de ce cher Jared ?

— Je l'ignore, maman, dit Hester en dissimulant son sourire.

Laissant sa mère se reposer, Hester alla se changer. Elle consacra un long moment à sa coiffure, laissant ses cheveux cascader librement au lieu de les relever comme elle le faisait quand elle était pressée. Elle revêtit la robe de soie bleu pâle que sa femme de chambre lui avait préparée et se para de son collier de perles. Elle ajouta une écharpe en dentelle à sa tenue pour cacher les marques rouges sur son cou. Satisfaite du résultat, elle quitta sa chambre pour aller voir son grand-père.

Son majordome la fit entrer et lui proposa d'aller voir par elle-même que Sa Grâce obéissait au médecin et se reposait. Il était bien calé par une pile d'oreillers et consultait des papiers, qu'il reposa quand elle entra.

— Hester, ma chérie, dit-il en lui souriant. J'étais en train de régler certaines choses concernant mon testament. Je ne serai pas là éternellement et je veux être sûr que ton avenir soit assuré.

— Oh ! grand-père ! se récria Hester. J'ai tout ce qu'il me faut. De plus, j'ai ma rente, et bientôt mon héritage.

— Tant mieux, car je n'ai pas grand-chose à te laisser, mais je tiens à ce que te reviennent certains de mes objets personnels.

— C'est différent, concéda-t-elle avec un sourire. Même si je n'ai besoin de rien pour me souvenir de votre bonté. Je n'oublierai jamais que vous m'avez toujours considérée comme votre petite-fille.

— Et tu as été bien plus qu'une fille pour moi, insista le duc. Tout ce que je veux désormais, c'est te voir heureuse, Hester.

— Mais je suis heureuse, assura-t-elle en se retournant quand la porte s'ouvrit sur Jared.

Son pouls s'accéléra aussitôt. Il était d'une grande élégance en tenue de soirée, et de toute évidence tout à fait dans son élément.

— Etes-vous venu vous entretenir avec grand-père ? s'enquit-elle d'une voix un peu tremblante, submergée par l'intensité de l'amour qu'elle ressentait pour lui en cet instant. Voulez-vous que je vous laisse ?

— Non, bien sûr que non, ma chérie, dit Jared avec un sourire, tout en venant à son côté. J'apporte des nouvelles pour vous deux. Les entrepreneurs sont allés sur le toit pour évaluer les dégâts, et sous une saillie de la corniche ils ont trouvé un calice enveloppé dans du tissu. Il est un peu terni, mais je suis certain qu'un joaillier saura le restaurer et lui rendre sa splendeur initiale.

— Le calice ? Il était donc caché ici tout ce temps ? s'exclama le duc. Vous connaissez l'histoire, n'est-ce pas ? Mais s'il est resté ici depuis si longtemps…

— La famille a scellé son destin toute seule, termina Jared. La malédiction n'était rien d'autre que des paroles lancées sous l'emprise de la colère. Si ce vieux scandale avait été révélé en son temps, Knighton n'aurait jamais couru après ces chimères.

— C'est bien vrai, reconnut le duc. S'il existait une malédiction, elle a pris fin quand vous êtes arrivé, monsieur. Le destin de ma famille repose entre vos mains. Des mains tout à fait compétentes, à mon avis.

— Je ferai de mon mieux, monsieur, promit Jared en se tournant vers Hester. Donnez-moi votre main, mon amour.

Il lui prit la main gauche et glissa une bague à son doigt, amusé lorsqu'elle ouvrit de grands yeux, car c'était la plus merveilleuse bague en émeraude et diamants qu'elle eût jamais vue, taillée en carré et d'une pureté absolue.

— Je ne vous l'ai pas encore demandé selon les formes, mais j'ai pensé qu'il était temps de le faire officiellement, expliqua-t-il avant de se tourner vers le duc. J'ose espérer avoir votre approbation, monsieur ?

Le duc scruta longuement le visage d'Hester, satisfait de ce qu'il pouvait y lire.

— Et que diriez-vous si je n'approuvais pas ?

— Que je suis profondément désolé, mais que j'aurais quand même l'intention d'épouser Hester si elle le désire, et je ne pense pas me tromper ?

Il lui sourit quand elle acquiesça d'un signe de tête.

— Mais j'espère que vous nous accorderez votre bénédiction, monsieur ?

— De tout mon cœur, dit le duc avec un sourire. Je n'aurais pu m'y prendre mieux si j'avais essayé d'arranger cela moi-même.

— Ne me dites pas que cela ne vous a jamais effleuré l'esprit, répliqua Jared en haussant les sourcils. Je ne vous croirais pas.

— A quoi bon vous mentir ? rétorqua le duc. Vous le verriez tout de suite. J'espérais que vous tomberiez amoureux de ma fille, mais je savais que, si je disais le moindre mot, vous tourneriez les talons aussitôt, aussi ai-je gardé le silence.

— Grand-père ! s'exclama Hester. Vous m'aviez dit que je devais lui apprendre les bonnes manières pour qu'il épouse une riche héritière !

— Eh bien, il n'en a pas besoin, continua le duc, les yeux pétillants. Il a largement de quoi construire une bonne douzaine de maisons comme celle-ci, si mes informations sont bonnes.

— J'ai de quoi vivre à l'aise, et de quoi faire vivre ma famille, avoua Jared avec son sourire nonchalant. Je crains cependant que vous n'aimiez pas trop la source de ma richesse.

— Vous êtes un joueur, comme votre père ? grogna le duc.

— En fait, j'ai gagné la plus grande partie de mon argent en important des marchandises et en les revendant, expliqua Jared. J'ai des navires, des entrepôts et plusieurs propriétés. J'ai commencé avec le tabac et le vin, puis je me suis intéressé aux antiquités et aux œuvres d'art… J'ai acheté beaucoup d'objets à vendre après la Révolution française. J'aime assez le mobilier français, voyez-vous. Mais j'achète à quiconque me vend des choses intéressantes. Je garde ce qui me plaît, je revends avec bénéfice ce qui me plaît moins.

— Vous êtes dans le commerce, c'est donc ça ? Alors gardez-le pour vous. Certaines dames de la haute société vous prendraient de haut si elles découvraient votre secret.

— Mes affaires s'étendent un peu plus que cela, monsieur, confia Jared avec un petit sourire en coin. J'ai découvert que, s'il y a beaucoup d'argent en jeu, les gens ont tendance à ne pas se soucier de son origine.

— Vous avez donc tant que ça ? continua le duc. Alors je peux cesser de me faire du souci pour ma fille. Vous lui ferez une donation décente, j'espère ?

— Evidemment, répondit Jared sans la moindre hésitation. Tout ce qui m'appartient lui appartient désormais. J'espère qu'elle sait qu'elle est tout pour moi ?

Il la couva d'un regard tendre qui fit monter des larmes aux yeux de la jeune femme.

— Je vous aurais épousé même si vous aviez été ruiné comme vous vouliez tant nous le faire croire, assura-t-elle en lui prenant la main pour la presser contre sa joue. Vous êtes le seul homme que j'aie eu envie d'épouser.

— Tu as bon goût, bougonna le duc. Il sera très bien, Hester. Maintenant, emmène-le en bas et montre la bague à ta mère. Cela fait des semaines qu'elle m'assure que cela se fera, mais je n'en étais pas tout à fait certain. Viens d'abord m'embrasser, ma fille.

Elle se pencha vers lui et l'embrassa affectueusement.

— Vous êtes un vieux grigou, grand-père.

— On n'apprend pas à un vieux singe à faire la grimace, grommela-t-il. Mais je serai heureux si je peux voir mon premier arrière-petit-fils dans tes bras, Hester.

— Vous le verrez grandir, assura Jared. Vous n'avez plus de soucis à vous faire maintenant que je suis là, et aucune raison de ne pas vivre encore bon nombre d'années. Descendez donc, ma chérie, dit-il à Hester, je vous suis dans quelques minutes.

Hester hocha la tête et laissa les deux hommes.

— Tout est donc arrangé ? demanda alors le duc à Jared.

— J'ai tout raconté à Grant. J'estime qu'il avait le droit d'être au courant.

— Oui, c'est vrai. Il n'avait rien à voir dans tout cela ?

— Rien du tout, mais il était la clé du plan de Knighton, monsieur. Ce dernier savait que deux morts rapprochées éveilleraient des soupçons. Il ne voulait pas d'enquête sur ses origines. Il voulait me tuer, mais désirait que ce soit Grant que l'on accuse, afin que la voie soit libre. Vous pouviez ainsi léguer le domaine à Hester. Une fois qu'elle lui aurait donné un enfant, il se serait délecté en vous révélant ses machinations.

— Sachant que j'aurais été impuissant, conclut le duc. Cet homme était fou. Croyez-moi, il n'a jamais eu le moindre droit au titre. Mon frère aîné était un coureur. Il a fait croire à plus d'une fille innocente qu'il l'épousait avec des mascarades de cérémonies de mariage, ce qui ne l'empêchait pas non plus de harceler les bonnes et les femmes de chambre. Mais que cela reste entre nous, je vous prie. Il y a eu assez de scandales comme cela dans cette famille.

— J'avais fait effectuer une enquête approfondie sur cette vieille histoire, confia Jared. Je voulais savoir la vérité avant de me décider à rester ici.

— Vous allez donc rester ?

— C'est la maison d'Hester. Je lui accorderai tout ce qu'elle veut, et je sais qu'elle adore cette demeure.

— Mais elle vous aime plus encore, objecta le duc. Demandez-lui ce qu'elle désire, décidez tous les deux. Je n'ai aucun droit d'exiger que vous renonciez à votre propre vie pour nous.

— Pas vous, c'est exact, trancha Jared. Mais Hester, si.

— Tout le monde est enchanté, constata Hester alors qu'ils se promenaient tous deux dans le jardin plus tard dans la soirée. Maman prétend qu'elle le savait depuis longtemps ; lady Ireland a été surprise, mais ravie, et même M. Grant m'a présenté tous ses vœux de bonheur.

— Vous verrez, il va être content de sa situation, expliqua Jared. J'ai quelques influences, qui peuvent lui assurer de l'avancement, et l'engager sur le chemin pour devenir peut-être évêque.

— Hum… Il ferait un excellent évêque, ironisa Hester, prise d'une envie de rire. Vous vous êtes très bien débrouillé avec grand-père, Jared, mais vous n'auriez jamais dû risquer votre vie pour M. Knighton comme vous l'avez fait.

Elle s'arrêta de marcher et posa la main sur la poitrine de Jared avant de lever les yeux vers lui.

— Si vous aviez glissé et étiez tombé…

Il inclina la tête et caressa doucement ses lèvres de sa bouche, puis la fit taire avec un baiser qui lui coupa le souffle, et la laissa embrasée de désir.

— C'est fini, mon amour. Il ne s'est rien passé et tout sera réparé définitivement demain. Je n'ai l'intention d'aller nulle part… à part en lune de miel avec vous. Où aimeriez-vous aller ? L'Italie, la France, l'Amérique ?

— J'aimerais voir un jour l'endroit où vous avez grandi, dit-elle. Mais un court séjour à Paris me suffirait. Je ne veux pas laisser grand-père trop longtemps. Je sais que c'est beaucoup vous demander de renoncer à votre maison et de vivre ici. Mais c'est seulement tant qu'il est encore de ce monde, Jared. Je ne pourrais pas le laisser seul ici. Quand il ne sera plus parmi nous, j'irai où vous voudrez. Ma vie est avec vous. L'endroit où nous vivrons m'importe peu.

— Mais vous adorez cette demeure. Cela ne vous ferait-il pas horreur de la quitter ?

— J'aime Shelbourne, convint-elle en se hissant sur la pointe des pieds pour presser ses lèvres contre les siennes. Mais je vous aime encore plus, Jared.

— Quand j'étais enfant, j'ai vécu dans de nombreux endroits, expliqua-t-il. Mon père étant un joueur, parfois nous vivions dans le luxe, parfois nous avions juste un toit au-dessus de nos têtes. A la fin, il a gagné assez d'argent pour démarrer une petite affaire, et nous avons commencé à prospérer. Il m'a donné un coup de pouce à mes débuts, et j'ai fait fructifier cet argent. Mais je n'ai jamais eu de vrai foyer. Certes, je possède des maisons, plus luxueuses que celle-ci, en fait, mais pas de foyer. Je l'ai trouvé ici, Hester. Avec vous.

— Jared…

Elle se pressa contre lui et sentit l'urgence de son désir viril contre la soie de sa robe.

— Je vous aime tant, haleta-t-elle, et je veux tant vous appartenir… Quand allez-vous m'épouser ?

— Dès que cela pourra être arrangé, répondit-il en se penchant pour l'embrasser encore, les yeux pétillants d'amusement. Si vous, vous êtes impatiente, ma chérie, essayez de vous représenter à quel point je le suis aussi.

— Oh ! Jared ! s'exclama-t-elle en riant après avoir vu son expression avide, si vous pouvez tout organiser, je vous épouse demain.

— Je le pourrais, avoua-t-il. Mais je veux un grand

mariage avec une foule d'invités de marque, ma chérie. Vous n'êtes pas de celles que l'on épouse à la va-vite. Il faut toute la pompe et la splendeur que j'estime indispensables à cette cérémonie.

Il posa la main sur la gorge d'Hester et dégagea la dentelle qui la dissimulait, puis pressa ses lèvres sur sa peau avec tant de douceur qu'elle eut l'impression qu'on y appliquait le plus réparateur des baumes.

— Vous avez essayé de me le cacher, mon amour, mais je me doutais qu'il vous avait fait mal.

— Ce n'est rien, assura-t-elle. Rien ne peut me faire de mal maintenant que je sais que votre amour est réel et sincère.

— Rien ne pourra vous faire de mal, promit-il. Tant que je vivrai, je ferai tout ce qui est en mon pouvoir pour vous protéger et vous rendre heureuse.

— Vous le faites chaque fois que je vous regarde, dit-elle. Vous savez que je suis à vous, chaque fois que vous le voudrez ?

— Je vous veux maintenant, grommela-t-il en lui caressant les seins à travers la douceur satinée de sa robe. Mais j'attendrai notre nuit de noces, Hester. Cela sera très difficile, mais je patienterai, répéta-t-il en l'embrassant. J'ai connu d'autres femmes, vous le savez, mais il n'y en a qu'une auprès de qui j'ai envie de me réveiller tous les matins de ma vie.

Hester était alanguie entre les bras de son mari, le visage contre sa poitrine qui exhalait une senteur saline. Elle se sentait en sécurité, détendue et aimée, le corps encore vibrant après leurs ébats. Elle s'accouda pour le contempler et suivit d'un doigt le contour de sa joue.

— Qu'aurais-je fait si tu avais refusé de venir quand grand-père a requis ta présence ? s'interrogea-t-elle. Tu n'avais aucune raison de te plier à ses désirs. Qu'est-ce qui t'a décidé ?

La main de Jared glissa le long de la peau veloutée de son dos, tandis que l'autre jouait dans ses longs cheveux alors qu'il réfléchissait à la question. C'était une belle femme sensuelle, et ils s'étaient prodigué l'un l'autre un intense plaisir la nuit précédente.

— Je ne sais pas trop, avoua-t-il. Tout d'abord, j'avais dans l'idée de jouer un tour à l'avoué et de le renvoyer après l'avoir abreuvé d'une histoire fantaisiste, mais il a dit quelque chose qui m'a poussé à réfléchir…

— Qu'était-ce ? demanda Hester, ses lèvres effleurant son oreille, son souffle réveillant en lui d'exquises sensations.

— Il a parlé de loyauté familiale et de tradition, expliqua Jared. Il a évoqué la famille, mes ancêtres, ce qu'ils avaient accompli pour mériter honneur et richesse par le passé. Et d'un lien particulier entre le maître et ses hommes, que l'on ne rencontre plus guère aujourd'hui, et qui a éveillé ma curiosité.

— Etait-ce tout ? De la curiosité seulement ? insista Hester en le regardant au fond des yeux. Non, il devait y avoir plus que cela, j'en suis sûre. Tu voulais voir la maison de ta mère, et dire ses quatre vérités au duc.

— Oui, cela également, obtempéra Jared. Je suis venu avec la rage au cœur, Hester. Mais ensuite, je t'ai rencontrée.

— Tu étais en colère le jour où nous nous sommes rencontrés, répliqua-t-elle. Et ce n'était pas seulement à cause de ce qu'avait dit l'avoué ?

— Je ne sais plus trop. Peut-être était-ce parce que tu étais si belle, si sûre de toi et prête à m'apprendre à bien me tenir pour que je trouve une riche épouse.

Il s'arrêta brièvement pour l'embrasser avec fougue.

— Cela m'a mis en colère, reprit-il. Comment pouvais-tu t'engager à m'aider à pêcher une riche héritière alors que je ne voulais que toi ? J'ai cru que tu étais indifférente, ou que tu me méprisais d'être un nouveau riche américain.

— Oh ! Jared, gémit Hester, troublée. Au début, je me suis comportée envers toi comme ce que l'on attendait de moi. Nous avions tellement besoin de renflouer le domaine. Mais, dès ce moment-là, j'ai regretté que tu doives faire un mariage d'argent. Je voulais que tu m'aimes.

— Je n'en étais pas sûr ! s'exclama-t-il, ses yeux brûlant d'une passion si intense qu'elle en trembla.

Son corps s'arqua contre le sien tandis qu'il l'attirait contre lui. Elle le désirait de nouveau, désirait de nouveau le sentir en elle.

— J'ai su très vite que je t'aimais, avoua-t-il, comme je n'avais jamais aimé une autre femme. Mais tu étais toujours si posée, une vraie lady anglaise !

— C'est mon éducation, lui murmura Hester à l'oreille. Je n'osais pas te montrer mes sentiments, car je n'étais pas certaine que tu t'intéressais à moi autant que moi je m'intéressais à toi. J'étais jalouse de ces femmes que tu as invitées au bal.

— Selina a été ma maîtresse, mais c'était il y a longtemps, et sa sœur ne me plaisait pas. Elle était trop pressante à mon goût, Hester. Je ne faisais que jouer mon rôle d'hôte, et je tentais de leurrer Knighton pour qu'il détourne son attention de toi, mon amour.

Il continua à laisser courir sa main dans les cheveux de sa femme, en profitant pour l'attirer tout contre lui et l'embrasser.

— Et il n'y a donc jamais eu d'enfant illégitime ?

continua-t-elle. Pas d'autre femme que tu voulais épouser ? Pas d'amour secret qui te hanterait encore ?

— Jamais, promit-il en lui caressant voluptueusement la joue et les lèvres du bout des doigts. Crois-moi, je n'ai jamais eu envie d'un enfant avec une autre femme, ma chérie.

— Mais avec moi, tu as envie ? l'interrogea-t-elle vivement.

— Avec toi, oui.

Il la fit rouler sur le dos pour plonger ses yeux au fond des siens. Hester eut l'impression qu'il la scrutait jusqu'au plus profond de son âme. Il l'embrassa doucement sur les lèvres.

— J'espère que nous aurons des enfants un jour, mais, pour le moment, je te veux pour moi seul. Pardonne-moi, mais je ne peux pas me rassasier de toi.

Hester l'attira contre elle, déjà submergée par le désir qu'il savait si facilement éveiller en elle. Elle se cambra et s'abandonna au plaisir de sentir ses mains et sa langue parcourir tous les endroits secrets de son corps.

— Je n'en aurai jamais assez, murmura-t-elle quand les lèvres de Jared se posèrent sur ses seins et la firent gémir de plaisir. Jamais…

Puis ils n'eurent plus besoin de mots et laissèrent parler leurs corps…

À découvrir ce mois-ci

7 nouveaux romans dans la collection

Les Historiques

SCANDALEUSE ALLIANCE
de Mary Brendan - n°559

Emily en est sûre : cette fois-ci, son frère s'est attiré de gros ennuis. Habitués à la vie débauchée de leur fils, ses parents ne semblent pas s'inquiéter de sa disparition ; Emily, au contraire, est convaincue qu'il court un grave danger. Aussi se décide-t-elle à demander l'aide de Mark Hunter — le meilleur ami de son frère. Mais avec quelle réticence ! Séducteur cynique, bien trop conscient de son charme dévastateur, Hunter représente tout ce que déteste Emily chez un homme. Un sentiment qu'elle ne s'est jamais retenu d'exprimer, surtout en sa présence. Mais il en faudrait bien davantage pour déstabiliser Mark, qui s'empresse d'accepter de l'aider, visiblement ravi de faire d'Emily sa débitrice…

MARIÉE À L'ENNEMI
de Terri Brisbin - n°560

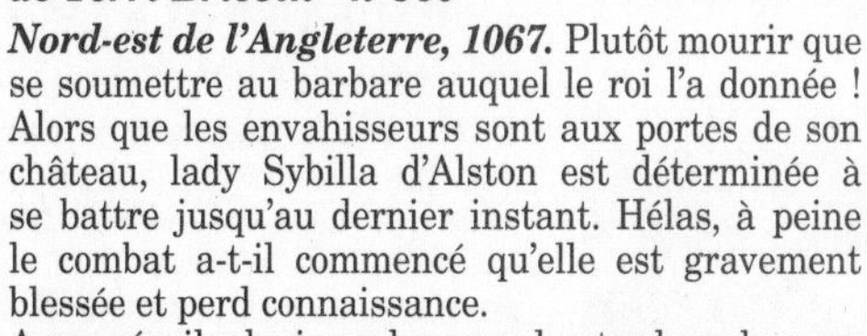

Nord-est de l'Angleterre, 1067. Plutôt mourir que se soumettre au barbare auquel le roi l'a donnée ! Alors que les envahisseurs sont aux portes de son château, lady Sybilla d'Alston est déterminée à se battre jusqu'au dernier instant. Hélas, à peine le combat a-t-il commencé qu'elle est gravement blessée et perd connaissance.
A son réveil, plusieurs heures plus tard, un homme se tient à son chevet. Une longue cicatrice barre son visage pourtant parfait et lui donne un air sombre et incroyablement viril. Dans ses yeux brille l'éclat de la revanche, farouche et implacable. Frissonnante, Sybilla comprend aussitôt que ce ténébreux guerrier n'est autre que celui auquel on l'a promise : Soren Fitzrobert…

L'HÉRITIER DE SHELBOURNE

de ANNE HERRIES - n°561

Angleterre, Régence. Lorsque le duc de Shelbourne, gravement malade, lui annonce l'arrivée de son héritier à Londres, Hester croit avoir une idée très précise du personnage auquel elle est chargée de trouver une épouse : un Américain opportuniste et sans le sou, un aventurier qui lorgne sur la fortune de son oncle bien aimé. La réalité lui donne tort : loin du rustre qu'elle imaginait, Jared Clinton est riche. Et surtout, incroyablement séduisant. Si séduisant qu'Hester, en dépit de son éducation irréprochable, éprouve immédiatement pour lui un irrésistible désir. Dans ces conditions, la mission dont l'a chargée son oncle ne tarde pas à devenir la plus frustrante des expériences…

L'HONNEUR DE LUCIE

de Jenna Kernan - n°562

Dakota 1884. Libérée de son union forcée avec un chef indien, et revenue dans sa famille, Lucie a le plus grand mal à trouver sa place parmi les siens. A jamais marquée par ce mariage, elle sent la réprobation partout autour d'elle. Même dans l'école pour orphelins où elle s'occupe avec ferveur de ses élèves qu'elle adore, on la condamne du regard…

L'arrivée d'un mystérieux étranger va de nouveau bouleverser sa vie. Paré comme un Sioux, mais doté d'yeux bleus comme l'azur, le troublant émissaire affirme qu'il est venu la chercher pour la ramener à son époux...

LE CADEAU DE LA REINE

de Deborah Simmons - n°563

Philtwell, Angleterre, régence. Glory Sutton n'en dort plus. Quel secret plane donc sur son héritage pour que des vandales s'y attaquent la nuit et que les villageois la vilipendent le jour ? Elle ne fait pourtant que rénover les Eaux de la Reine, ces thermes qui ont fait la fortune de ces ancêtres… Résolue à retrouver le sommeil et la paix, Glory mise tous ses espoirs sur l'arrivée d'un procureur qui doit l'aider à démasquer les coupables. Mais elle déchante quand elle apprend son nom : le duc de Westfield ! Celui-là même qui l'exaspère — et la trouble, hélas — avec son charme envoûtant et son insupportable arrogance ! Pourra-t-il se ranger de son côté, ou va-t-il s'amuser des tourments dont elle est victime ?

LE PACTE DE VELOURS

de Tori Phillips - n°564

Angleterre, 1528. Las de sa vie de dangers et de frasques, Cavendish s'apprête à renoncer aux femmes et au monde. Mais, avant cela, il doit accomplir une dernière mission : escorter Céleste de Montcalm, une inconnue qu'il a retrouvé blessée, alors qu'elle était en chemin pour rejoindre son fiancé. Tout de suite, la fragilité et la beauté de la jeune femme le troublent plus qu'il ne faudrait, éveillant en lui le désir qu'il veut désormais s'interdire. Plus vite elle sera en sécurité auprès de l'homme qu'elle doit épouser, plus vite Cavendish se sentira libéré. Mais voilà qu'il apprend que Céleste est promise à un félon, un individu cruel entre les mains duquel aucun homme d'honneur n'abandonnerait une femme. Fût-elle la tentation incarnée…

LA CITADELLE DES PASSIONS

de Catherine Archer - n°565

Angleterre, 1188. Quand lady Lillian disparait tragiquement, lord Tristan est anéanti. Lui qui, faisant fi de la guerre des Deux-Roses, s'était épris de la fille d'un ennemi à la grande colère de son père, est désormais seul avec un bébé qui ne connaîtra jamais sa mère… Mais, trois ans après le drame, Tristan croit assister à un miracle: dans une auberge, il tombe face à face avec une jeune femme qui ressemble trait pour trait à celle qu'il pensait avoir perdue pour toujours. Lillian, *sa* Lillian, est là devant lui. Émerveillé, il ne songe d'abord qu'à remercier le Ciel pour ce prodige. Mais, très vite, vient le temps des questions, et l'émotion de Tristan se mue en incrédulité : il semble que Lillian ne garde – ou feint de ne garder ? – aucun souvenir de leur amour passé...

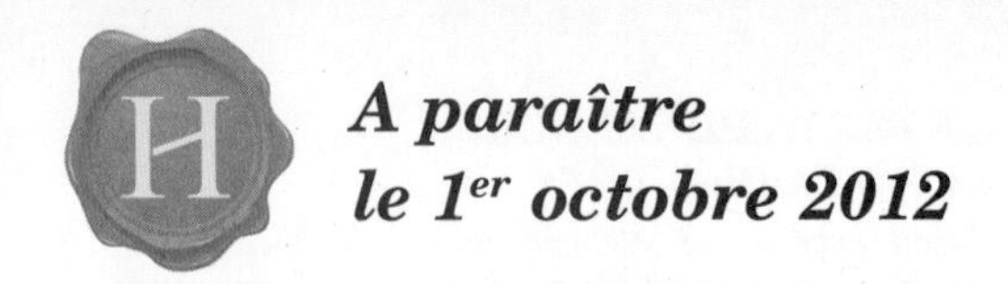

A paraître le 1er octobre 2012

DANS LES BRAS D'UN HIGHLANDER

de Marguerite Kaye - n°566

Ecosse, 1747. Madeleine est désemparée. Alors qu'elle a fui sa Bretagne natale pour retrouver son fiancé disparu, la voilà fascinée par le mystérieux Ecossais qui lui sert de guide, et dont elle ne sait presque rien. Certes, Calumn Munro lui est venu en aide à son arrivée à Edimbourg, et sans lui, Madeleine n'aurait jamais pu traverser les Highlands ; mais peut-elle vraiment faire confiance à cet inconnu ? Calumn ne s'est-il pas moqué de ses fiançailles avec Guillaume en lui affirmant que cette union n'était qu'une comédie ? Ne lui a-t-il pas promis qu'avant la fin de leur périple, il lui ferait connaitre le plaisir qu'elle n'éprouvera plus jamais dans les bras d'un autre ? Le pire dans tout cela, c'est que Madeleine ne peut s'empêcher de déceler une part de vérité dans les paroles du Highlander. Une vérité qui pourrait bouleverser sa vie…

LE SECRET DES HAUTES-TERRES

de Suzanne Barclay - n°567

Kennecraig, Ecosse, 1407. En ces temps incertains, Cathlyn Boyd ne peut se fier à personne et l'hostilité de ses hommes n'est pas la plus alarmante des difficultés qu'elle connaît. En plus de leur mépris, elle redoute une attaque : celle que risque de lancer Hakon Fergusson, ennemi juré de sa famille, pour voler le légendaire secret dont elle est désormais la dépositaire et qui a fait la fortune de son père. Alors comment accueillir sans frissonner le ténébreux Ross Sutherland, chef d'un clan voisin, lorsqu'il vient à Krennecraig demander asile après être, dit-il, tombé dans une embuscade ? Comment s'assurer que ce guerrier n'est pas au service de ceux qui la menacent ? Et, surtout, qu'il ne va pas se servir de son arme la plus redoutable : le désir irrépressible qu'il fait tout de suite naître en elle…

LA VENGEANCE DE FORD BARRETT

de Deborah Hale - n°568

Angleterre, 1821. Epouser Ford Barrett, l'héritier de son défunt mari, et devenir chaque jour l'objet de sa vengeance ? Pour Laura Penrose, ce serait sacrifier sa vie. Elle a beau avoir été éperdument amoureuse de Ford sept ans plus tôt, elle refuse de se voir imposer un nouvel époux, une nouvelle union sans amour, qui plus est avec un homme incapable de lui pardonner leur rupture de jadis, et décidé à la lui faire payer. Mais en voulant sauver son indépendance, Laura sait qu'elle prend des risques : Ford n'est plus le jeune garçon charmant d'autrefois. Devenu un homme froid, arrogant, il n'hésitera sans doute pas à la placer face à un dilemme : soit elle l'épouse, soit il les chasse, elle et sa famille des terres sur lesquelles elle vit, mais qui sont désormais à lui…

LA REBELLE DE GREEN VALLEY

de Lynna Banning - n°569

Green Valley, 1867. Quitter sa propriété, comme essaie de l'y forcer Wash Halliday ? Pour Jeanne, c'est une inconcevable perspective ! Après la terrible guerre civile qui a ravagé le pays, son champ de lavande et sa modeste maison sont tous les biens qu'il lui reste. Ce Halliday peut bien être envoyé par le président en personne, jamais elle ne cèdera ! D'ailleurs, elle a déjà prouvé que rien ni personne ne pouvait l'arrêter s'il s'agit de protéger son avenir et celui de sa fillette. Rien, sans doute, mais… personne ? Le jour où Wash Halliday décide de se présenter chez elle, Jeanne, saisie par tant de séduction, sent chavirer sa chère indépendance…

LA MAÎTRESSE DU LIBERTIN

de Christine Merrill - n°570

Londres, Régence. Le père d'Esme, un homme cruel et violent, a prévu de la marier à un vieil aristocrate dans le seul but de servir ses intérêts. C'est oublier le caractère impétueux de sa fille qui, lorsqu'elle devine ses intentions, décide d'échapper à l'union qu'il veut lui imposer. Comment ? En ruinant sa réputation, en provoquant un scandale, par tous les moyens… Et très vite, une solution apparaît clairement dans l'esprit d'Esme, ou plutôt un visage : celui du capitaine John Radwell, son séduisant voisin, un incorrigible débauché dont on ne compte plus les innombrables conquêtes. Aussitôt, Esme fuit la demeure familiale et s'introduit chez le célèbre capitaine, convaincue qu'un libertin tel que lui ne la repoussera pas…

FIANÇAILLES IMPROMPTUES

de Tori Phillips - n°571

Angleterre, 1528. Quand Henry VIII décide d'unir sir Brandon Cavendish et lady Katherine Fitzhugh, c'est un couperet qui s'abat sur la tête des intéressés. Désespéré, le premier s'épanche auprès de son meilleur ami John : comment pourrait-il être un bon époux, lui qui a toujours été le pire des débauchés ? Quant à la seconde, elle confie à Miranda, sa cousine, combien il lui coûte de renoncer à sa liberté après une première union désastreuse. L'idéal, bien sûr, consisterait à infléchir la décision du roi. Hélas, il est trop tard : les bans ont déjà été publiés, et la rencontre des fiancés est prévue pour la Saint Jean... Le premier choc passé, Brandon se présente donc au rendez vous - mais en se faisant passer pour John ! Son plan est savamment orchestré, à un détail près : il ignore que Katherine, elle aussi, a échangé sa place avec Miranda…

A paraître le 1er septembre

Best-Sellers n°532 • historique

Le secret d'Elysse - Brenda Joyce

Irlande, 1839

Si Elysse De Varenne occupe une place d'honneur dans la haute société irlandaise, elle n'ignore pas les cruelles rumeurs qui circulent sur son mariage. Des rumeurs qu'elles s'efforcent de démentir par tous les moyens. Pas question d'admettre qu'elle n'a pas vu son époux depuis le jour où ils ont échangé leurs vœux, et encore moins que leur union n'a jamais été consommée ! Car on ne tarderait pas alors à découvrir le scandaleux secret qui a poussé le ténébreux Alexi De Varenne à l'épouser… Hélas, son personnage de parfaite épouse vole en éclats lorsqu'après six ans d'absence, Alexi décide de rentrer en Angleterre. En effet, comment continuer à faire croire en leur mariage quand l'irrésistible Alexi refuse de lui adresser la parole ?

Best-Sellers n°533 • historique

Le mystérieux fiancé - Shannon Drake

19ème siècle, Londres.

Sous la protection des Carlyle depuis son enfance, Ally a grandi dans un havre de paix, loin des troubles qui agitent le royaume. Et si cette existence dorée a des inconvénients – comme celui d'être promise à un inconnu –, Ally a bien conscience que ses origines modestes auraient pu la conduire à un sort moins enviable. Aussi est-ce résignée qu'elle se rend au bal qui officialisera ses fiançailles avec Mark Farrow, l'époux que son parrain lui a choisi. Mais alors qu'elle est en chemin, sa voiture est attaquée par un ténébreux bandit. L'homme, aussi inquiétant que séduisant, fait aussitôt naître en elle un désir implacable. Un désir qu'elle s'efforce de réprimer pour lui tenir tête : comment ose-t-il s'en prendre à elle, Alexandra Grayson, pupille du puissant comte de Carlyle ? Son argument, elle le sait, est peu convaincant… Pourtant, contre toute attente, l'homme la libère dès qu'il apprend son nom, visiblement bouleversé par sa découverte…

www.harlequin.fr

Composé et édité par les

éditions HARLEQUIN

Achevé d'imprimer en France (Malesherbes)
par Maury-Imprimeur
en juillet 2012

Dépôt légal en août 2012
N° d'imprimeur : 173972